KB196474

| 개정판 |

선생님과 함께 읽는 우리 소설 1

| 개 정 판 |
선생님과 함께 읽는 우리 소설 1

1992년 1월 20일 초판 1쇄 펴냄
2006년 8월 10일 초판 17쇄 펴냄
2011년 4월 25일 재판 1쇄 찍음
2011년 5월 2일 재판 1쇄 펴냄

엮은이 권순긍 · 김진호 · 문재용
펴낸이 손택수
편집 김혜선, 이상현
디자인 풍영옥
관리 · 영업 김태일, 이용희

펴낸곳 (주)실천문학
등록 10-1221호(1995.10.26.)
주소 우121-820, 서울시 마포구 망원1동 377-1 601호
전화 322-2161~5
팩스 322-2166
홈페이지 www.silcheon.com

ISBN 978-89-392-0653-3 03810(전3권)
ISBN 978-89-392-0654-0 03810

책값은 뒤표지에 표시되어 있습니다.

선생님과 함께 읽는

담쟁이 교실 03

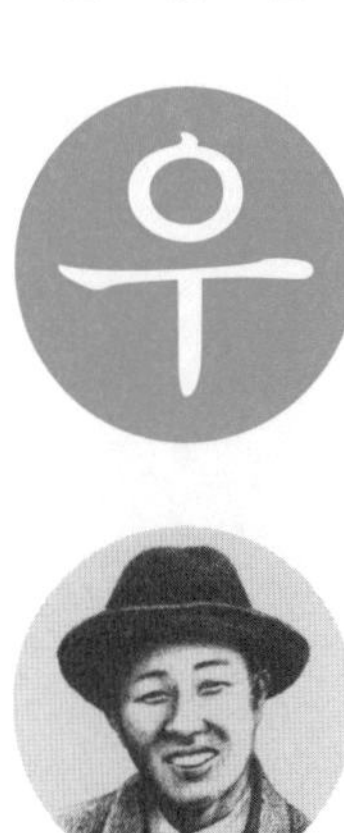

우리 소설

|개정판|

권순긍
김진호
문재용
엮음

1

실천문학사

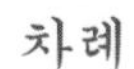

차례

책을 펴내며

이 소설집은 우리의 근현대소설들 중에서 청소년 여러분이 읽기 적당한 작품들을 골라 모은 것입니다. 우리 엮은이들은 이 책을 구상하면서 어떻게 하면 청소년들이 잘못된 글읽기에 빠져 그저 달착지근하고 감각적인 작품읽기에서 벗어나 본격적이고 의미 있는 문학작품을 읽게 할 수 있을까 고민했습니다. 그러는 과정에서 자연스럽게 청소년들이 읽을 만한 소설들을 모아 보자는 얘기가 나오게 된 것이 이 책을 펴내게 된 동기입니다.

요즘 우리 청소년들은 순간적이고 감각적인 책들에 빠져 있는 경향이 있습니다. 이 책에 실린 소설들을 통해 우리의 청소년들이 우리 문학을 바로 보고, 재미도 있으면서 또한 의미 있는 작품을 골라 읽는 소설읽기의 첫걸음을 내디딜 수 있게 되기를 바랍니다. 작품은 주로 7, 80년대를 중심으로 하여 뽑았습니다. 그러나 식민지 시대의 작품도 몇몇 수록한 것은 우리 문학의 흐름을 한번 되짚어 보자는 의도에서입니다. 요즘 흔히 쓰는 문장이나 말과는 많이 다르지만 꼼꼼히 읽어 보면 나름대로 새로운 재미를 느낄 수 있을 것입니다.

아무쪼록 우리 청소년들의 건강한 독서풍토를 만드는 데 조금의 밑거름이라도 되기를 이 책을 엮은 우리들은 바라고 있습니다.

아울러 우리가 이 책을 펴내기까지 도움을 주신 여러 선생님들과 실천문학사 여러분께도 감사드립니다.

엮은이들

감자
김 동 인
(1900~1951)

김동인(1900~1951)은 현대문학의 초창기에 『창조』라는 동인지를 통해 문학활동을 시작한 작가이다. 그는 문학은 순수한 미적 가치를 지닌 것으로, 창조적 정신에 의해 이루어지는 것이라는 생각으로 심미적인 소설 창작에 힘을 쏟았다. 이광수나 최남선 등의 계몽주의문학에 반대하면서 문학을 통해 민족성을 예술적으로 개조하자는 주장과는 달리 문학은 오락이며 그저 문학일 뿐이라고 생각하였다. 그러했기에 문학이 생겨나게 된 사회 · 역사적인 조건이나 인간의 삶이 갖는 현실과의 연관관계를 총체적으로 보지 못하고 인간 존재의 본질적인 측면을 중시하게 되었다. 흔히 소설이 허구라고 하는 말을 신봉한 김동인은 인형을 조종하듯 작가는 작품 속의 인물을 조종해야 한다고 생각했는데, 그러기에 그의 작품은 이야기의 줄거리나 인물이 당대의 삶과는 동떨어진 채 단지 허구의 공간에서 주로 창조되고 있다. 그의 대표작인 「배따라기」, 「광염 소나타」, 「광화사」 등이 이러한 경향을 잘 드러내 보이고 있다.

여기 수록한 「감자」는 그러한 의미에서 공간적 배경이나 상황의 설정은 식민지 조선 민중이 살아왔던 현실을 잘 반영하지만 인물의 행동이 지극히 개인적 욕망에 따라 움직이는 개인적 차원의 이야기로 귀결되어 있다. 이 소설은 복녀라는 주인공이 가난한 환경으로 인해 도덕적인 의지를 버리고 거듭되는 매춘 행위와 애욕의 질투 때문에 끝내는 비극적인 파멸에 이른다는 내용이다. 가난을 벗어나고자 시작한 매춘이 개인의 성격적 결함으로 결국 죽음을 맞게 된다는 것은 돈과 애욕의 생리에만 집착하는 여인의 모습을 보여줄 뿐이다. 따라서 복녀가 체험한 현실은 어느 부분까지는 식민지 현실을 반영한 것이었다가 어느 순간에 개인의 도덕적 타락이 초래한 비극적 결말로 전환되어 원래 타락한 사람이니까 그럴 만도 하지 않느냐는 체념을 독자들이 가지게 된다고 할 수 있다.

싸움, 간통, 살인, 도둑, 구걸, 징역 이 세상의 모든 비극과 활극의 근원지인 칠성문 밖 빈민굴로 오기 전까지는, 복녀의 부처는(사농공상의 제2위에 드는) 농민이었었다.

복녀는, 원래 가난은 하나마 정직한 농가에서 규칙 있게 자라난 처녀였었다. 이전 선비의 엄한 규율은 농민으로 떨어지자부터 없어졌다 하나, 그러나 어딘지는 모르지만 딴 농민보다는 좀 똑똑하고 엄한 가율이 그의 집에 그냥 남아 있었다. 그 가운데서 자라난 복녀는 물론 다른 집 처녀들같이 여름에는 벌거벗고 개울에서 멱감고, 바짓바람으로 동네를 돌아다니는 것을 예사로 알기는 알았지만, 그러나 그의 마음속에는 막연하나마 도덕이라는 것에 대한 저품을 가지고 있었다.

그는 열다섯 살 나는 해에 동네 홀아비에게 팔십 원에 팔려서 시집이라는 것을 갔다. 그의 새서방(영감이라는 편이 적당할까)이라는 사람은 그보다 이십 년이나 위로서, 원래 아버지의 시대에는 상당한 농민으로서 밭도 몇 마지기가 있었으나, 그의 대로 내려오면서는 하나둘 줄기 시작하여서, 마지막에 복녀를 산 팔십 원이 그의 마지막 재산이었다. 그는 극도로 게으른 사람이었었다. 동네 노인의 주선으로 소작 밭깨나 얻어 주면, 종자만 뿌려둔 뒤에는 후치질도 안 하고 김도 안 매고 그냥 버려 두었다가는, 가을에 가서는 되는대로 거두어서 "금년은 흉년이네" 하고 전주집에는 가져도 안 가고 자기 혼자 먹어 버리고 하였다. 그러니까 그는 한 밭을 이태를 연하여 부쳐 본 일이 없었다. 이리하여 몇 해를 지내는 동안 그는 그 동네에서는 밭을 못 얻으리만큼 인심과 신용을 잃고 말았다.

복녀가 시집을 온 뒤, 한 삼사 년은 장인의 덕으로 이렁저렁 지냈으나, 이전 선비의 꼬리인 장인도 차차 사위를 밉게 보기 시작하였다. 그들은 처가에까지 신용을 잃게 되었다.

그들 부처는 여러 가지로 의논하다가 하릴없이 평양 성안으로 막벌이로 들어왔다. 그러나 게으른 그에게는 막벌이나마 역시 되지 않았다. 하루종일 지게를 지고 연광정에 가서 대동강만 내려다보고 있으니, 어찌 막벌이인들 될까. 한 서너 달 막벌이를 하다가, 그들은 요행 어떤 집 막간(행랑)살이로 들어가게 되었다.

그러나 그 집에서도 얼마 안 하여 쫓겨나왔다. 복녀는 부지런히 주인집 일을 보았지만, 남편의 게으름은 어찌할 수가 없었다. 매일 복녀는 눈에 칼을 세워 가지고 남편을 채근하였지만, 그의 게으른 버릇은 개를 줄 수는 없었다.

"벳섬 좀 치워 달라우요."

"날 졸음 오는데, 님자 치우시관."

"내가 치우나요?"

"이십 년이나 밥 처먹구 그걸 못 치워."

"에이구, 칵 죽구나 말디."

"이년 뭘!"

이러한 싸움이 그치지 않다가, 마침내 그 집에서도 쫓겨나왔다.

이젠 어디로 가나? 그들은 하릴없이 칠성문 밖 빈민굴로 밀리어 오게 되었다.

칠성문 밖을 한 부락으로 삼고 그곳에 모여 있는 모든 사람들의 정업은 거러지요, 부업으로는 도둑질과 (자기네끼리의) 매음, 그 밖에 이 세상의 모든 무섭고 더러운 죄악이었었다. 복녀도 그 정업으로 나섰다.

그러나 열아홉 살의 한창 좋은 나이의 여편네에게 누가 밥인들 잘 줄까.

"젊은 거이 거랑은 왜?"

그런 소리를 들을 때마다 그는 여러 가지 말로, 남편이 병으로 죽어 가거니 어쩌거니 핑계는 대었지만, 그런 핑계에는 단련된 평양 시민의 동정은 역시 살 수가 없었다. 그들은 이 칠성문 밖에서도 가장 가난한 사람 가운데 드는 편이었었다. 그 가운데서 잘 수입되는 사람은 하루에 오 리짜리 돈뿐으로 일 원 칠팔십 전의 현금을 쥐고 돌아오는 사람까지 있었다.

극단으로 나가서는 밤에 돈벌이 나갔던 사람은 그날 밤 사백여 원을 벌어 가지고 와서 그 근처에서 담배 장사를 시작한 사람까지 있었다.

복녀는 열아홉 살이었다. 얼굴도 그만하면 빤빤하였다. 그 동네 여인들의 보통 하는 일을 본받아서, 그도 돈벌이 좀 잘하는 사람의 집에라도 간간 찾아가면, 매일 오륙십 전은 벌 수가 있었지만, 선비의 집안에서 자라난 그는 그런 일은 할 수가 없었다.

그들 부처는 역시 가난하게 지냈다. 굶는 일도 흔히 있었다.

기지묘 솔밭에 송충이가 끓었다. 그때, 평양 '부'에서는 그 송충이를 잡는 데 (은혜를 베푸는 뜻으로) 칠성문 밖 빈민굴의 여인들을 인부로 쓰게 되었다.

빈민굴 여인들은 모두 다 지원을 하였다. 그러나 뽑힌 것은 겨우 오십 명쯤이었었다. 복녀도 그 뽑힌 사람 가운데 한 사람이었었다.

복녀는 열심히 송충이를 잡았다. 소나무에 사다리를 놓고 올라가서는 송충이를 집게로 집어서 약물에 잡아넣고, 또 그렇게 하고, 그의 통은 잠깐 사이에 차고 하였다. 하루에 삼십이 전씩의 품삯이 그의 손에 들어왔다.

그러나 대엿새 하는 동안에 그는 이상한 현상을 하나 발견하였다. 그것은 다른 것이 아니라, 젊은 여인부 한 여남은 사람은 언제나 송충이는 안 잡고, 아래서 지절거리며 웃고 날뛰기만 하고 있는 것이었다. 뿐만 아니라, 그 놀고 있는 인부의 품삯은, 일하는 사람의 삯전보다 팔 전이나 더 많이 내어주는 것이다.

감독은 한 사람뿐이었는데 감독도 그들이 놀고 있는 것을 묵인할 뿐 아니라, 때때로는 자기까지 섞여서 놀고 있었다.

어떤 날 송충이를 잡다가 점심때가 되어서, 나무에서 내려와서 점심을 먹고 다시 올라가려 할 때에 감독이 그를 찾았다.

"복네! 얘 복네!"

"왜 그릅네까?"

그는 약통과 집게를 놓고 뒤로 돌아섰다.

"좀 오나라."

그는 말없이 감독 앞에 갔다.

"얘, 너, 음…… 데 뒤 좀 가 보자."

"뭘 하레요?"

"글쎄, 가야……."

"가디요. —형님."

그는 돌아서면서 인부들 모여 있는 데로 고함쳤다.

"형님두 갑세다가레."

"싫다 얘. 둘이서 재미나게 가는데, 내가 무슨 맛에 가갔니?"

복녀는 얼굴이 새빨갛게 되면서 감독에게로 돌아섰다.

"가 보자."

감독은 저편으로 갔다. 복녀는 머리를 수그리고 따라갔다.

"복네 좋갔구나."

뒤에서 이러한 조롱 소리가 들렸다. 복녀의 숙인 얼굴은 더욱 발갛게 되었다.

그날부터 복녀도 '일 안 하고 품삯 많이 받는 인부'의 한 사람으로 되었다.

복녀의 도덕관 내지 인생관은, 그때부터 변하였다.

그는 아직껏 딴 사내와 관계를 한다는 것을 생각하여 본 일도 없었다. 그것은 사람의 일이 아니요, 짐승의 하는 짓쯤으로만 알고 있었다. 혹은 그런 일을 하면 탁 죽어지는지도 모를 일로 알았다.

그러나 이런 이상한 일이 어디 다시 있을까. 사람인 자기도 그런 일을 한 것을 보면, 그것은 결코 사람으로 못 할 일이 아니었었다. 게다가 일

안 하고도 돈 더 받고, 긴장된 유쾌가 있고, 빌어먹는 것보다 점잖고……. 일본말로 하자면 '삼박자(拍子)' 같은 좋은 일은 이것뿐이었었다. 이것이야말로 삶의 비결이 아닐까. 뿐만 아니라, 이 일이 있은 뒤부터, 그는 처음으로 한 개 사람이 된 것 같은 자신까지 얻었다.

그 뒤부터는 그의 얼굴에는 조금씩 분도 바르게 되었다.

일 년이 지났다.

그의 처세의 비결은 더욱더 순탄히 진척되었다. 그의 부처는 이제는 그리 궁하게 지내지는 않게 되었다.

그의 남편은, 이것이 결국 좋은 일이라는 듯이 아랫목에 누워서 벌신벌신 웃고 있었다.

복녀의 얼굴은 더욱 이뻐졌다.

"여보, 아즈마니. 오늘은 얼마나 벌었소?"

복녀는 돈 좀 많이 벌은 듯한 거지를 보면 이렇게 찾는다.

"오늘은 많이 못 벌었쉐다."

"얼마?"

"도무지 열서너 냥."

"많이 벌었쉐다가레. 한 댓 냥 꿰주소고레."

"오늘은 내가……."

어쩌고 어쩌고 하면, 복녀는 곧 뛰어가서 그의 팔에 늘어진다.

"나한테 들킨 댐에는 꿔구야 말아요."

"난 원 이 아즈마니 만나믄 야단이더라. 자 꿰주디 그 대신 응? 알아 있디?"

"난 몰라요. 해해해해."

"모르믄, 안 줄 테야."

"글쎄, 알았대두 그른다."

—그의 성격은 이만큼까지 진보되었다.

가을이 되었다.

칠성문 밖 빈민굴의 여인들은 가을이 되면 칠성문 밖에 있는 중국인의 채마밭에 감자(고구마)며 배추를 도둑질하러, 밤에 바구니를 가지고 간다. 복녀도 감자깨나 잘 도둑질하여 왔다.

어떤 날 밤, 그는 고구마를 한 바구니 잘 도둑하여 가지고, 이젠 돌아오려고 일어설 때에, 그의 뒤에 시꺼먼 그림자가 서서 그를 꽉 붙들었다. 보니, 그것은 그 밭의 주인인 중국인 왕 서방이었었다. 복녀는 말도 못하고 멀찐멀찐 발 아래만 내려다보고 있었다.

"우리 집에 가."

왕 서방은 이렇게 말하였다.

"가재믄 가디. 훤, 것두 못 갈까."

복녀는 웅덩이를 한번 홱 두른 뒤에, 머리를 젖히고 바구니를 저으면서 왕 서방을 따라갔다.

한 시간쯤 뒤에 그는 왕 서방의 집에서 나왔다. 그가 밭고랑에서 길로 들어서려 할 때에, 문득 뒤에서 누가 그를 찾았다.

"복네 아니야?"

복녀는 홱 돌아서 보았다. 거기는 자기 곁집 여편네가 바구니를 끼고, 어두운 밭고랑을 더듬더듬 나오고 있었다.

"형님이댔쉐까? 형님두 들어갔댔쉐까?"

"님자두 들어갔댔나?"

"형님은 뉘 집에?"

"나? 눅(陸) 서방네 집에. 님자는?"

"난 왕 서방네……. 형님 얼마 받았소?"

"눅 서방네 그 깍쟁이놈, 배추 세 페기……."

"난 삼 원 받았디."

복녀는 자랑스러운 듯이 대답하였다.

십 분쯤 뒤에 그는 자기 남편과, 그 앞에 돈 삼 원을 내놓은 뒤에, 아까 그 왕 서방의 이야기를 하면서 웃고 있었다.

그 뒤부터 왕 서방은 무시로 복녀를 찾아왔다.

한참 왕 서방이 눈만 멀찐멀찐 앉아 있으면, 복녀의 남편은 눈치를 채고 밖으로 나간다. 왕 서방이 돌아간 뒤에는 그들 부처는, 일 원 혹은 이 원을 가운데 놓고 기뻐하고 하였다.

복녀는 차차 동네 거지들한테 애교를 파는 것을 중지하였다. 왕 서방이 분주하여 못 올 때가 있으면 복녀는 스스로 왕 서방의 집까지 찾아갈 때도 있었다.

복녀의 부처는 이제 이 빈민굴의 한 부자였었다.

그 겨울도 가고 봄이 이르렀다.

그때 왕 서방은 돈 백 원으로 어떤 처녀를 하나 마누라로 사오게 되었다.

"흥!"

복녀는 다만 코웃음만 쳤다.

"복녀, 강짜하갔구만."

동네 여편네들이 이런 말을 하면, 복녀는 흥 하고 코웃음을 웃고 하였다.

내가 강짜를 해? 그는 늘 힘있게 부인하고 하였다. 그러나 그의 마음에 생기는 검은 그림자는 어찌할 수가 없었다.

"이놈 왕 서방. 네 두고 보자."

왕 서방이 색시를 데려오는 날이 가까웠다. 왕 서방은 아직껏 자랑하던 길다란 머리를 깎았다. 동시에 그것은 새색시의 의견이라는 소문이 퍼졌다.

"흥!"

복녀는 역시 코웃음만 쳤다.

마침내 색시가 오는 날이 이르렀다. 칠보 단장에 사인교를 탄 색시가, 칠성문 밖 채마밭 가운데 있는 왕 서방의 집에 이르렀다.

밤이 깊도록, 왕 서방의 집에는 중국인들이 모여서 별한 악기를 뜯으며 별한 곡조로 노래하며 야단하였다. 복녀는 집 모퉁이에 숨어 서서 눈에 살기를 띠고 방 안의 동정을 듣고 있었다.

다른 중국인들은 새벽 두시쯤 하여 돌아가는 것을 보면서, 복녀는 왕 서방의 집 안에 들어갔다. 복녀의 얼굴에는 분이 하얗게 발리워 있었다.

신랑 신부는 놀라서 그를 쳐다보았다. 그것을 무서운 눈으로 흘겨 보면서, 그는 왕 서방에게 가서 팔을 잡고 늘어졌다. 그의 입에서는 이상한 웃음이 흘렀다.

"자, 우리 집으로 가요."

왕 서방은 아무 말도 못하였다. 눈만 정처없이 두룩두룩하였다. 복녀는 다시 한 번 왕 서방을 흔들었다—.

"자, 어서."

"우리, 오늘 밤 일이 있어 못 가."

"일은 밤중에 무슨 일?"

"그래두, 우리 일이……."

복녀의 입에 아직껏 떠돌던 이상한 웃음은 문득 없어졌다.

"이까짓 것."

그는 발을 들어서 치장한 신부의 머리를 찼다.

"자, 가자우, 가자우."

왕 서방은 와들와들 떨었다. 왕 서방은 복녀의 손을 뿌리쳤다.

복녀는 쓰러졌다. 그러나 곧 다시 일어섰다. 그가 다시 일어설 때는, 그의 손에는 얼른얼른하는 낫이 한 자루 들리어 있었다.

"이 되놈, 죽어라. 이놈, 나 때렸디! 이놈아, 아이구 사람 죽이누나."

그는 목을 놓고 처울면서 낫을 휘둘렀다. 칠성문 밖 외따른 밭 가운데 홀로 서 있는 왕 서방의 집에서는 일장의 활극이 일어났다. 그러나 그 활극도 곧 잠잠하게 되었다. 복녀의 손에 들리어 있던 낫은 어느덧 왕 서방의 손으로 넘어가고, 복녀는 목으로 피를 쏟으면서 그 자리에 고꾸라져 있었다.

복녀의 송장은 사흘이 지나도록 무덤으로 못 갔다. 왕 서방은 몇 번을 복녀의 남편을 찾아갔다. 복녀의 남편도 때때로 왕 서방을 찾아갔다. 둘의 사이에는 무슨 교섭하는 일이 있었다. 사흘이 지났다.

밤중 복녀의 시체는 왕 서방의 집에서 남편의 집으로 옮겼다. 그리고 시체에는 세 사람이 둘러앉았다. 한 사람은 복녀의 남편, 한 사람은 왕 서방, 또 한 사람은 어떤 한방의사—. 왕 서방은 말없이 돈주머니를 꺼내어, 십 원짜리 지폐 석 장을 복녀의 남편에게 주었다. 한방 의사의 손에도 십 원짜리 두 장이 갔다.

이튿날, 복녀는 뇌일혈로 죽었다는 한방의의 진단으로 공동묘지로 가져갔다.

불

현 진 건

(1900~1943)

현진건(1900~1943)은 1917년 이상화 등과 동인지『거화』를 발간하면서 문학에 뜻을 두었다. 1920년「희생화」로 등단하였으며, 1921년「빈처」로 작가의 위치를 다지게 되었다. 백조 동인으로 활약하였으며 대표작으로는「운수 좋은 날」,「불」,「고향」,「B사감과 러브레터」등의 단편과『적도』,『무영탑』등의 장편이 있다.『조선일보』와『시대일보』에서 기자생활을 한 그는『동아일보』사회부장 재직시인 1936년에 손기정 선수의 일장기 말살 보도 사건으로 구속되어 1년간 복역하기도 하였다.

현진건의 작품은 개인과 사회와의 관계를 집중적으로 조명하고 있으며 주인공의 갈등이나 운명을 통해 모순과 부조리에 찬 사회의 모습을 드러내려 한다. 초기 자전적 형식의 작품인「빈처」,「술 권하는 사회」에서는 사회 속에서 자기의 위치를 가늠하고 있으나「운수 좋은 날」이나「고향」에 이르면 식민지 현실을 정직하게 대면하고 형상화하고 있다.

「불」은 민며느리제도가 갖는 불합리성과 이로 인한 비극을 보여주는 작품이다. 열다섯 살의 주인공 순이는 농사일에 혹사당하고 성적으로 성숙되지 않은 채 시달리다가 그의 고통이 방에 있다고 단정, 그 방에 불을 지른다. 단순한 사건이지만 심리묘사가 뛰어난 이 작품은 비정상적인 구시대 인간관계를 파헤쳐 봉건사회로부터 근대사회로 옮겨 가는 과정에서 새로운 세계에 대한 기대와 이를 해결하지 못하는 사회를 비판하고 있다.

시집온 지 한 달 남짓한 금년에 열다섯 살밖에 안 된 순이는 잠이 어릿어릿한 가운데도 숨길이 갑갑해짐을 느꼈다. 큰 바위로 내리누르는 듯이 가슴이 답답하다. 바위나 같으면 싸늘한 맛이나 있으련마는 순이의 비둘기 같은 연약한 가슴에 얹힌 것은 마치 장마 지는 여름날과 같이 눅눅하고 축축하고 무더운 데다가 천 근의 무게를 더한 것 같다. 그는 복날 개와 같이 헐떡이었다. 그러자 허리와 엉치가 빼개내는 듯, 쪼개내는 듯, 갈기갈기 찢는 것같이, 산산이 바수는 것같이 욱신거리고 쓰라리고 쑤시고 아파서 견딜 수 없었다. 쇠막대 같은 것이 오장육부를 한편으로 치우치며 가슴까지 치받쳐올라 콱콱 빼지를 때엔 순이는 입을 딱딱 벌리며 몸을 위로 치수린다……. 이렇듯 아프니 적이하면 잠이 깨이련만 온종일 물이기, 절구질하기, 물방아찧기, 논에 나간 일꾼들에게 밥나르기에 더할 수 없이 지쳤던 그는 잠을 깨랴 깰 수 없었다. 그렇다고 그가 혼수상태에 떨어진 것은 물론 아니니 '이러다간 내가 죽겠구먼! 죽겠구먼! 어서 잠을 깨야지, 깨야지' 하면서도 풀칠이나 한 듯이 죄어 붙는 눈을 뜰 수가 없었다. 흙물같이 텁텁한 잠을 물리칠 수가 없었다. 연해 입을 딱딱 벌리며 몸을 치수르다가 나중에는 지긋지긋한 고통을 억지로 참는 사람 모양으로 이까지 빠드득빠드득 갈아붙이었다……. 얼마 만에야 무서운 꿈에 가위눌린 듯한 눈을 어렴풋이 뜰 수 있었다. 제 얼굴을 솥뚜껑 모양으로 덮은 남편의 얼굴을 보았다. 함지박만 한 큰 상판의 검은 부분은 어두운 밤빛과 어우러졌는데 번쩍이는 눈깔의 흰자위, 침이 께 흐르는 입술, 그것이 삐뚤어지게 열리며 드러난 누런 이빨만 무시무시하도록 뚜렷이 알아볼 수가 있었다.

그러자 가뜩이나 큰 얼굴이 자꾸자꾸 부어 오르더니 주악빛으로 지져 놓은 암갈색의 어깨판도 따라서 확대되어서 깍짓동만 하게 되고 집채만 하게 된다. 순이는 배꼽에서 솟아오르는 공포와, 창자를 뒤트는 고통에 몸을 떨었다가, 버르적거렸다가 하면서 염치없는 잠에 뒷덜미도 잡히기도 하고 무서운 현실에 눈을 뜨기도 하였다.

그 고통으로부터 겨우 벗어난 때에는 유월의 단열밤[短夜]이 벌써 새었다. 사내의 어마어마한 윤곽이 방이 비좁도록 움직이자 밖으로 나간다. 들에 새벽일 하러 나감이리라. 그제야 순이도 긴 한숨을 쉬며 잠을 깰 수 있었다. 짙은 먹칠이나 한 듯하던 들창이 잿빛으로 변하며 가물가물한 가운데 노랏노랏이 삿자리의 눈이 드러난다. 윗목에 놓인 허술한 경대 위에 번들번들하는 석경이라든지, 머리맡 벽에 걸려 있는 누럭장이라든지 '원수의 방'이 분명하다. 더구나 제 등때기 밑에는 요까지 깔려 있다. '이것은 어찌 된 셈인구?' 순이는 정신을 차리며 생각해 보았다. 어젯밤에 그가 잔 데는 여기가 아닐 테다. 밤이 되면 으레 당하는 이 몹쓸 노릇을 하루라도 면하려고 저녁 설거지를 마치는 말에 아무도 몰래 헛간으로 숨었었다. 단지 둘밖에 아니 남은 볏섬을 의지 삼아 빈 섬거적을 깔고 두 다리를 쭉 뻗칠 사이도 없이 고만 고달픈 잠에 떨어지고 말았었다. 그런데 어찌 또 방으로 들어왔을까? 그 원수의 놈이 육욕에 번쩍이는 눈알을 부라리며 사면팔방으로 찾다가 마침내 그를 발견하였음이리라. 억센 팔로 어렵지 않게 자는 그를 안아다가 또 '원수의 방'에 갖다 놓았음이리라. 그리고 또 원수의 노릇…….

이런 생각을 끝도 맺기 전에 흐리터분한 잠이 다시금 그의 사개 물러난 몸을 엄습하였다…….

집 안이 떠나갈 듯한 시어미의 소리가 일어났다.

"안 일어났니! 어서 쇠죽을 끓여야지!"

그 소리가 끝나기도 전에 순이는 빨딱 몸을 일으킨다. 한 손으로 눈을 비비며 또 한 손으로 남편이 벗겨놓은 옷을 주섬주섬 총망히 주워 입는다. 그는 시방껏 자지 않았던가? 그 거동을 보면 자기는 새로 정신을 한껏 모으고 호령 일하를 기다리던 군사에 질 바 없었다. 그러리만큼 자던 잠결에도 시어미의 호령은 무서웠음이다.

총총히 마루로 나오니 아직 날은 다 밝지 않았다. 자욱한 안개를 격해서 광채를 잃은 흰 달이 죽은 사람의 눈깔 모양으로 희멀겋게 서로 기울고 있다.

저녁에 안쳐 놓은 쇠죽 솥에 가자 불을 살랐다. 비록 여름일망정 새벽 공기는 찼다. 더욱이 으슬한 기를 느끼던 순이는 번쩍 하고 불붙는 모양이 매우 좋았다. 새빨간 입술이 날름날름 집어 주는 솔개비를 삼키는 꼴을 그는 홍미 있게 구경하고 있었다. 고된 하룻밤으로 말미암아 더욱 고된 순이의 하루는 또 시작되었다.

쇠죽을 다 끓이자 아침밥 지을 물을 또 아니 이어 올 수 없었다. 물동이를 이고 두 팔을 치켜 그 귀를 잡으니 겨드랑이로 안개 실린 공기가 싸늘싸늘하게 기어들었다. 시냇가에 나와서 물동이를 놓고 한번 기지개를 켰다. 안개에 묻힌 올망졸망한 산과 등성이는 아직도 몽롱한 꿈길을 헤매는 듯. 엊그제 농부를 기뻐 뛰게 한 큰비의 덕택으로 논이란 논엔 물이 질번질번한데 흰 안개와 어우러지니 마치 수은이 엉킨 것 같고 벌써 옮겨 놓은 모들은 파릇파릇하게 졸음 오는 눈을 비비고 있다. 이런 가운데 저 혼자 깨었다는 듯이 시내는 쫄쫄 소리를 치며 흘러간다. 과연 가까이 앉아서 들여다보니 새말간 그 얼굴은 잠 하나 없는 눈동자와 같다. 순이는 퐁 하며 바가지를 넣었다. 상처가 난 데를 메우려는 듯이 사방에서 모여든 물이 바가지 들어갔던 자리를 둥글게 에워싸며 한동안 야료를 치다가 그리 중상은 아니라고 안심한 것같이 너르게 너르게 둘레를 그리고 물러나갔다. 순이는 자꾸 물을 퍼내었다.

한 동이를 여다 놓고 또 한 동이를 이려 왔을 제 그가 벌써부터 잡으려고 애쓰던 송사리 몇 마리가 겁없이 동실동실 떠 다니는 걸 보았다. 욜랑욜랑하는 그 모양이 퍽 얄미웠다. 숨소리를 죽이고 가만히 두 손을 넣어서 움키려 하였건만 고놈들은 용하게 빠져 달아나곤 한다. 몇 번을 헛 애만 쓴 순이는 그만 화가 더럭 나서 이번에는 돌멩이를 주워다가 함부로 물속의 고기를 때렸다. 제 얼굴에, 옷에, 물만 튀었지 고놈들은 도무지 맞지를 않았다. 짜증이 나서 울고 싶다. 돌질로 성공을 못 한 줄 안 그는 다시금 손으로 움켜 보았다. 그중에 불행한 한 놈이 마침내 순이의 손아귀에 들고 말았다. 손 새로 물이 빠져 가자 제 목숨도 잦아 가는 것에 독살이나 난 듯이 파득파득하는 꼴이 순이에게는 재미없었다. 얼마 안 되어 가련한 물짐승이 죽은 듯이 지친 몸을 손바닥에 붙이고 있을 제 잔인하게도 순이는 땅바닥에 태기를 쳤다. 아프다는 듯이 꼼지락하자 그만 작은 목숨은 사라졌건만 그래도 아니 죽었거니 하고 순이는 손가락으로 건드려 보았다. 그래서 일순간 전에는 파득파득하고 살았던 그것이 벌써 송장이 된 것을 깨닫자 생명 하나를 없앴다는 공포심이 그의 뒷덜미를 집었다. 그 자리에서 곧 송사리의 원혼이 날 듯싶었다. 갈팡질팡 물을 긷고 돌아서는 그는 누가 뒤에서 머리카락을 잡아당기는 듯하였다.

눈코를 못 뜨게 아침을 치르자마자 그는 또 보리를 찧어야 한다. 절구질을 하노라니 허리가 부러지는 것 같다. 무거운 절구에 끌려서 하마터면 대가리를 절구통 속에 찧을 뻔도 하였다. 팔이 떨어지는 것 같다. 그래도 그는 깽깽하며 끝까지 절구질을 아니할 수 없었다.

또 점심이다. 부랴부랴 밥을 다 지어서는 모심기하는 일꾼(거기는 자기 남편도 끼였다)에게 밥을 날라야 한다. 국이며 밥을 잔뜩 담은 목판이 그의 정수리를 내려 누르니 모가지가 자라의 그것같이 옴츠러지는 것은 물론이려니와 키까지 졸아든 듯하였다. 이래 가지고 떼어 놓기 어려운 발길을 옮기며 삽짝 밖을 나섰다.

새말갛게 개인 하늘엔 구름 한 점도 없고 중천에 솟은 햇님이 불 같은 볕을 내리퍼붓고 있었다. 질펀한 들에는 '흙의 아들'이 하얗게 흩어져 웅석 피우듯 어머니의 기름진 젖가슴을 철벅거리며 모내기에 한창 바쁘다. 그들이 굽혔다 폈다 하는 서슬에 옷으로 다 여미지 못한 허리는 새까맣게 찢어 놓은 듯하고 염치없이 눈에까지 흘러드는 팥죽 같은 땀을 닦느라고 얼굴은 모두 흙투성이가 되었다. 그래도 한 사리도 속히, 한 포기라도 많이 옮기려고 골똘한 그들은 뼈가 휘어도 괴로운 한숨 한 번 쉬지 않는다. 도리어 그들은 노래를 부른다. 가장 자유로운 곡조로 가장 신나게 노래를 부른다.

땅은 흠씬 젖은 물을 끓는 햇발에 바래이고 있다. 논두렁에 엉클어진 잡풀들은 사람의 발이 함부로 밟음에 맡기며, 발이 지나가기를 기다려 고개를 쳐들고 부신 햇발에 푸른 웃음을 올리고 있다. 거기는 굳세게, 힘있게 사는 생명의 기쁨이 있고 더욱더욱 삶을 충실히 하려는 든든한 노력이 있었다. 간단히 말하면 건강이 넘치는 천지였다. 불건강한 물건의 존재를 허락하지 않는 천지였다.

이 강렬한 광선의 바다의 싱싱한 공기를 마시기엔 순이의 몸은 너무나 불건강하였었다. 눈이 핑핑 내어둘리며 머리가 어찔어찔하다. 온몸을 땀으로 미역감기면서도 으쓱으쓱 한기가 들었다. 빗물이 고인 데를 건너뛰렬 제 물속에 잠긴 태양이 번쩍 하자 그의 눈앞은 캄캄해졌다. 문득 아침에 제가 죽인 송사리란 놈이 퍼드득 하고 내달으며 방어만치나 어마어마하게 큰 몸뚱이로 그의 가는 길을 막았다. 속으로 '악' 외마디 소리를 치며 몸을 빼쳐 달아나려고 할 제 그는 그만 무엇이 무엇인지 분간을 못하게 되었다. 누가 저의 머리채를 잡아서 회술레를 돌리는 듯한 느낌이었다. 그럴 사이에 그는 벼락치는 소리를 들은 채 정신을 잃었다…….

한참 만에야 순이는 깨어났건만 본정신이 다 돌아오지는 않았다. 어리둥절하게 눈만 멀뚱거리고 있는 사이 점심밥을 이고 나가던 일, 넓은 들에서 눈을 부시게 하던 햇발, 길을 막던 송사리 생각이 차례차례로 떠올랐다. 그러면 이고 가던 점심은 어떻게 되었는가? 하면서 휘 사방을 둘러볼 겨를도 없이 그는 외마디 소리를 치며 몸을 소스라쳤다. 또 다시 그 원수의 방에 누웠을 줄이야! 미친 듯이 마루로 뛰어나왔다. 그의 눈은 마치 귀신에게 홀린 사람 모양으로 두려움과 무서움에 호동그래졌다.

마당에 널어 놓은 밀을 고밀개로 젓고 있는 시어머니는 뛰어나오는 며느리에게 날카로운 눈살을 던지었다. 국과 밥을 모두 못 먹게 만든 것은 그만두더라도 몇 개 아니 남은 그릇을 깨뜨린 것이 한없이 미웠으

되 까무러치기까지 한 며느리를 일어나는 말에 나무라기는 어려웠음이리라.

"인제 정신을 차렸느냐. 왜 더 누워서 조리를 하지 방정을 떨고 나오니. 어서 방으로 들어가서 누워 있으려무나."

부드러운 목소리를 짓느라고 매우 애를 쓰는 모양이다.

그래도 순이는 비실비실하는 걸음걸이로 부득부득 마당으로 내려온다.

"방에 들어가서 조리를 하래도 그래."

이번에는 어성이 조금 높아진다.

"싫어요, 싫어요. 괜찮아요."

순이는 방에 다시 들어가기가 죽기보다 싫었다.

"또 고분고분 말을 아니 듣고 악지를 부리는군" 하다가 속에서 치받치는 미움을 걷잡지 못하겠다는 듯이 고밀개 자루를 거꾸로 들 사이도 없이 시어미는 며느리에게로 달려들었다.

"요 방정맞은 년 같으니, 어쩌자고 그릇을 다 부수고 아실랑아실랑 나오는 건 뭐냐. 요 얌치없는 년 같으니, 저번 장에 산 사발을 두 개나 산산 조각을 맨들고……" 하고 푸념을 섞어 가며 고밀개 자루로 머리, 등, 다리 할 것 없이 함부로 두들기기 시작한다. 순이는 맞아도 아픈 줄을 몰랐다. 으스러지는 듯이 찌뿌드드한 몸에 툭툭 하고 떨어지는 매가 도리어 괴상한 쾌감을 일으켰다.

"요런 악지 센 년 좀 보아! 어쩌면 맞아도 울지도 않고 요렇게 있담" 하고 또 한참 매질을 하다가 스스로 지친 듯이 고밀개를 집어던지며, "요년, 보기 싫다. 어서 부엌에 가서 저녁이나 지어라."

순이는 또 시키는 대로 부엌에 들어가서 밥을 안쳤다.

그럭저럭 하루해는 저물어간다. 으슥한 부엌은 벌써 저녁이나 된 듯이 어둑어둑해졌다. 무서운 밤, 지겨운 밤이 다시금 그를 향하여 시커먼 아가리를 벌리려 한다. 해질 때마다 느끼는 공포심이 또다시 그를 엄습하였다. 번번이 해도 번번이 실패하는 밤 피할 궁리로 하여 그의 좁은 가슴은 쥐어뜯기었다. 그럴 사이에 그 궁리는 나서지 않고 제 신세가 어떻게 불쌍하고 가엾은지 몰랐다. 수백 리 밖에 부모를 두고 시집을 온 일, 온 뒤로 밤마다 날마다 당하는 지긋지긋한 고생, 더구나 오늘 시어머니한테 두들겨 맞은 일이 한없이 서럽고 슬퍼서 솟아오르는 눈물을 걷잡을 수 없었다. 주먹으로 씻다가 팔까지 젖었건만 눈물은 그치지 않았다……. 그때였다. 누가 뒤에서 그의 어깨를 흔들었다. 순이는 무심코 돌아보자마자 간이 오그라붙는 듯하였다. 낮일을 다하고 돌아왔음이리라. 그의 남편이 몸을 굽혀서 어깨 너머로 그를 들여다보고 있지 않은가. 그 볕에 그을은 험상궂은 얼굴엔 어울리지 않게 보드라운 표정과 불쌍해 하는 빛이 역력히 흘렀다. 그러나 솔개에 채인 병아리 모양으로 숨 한 번 옳게 쉬지 못하는 순이는 그런 기색을 알아볼 여유도 없었다.

"왜 울어, 울지 말아, 울지 말아!"라고 꺽세인 몸을 떨어뜨리며 위로를 하면서 그 솥뚜껑 같은 손으로 우는 순이의 눈을 씻어 주고는 나가 버린다.

남편을 본 뒤로는 더욱 견딜 수 없었다. 가슴을 지질러서 막는 바위, 온몸을 바스러내는 쇠몽둥이, 시방껏 흐르던 눈물도 간 데 없고 다시금 이 지긋지긋한 '밤 피할 궁리'에 어린 머리를 짰다. 아니 밤 탓이 아니다. 온전히 그 '원수의 방' 때문이다. 만일 그 방만 아니면 남편이 또한 눈물을 씻어 주고 나갈 따름이다. 그 방만 아니면 그런 고통을 줄려야 줄 곳이 없을 것이다. 고 원수의 방!을 없애 버릴 도리가 없을까? 여태 방을 피하려다가 뜻을 이루지 못한 순이는 인제 그 방을 없애 버릴 궁리를 하게 되었다.

밥이 보그를 하고 넘었다. 순이는 솥뚜껑을 열려고 일어섰을 제 부뚜막에 얹힌 성냥이 그의 눈에 띄었다. 이상한 생각이 번개같이 그의 머리를 스쳐 나간다. 그는 성냥을 쥐었다. 성냥 쥔 그의 손이 가늘게 떨렸다. 그러자 사면을 한번 돌아볼 겨를도 없이 그 성냥을 품속에 감추었다. 이만하면 될 일을 왜 여태껏 몰랐던가 하면서 그는 생그레 웃었다.

그날 밤에 그 집에는 난데없는 불이 건넌방 뒤꼍 추녀로부터 일어났다. 풍세를 얻은 불길이 삽시간에 온 지붕에 번지며 훨훨 타오를 제 그 뒷집 담모서리에서 순이는 근래에 없이 환한 얼굴로 기뻐 못 견디겠다는 듯이 가슴을 두근거리며 모로 뛰고 세로 뛰었다.

레디 메이드 인생

채 만 식
(1902~1950)

채만식(1902~1950)은 1924년 『조선문단』에 단편 「세길로」를 발표하면서 등단하였다. 그는 1930년대의 대표적 풍자작가로 알려져 있는데 초기에는 카프에 소속되지 않은 채 비판적, 경향적인 작품을 쓴 동반자적 성격을 보여주었으나 1934년 「레디 메이드 인생」을 발표하면서 풍자성이 강한 사회소설을 쓰기 시작했다.

채만식의 비판정신과 풍자성이 돋보이는 작품으로는 장편에 『탁류』, 『태평천하』 등이 있으며, 단편으로는 「치숙」, 「논 이야기」 등이 있다. 이들 작품에는 부정적 인물에 대한 묘사나 사회 현실에 대한 야유가 생생하게 보여지며, 요설체의 문장이나 판소리 등의 전통양식을 도입한 작가의 문학적 특성이 눈에 띈다.

'레디 메이드(ready-made)'란 기성복이란 뜻으로 작품 「레디 메이드 인생」에서 이 말은 인텔리 실업자인 P의 처지, 나아가서는 식민지 시대를 사는 민중들의 처지를 대변하고 있다. 마땅한 일자리를 구하지 못하고 구걸을 해야만 하는 현실, 이 같은 상황에서 배운 사람이 선택할 수 있는 폭은 더욱 좁을 수밖에 없고, 따라서 그들의 갈등은 그만큼 커지게 마련이다.

1934년에 발표된 이 작품은 지식인을 소외시키는 당대 사회의 모습과 식민지 교육의 모순을 꼬집고 있다. 특히 이 시기가 문맹퇴치운동으로서 '브나로드' 운동이 절정기에 달했던 때라는 점을 고려한다면 고등교육을 받은 P의 처지나 창선이 인쇄소 직공의 일을 배운다는 결말 부분은 시사하는 바가 매우 크다 하겠다. "지식만 있으면 누구나 양반이 되고 잘살 수가 있다"는 말은 식민지 체제하에서는 그 사회가 갖고 있는 모순을 감추기 위한 방편일 뿐이다.

1

"머 어데 빈자리가 있어야지."

K사장은 안락의자에 푹신 파묻힌 몸을 뒤로 벌떡 젖히며 하품을 하듯이 시원찮게 대답을 한다. 미상불 그는 두 팔을 쭉 내뻗고 기지개라도 한번 쓰고 싶은 것을 겨우 참는 눈치다.

이 K사장과 둥근 탁자를 사이에 두고 공손히 마주 앉아 얼굴에는 '나는 선배인 선생님을 극히 존경하고 앙모합니다' 하는 비굴한 미소를 띠고 있는 구변 없는 구변을 다하여 직업 동냥의 구걸(口乞) 문구를 기다랗게 늘어 놓던 P……. P는 그러나 취직운동에 백전백패(百戰百敗)의 노졸(老卒)인지라 K씨의 힘 아니 드는 한마디의 거절에도 새삼스럽게 실망도 아니한다. 대답이 그렇게 나왔으니 이제 더 졸라도 별수가 없는 것이지만 허실 삼아 한마디 더 해 보는 것이다.

"글쎄올시다. 그러시다면 지금 당장 어떻게 해 줍시사고 무리하게 조를 수야 있겠습니까마는…… 그러면 이 담에 결원이 있다든지 하면 그때는 꼭……."

이렇게 말하고 P는 지금까지 외면하였던 얼굴을 돌리어 K사장을 조심성 있게 바라보았다. 그러나 K사장은 위선 고개를 좌우로 두어 번 흔들고는 여전히 하품 섞인 대답을 한다.

"결원이 그렇게 나나 어데…… 그리고 간혹 가다가 결원이 난다더래도 유력한 후보자가 몇 십 명씩 밀려 있어서……."

P는 아무 말도 아니하고 고개를 숙였다. 이제는 영영 틀어진 것이다. 안녕히 계십시오 하고 일어서는 것밖에는 별수가 없다.

별수가 없이 되었으니 "네 그렇습니까" 하고 선선히 일어서야 할 것이지만 지금까지에 은근히 모시고 있던 태도에 비하여 그것이 너무 낯간지러운 표변임을 알기 때문에 실망이나 하는 체하고 잠시 더 앉아 있는 것이다.

"거 참 큰일들 났어."

K사장은 P가 낙심해 하는 것을 보고 별로 밑천이 들지 아니하는 일이라서 알뜰히 걱정을 나누어 준다.

"저렇게 좋은 청년들이 일거리가 없어서 저렇게들 애를 쓰니."

P는 속으로 코똥을 '흥' 하고 뀌었으나 아무 대답도 아니하였다. K사장은 P가 이미 더 조르지 아니하리라고 안심한지라 먼저 하품 섞어 '빈자리가 있어야지' 하던 시원찮은 태도는 버리고 그가 늘 흉중에 묻어 두었다가 청년들에게 한바탕씩 해 들려주는 훈화를 꺼냈다.

"그렇지만 내가 늘 말하는 것인데…… 저렇게 취직만 하려고 애를 쓸 게 아니야. 도회지에서 월급 생활을 하려고 할 것만이 아니라 농촌으로 돌아가서……."

"농촌으로 돌아가서 무얼 합니까?"

P는 말 중동을 갈라 불쑥 반문하였다. 그는 기왕 취직운동은 글러진

것이니 속시원하게 시비라도 해 보고 싶은 것이다.

"허! 저게 다 모르는 소리야……. 조선은 농업국이요 농민이 전 인구의 팔 할이나 되니까 조선 문제는 즉 농촌 문제라고 볼 수가 있는데, 아 지금 농촌에서 할 일이 오직이나 많다구?"

"저는 그 말씀 잘 못 알어듣겠는데요. 저희 같은 사람이 농촌에 가서 할 일이 있을 것 같잖습니다."

"그럴 리가 있나! 가령 응…… 저……."

K사장은 응…… 저…… 하고 더듬으면서 끝내 대답을 하지 못한다. 그것은 무리가 아니다.

그가 구직하러 오는 지식 청년들에게 농촌으로 돌아가 농촌사업을 하는 것과(다음에 또 꺼내는 일거리를 만들라는 것은) 결코 현실에서 출발한 이론적 근거가 있는 것이 아니었었다. 그저 지식계급의 구직꾼이 넘치는 것을 보고 막연히 '농촌으로 돌아가라' '일을 만들어라'고 해 왔을 따름이다. 따라서 거기에 대한 구체적 플랜이 있는 것도 아니었었던 것이다. 한편으로는 한 행세거리로 또 한편으로는 구직꾼 격퇴의 수단으로 자룡이 헌 창 쓰듯 썼을 뿐이지—.

그리하여 그 동안까지는 대개는 그 막연한 설교를 들은 성 만 성하고 물러가는 것이 그들의 행투였었는데, 오늘 이 P에게만은 그렇지가 아니하여 불가불 구체적 설명을 해 주어야 하게 말머리가 돌아선 것이다. 그래서 그는 떠듬떠듬 생각해 가면서 생각나는 대로 주워섬기는 것이다.

"가령 응…… 저…… 문맹퇴치운동도 있지. 농민의 구 할은 언문도 모른다 말이야! 그러고 생활개선운동도 좋고…… 헌신적으로."

"헌신적으로요?"

"그렇지…… 할 테면 헌신적으로 해야지."

"무얼 먹고 헌신적으로 그런 사업을 합니까?…… 먹을 것이 있어서 그런 농촌사업이라도 할 신세라면 이렇게 취직을 못 해서 애를 쓰겠습니까?"

"허! 그게 안 된 생각이야…… 자기가 먹고살 재산이 있으면서 사회를 위해서 일도 아니하고 번들번들 논다는 것은 그것은 타락된 생각이야."

P는 K사장이 억담을 내세우는 것을 보고 속으로 싱그레 웃었다.

"그렇지만 지금 조선 농촌에서는 문맹퇴치니 생활개선이니 합네 하고 손끝이 하얀 대학이나 전문학교 졸업생들이 몰켜 오는 것을 그다지 반겨하기는커냥 머릿살을 앓을 것입니다…… 농민이 우매하다든지 문화가 뒤떨어졌다든지 또 생활이 비참한 것이 근본 원인이 기역 니은을 모른다든가 생활개선을 할 줄 몰라서 그런 것이 아니니까요. 그러고 조선의 지식청년들이 모다 그런 인도주의자가 되어집니까?"

"되면 되지 안 될 건 무어야?"

"그건 인도주의란 그것이 한 개 공상이니까 그렇겠지요."

"허허…… 그러면 P군은 ××주의잔가?"

"되다가 찌부러진 찌스레깁니다. 철저한 ××주의자라면 이렇게 선생님한테 와서 취직운동도 아니합니다."

"못써! 그렇게 과격한 사상으로 기울어서야 쓰나…… 정 농촌으로 돌아가기가 싫거든 서울서라도 몇 사람 맘 맞는 사람이 모여서 무슨 일을—조선에 신문이 모자라니 신문을 하나 경영하든지, 또 조고맣게 하자면 잡지 같은 것도 좋고, 또 영리사업도 좋고…… 그러면 취직운동을 하는 것보담 훨씬 낫잖은가?"

"좋 줄이야 압니다마는 누가 돈을 내놉니까?"

"그거야 성의 있게 하면 자연 돈도 생기는 거지."

P는 엉터리없는 수작을 더 하기가 싫어 웬만큼 말을 끊고 일어섰다.

속에 있는 말을 어느 정도까지 활할 해 준 것이 시원은 하나 또 취직이 글렀구나 생각하니 입 안에서 쓴 침이 괴어 나온다.

복도에서 편집국장 C를 만났다. P는 C와 자별히 사이가 가까운 터이었었다.

"사장 만나러 왔소?"

C가 묻는 것이다.

"아니."

P는 거짓말을 하였다. 그는 지금 K사장을 만나 거절당한 이야기를 하기가 어쩐지 창피하기도 할 뿐 아니라, 또 전부터 C더러 K사장에게 자기의 취직운동을 부탁해 왔던 터인데, 직접 이렇게 찾아와서 만났다고 하기가 혐의쩍기도 하여 시치미를 뚝 뗀 것이다.

"아주 단념하오."

C 자기에게 부탁한 취직운동을 단념하란 말이다. 그러면 벌써 C가 K사장에게 이야기를 하였고, 그 결과 일이 틀어진 것을 P는 모르고 와서 헛노릇을 한바탕한 것이다. P는 먼저 C를 만나보지 아니하고 K사장을 만난 것을 후회하였다. C는 잠깐 멈췄던 말을 계속한다.

"어제 아침에 사장더러 P군의 사정이 퍽 난처하니 어떻게 생각해 봐주면 좋겠다고 여러 말을 했다가 코 떼었소. 신문사가 구제기관이 아닌데 남의 사정 난처한 것을 어떻게 하라느냐고 그럽디다…… 하기야 그게 옳은 말이지만."

신문사가 구제기관이 아니라고 한다는 그 말이 P의 머리에는 침 끝으로 찌르는 것같이 정신이 들게 울리었다.

"흥! 망할 자식들!"

P는 혼잣말로 이렇게 투덜거리며 C와 작별도 아니하고 밖으로 나와 버렸다.

2

P는 광화문 네거리의 기념비각 옆에서 발길을 멈추고 망설였다. 어디로 갈까 하는 것이다.

봄 하늘이 맑게 개었다. 햇볕이 살이 올라 포근히 온몸을 싸고 돈다. 덕석 같은 겨울 외투를 벗어 버리고 말쑥말쑥하게 새로 지은 경쾌한 춘추복의 젊은이들이 봄볕처럼 명랑하게 오고 가고 한다.

멋쟁이로 차린 여자들의 목도리가 나비같이 보드랍게 나부낀다. 그 오동보동한 비단 다리를 바라보느라니 P는 전에 먹던 치킨커틀렛 생각이 났다.

창을 활활 열어젖힌 전차 속의 봄 사람들을 본 P도 전차를 잡아타고 교외나 나가고 싶었다. 그러나 크림맛을 못 본 지 몇 달이 된 낡은 구두, 고기작거린 동복 바지, 양편 포켓이 오뉴월 소불알같이 축 처진 양복 저고리, 땟국 묻은 와이셔츠와 배배 꼬인 넥타이, 엿장사가 이 전어치 주마던 낡은 모자, 이렇게 아래로부터 훑어 올려보며 생각하니 교외의 산보는커녕 얼핏 돌아가서 차라리 이불을 뒤쓰고 드러눕고만 싶었다.

마침 기념비각 앞에 자동차 하나가 머무르더니 서양 사람 내외가 내린다. 그들은 사내가 설명을 하고 여자가 듣고 하면서 기념비각을 앞뒤로 구경한다. 여자는 사진까지 찍는다.

대원군이 만일 이 꼴을 본다면…… 이렇게 생각하매 P는 저절로 미소가 입가에 떠올랐다.

3

대원군은 한말의 돈키호테였었다. 그는 바가지를 쓰고 벼락을 막으려 하였다. 바가지는 여지없이 부스러졌다. 역사는 조선이라는 조그마한 땅덩이나마 너무 오래 뒤떨어뜨려 놓지 아니하였다.

갑신정변에 싹이 트기 시작하여 가지고 일한합방의 급격한 역사적 변천을 거치어 자유주의의 사조는 기미년에 비로소 확실한 걸음을 내어디디었다.

자유주의의 새로운 깃발을 내어건 '시민(市民)'의 기세는 등등하였다.

"양반? 흥! 누구는 발이 하나길래 너희만 양발(반)이라느냐?"

"법률의 앞에서는 만인이 평등이다."

"돈…… 돈이 있으면 무어든지 할 수 있다."

신흥 부르주아지는 민주주의의 간판을 이용하여 노동자 · 농민의 등을 어루만지고 경제적으로 유력한 봉건귀족과 악수를 하는 동시에 지식계급을 대량으로 주문하였다.

유자천금이 불여교자일권서(遺子千金 不如敎子一卷書)라는 봉건시대의 진리가 자유주의의 세례를 받아 일단의 더 발전된 얼굴로 민중을 열광시키었다.

"배워라. 글을 배워라…… 지식만 있으면 누구나 양반이 되고 살살 수가 있다."

이러한 정열의 외침이 방방곡곡에서 소스라쳐 일어났다.

신문과 잡지가 붓이 닳도록 향학열을 고취하고 피가 끓는 지사(志士)들이 향촌으로 돌아다니며 삼촌의 혀를 놀리어 권학(勸學)을 부르짖었다.

"배워라. 배워야 한다. 상놈도 배우면 양반이 된다."

"가르쳐라. 논밭을 팔고 집을 팔아서라도 가르쳐라. 그나마도 못하면 고학이라도 해야 한다."

"공자 왈 맹자 왈은 이미 시대가 늦었다. 상투를 깎고 신학문을 배워라."

"야학을 설시하여라."

재등(齋藤) 총독이 문화정치의 간판을 내어걸고 골골이 학교를 증설하였다.

보통학교의 교장이 감발을 하고 촌으로 돌아다니며 입학을 권유하였다. 생도에게는 월사금을 받기는커녕 교과서와 학용품을 대어 주었다.

민간의 유지는 돈을 걷어 학교를 세웠다. 민립대학도 생기려다가 말았었다. 청년회에서 야학을 설시하였다. 갈돕회가 생겨 갈돕만주 외우는 소리가 서울의 신풍경을 이루었고 일반은 고학생을 존경하였다.

여학생이라는 새 숙어가 생기고 신여성이라는 새 여인이 생기어났다.

이와 같이 조선의 관민이 일치되어 민중의 지식 정도를 높이는 데 전력을 하였다. 즉 그들 관민이 일치하여 계획한 조선의 문화 정도는 급속도로 높아 갔다.

그리하여 민중의 지식 보급에 애쓴 보람은 나타났다.

면서기를 공급하고 순사를 공급하고 군청 고원을 공급하고 간이 농업학교 출신의 농사 개량 기수(技手)를 공급하였다.

은행원이 생기고 회사 사원이 생기었다. 학교 교원이 생기고 교회의 목사가 생기었다.

신문기자가 생기고 잡지기자가 생기었다. 민중의 지식 정도가 높았으니 신문 잡지 독자가 부쩍 늘고 의사와 변호사의 벌이가 윤택하여졌다.

소설가가 원고료를 얻어먹고 미술가가 그림을 팔아먹고 음악가가 광대의 천호(賤號)에서 벗어났다.

인쇄소와 책장사가 세월을 만나고 양복점 구둣방이 늘비하여졌다.

연애결혼에 목사님의 부수입이 생기고 문화주택을 짓느라고 청부업자가 부자가 되었다. 그리하여 부르주아지는 '가보'를 잡고 공부한 일부의 지식꾼은 진주(다섯 끗)를 잡았다.

그러나 노동자와 농민은 무대를 잡았다. 그들에게는 조선의 문화의 향상이나 민족적 발전이나가 도리어 무거운 짐을 지워 주었을지언정 덜어 주지는 아니하였다. 그들은 배[梨] 주고 속 얻어먹은 셈이다.

(20여 자 삭제—편자)

인텔리…… 인텔리 중에도 아무런 손끝의 기술이 없이 대학이나 전문학교의 졸업증서 한 장을 또는 조그마한 보통 상식을 가진 직업 없는 인텔리…… 해마다 천여 명씩 늘어가는 인텔리…… 뱀을 본 것은 이들 인텔리다.

부르주아지의 모든 기관이 포화상태가 되어 더 수요가 아니 되니 그들은 결국 꼬임을 받아 나무에 올라갔다가 흔들리는 셈이다. 개밥의 도토리다.

인텔리가 아니 되었으면 차라리(7~8자 삭제—편자) 노동자가 되었을 것인데, 인텔리인지라 그 속에는 들어갔다가도 도로 달아나오는 것이 99%다. 그 나머지는 모두 어깨가 축 처진 무직 인텔리요, 무기력한 문화예비군 속에서 푸른 한숨만 쉬는 초상집의 주인 없는 개들이다. 레디 메이드 인생이다.

4

"제길!"

P는 혼자 투덜거리며 지금까지 섰던 기념비각 옆을 떠났다.

(80여 자 삭제—편자)

P는 자기 자신이고 세상의 모든 일이고 모두 짜증이 나고 원수스러웠다.

광화문 큰 거리를 총독부 쪽으로 어슬어슬 걸어가노라니 그의 그림자가 짤막하게 앞에 누워 간다. P는 그 자기 그림자를 콱 밟고 싶었다. 그러나 발을 내어디디면 그림자도 그만큼 앞으로 더 나가곤 한다. 이 그림자와 자기 자신에서 그리고 그림자를 밟으려는 자기 자신과 앞으로 달아나는 그림자에서 P는 자기의 이중인격의 모순상(相)을 발견하였다.

동십자각 옆에까지 온 P는 그 건너편 담뱃가게 앞으로 갔다.

"담배 한 갑 주시오." 하고 돈을 꺼내려니 담뱃가게 주인이 "네, 마콥니까?" 묻는다.

P는 담뱃가게 주인을 한번 거들떠보고 다시 자기의 행색을 내려 훑어보다가 심술이 버쩍 났다. 그래서 잔돈으로 꺼내려던 것을 일부러 일 원짜리로 꺼내 드는데 담뱃가게 주인은 벌써 마코 한 갑 위에다 성냥을 받쳐 내어민다.

"해태 주어요."

P는 돈을 들여밀면서 볼먹은 소리를 질렀다. 그러나 담뱃가게 주인은 그저 무신경하게 "네" 하고는 마코를 해태로 바꾸어 주고 팔십오 전을 거슬러준다.

P는 저편이 무렴해 하지 아니하는 것이 더욱 얄미웠다.

그는 해태 한 개를 꺼내어 붙여 물고 다시 전찻길을 건너 개천가로 해서 올라갔다. 이제는 포켓 속에 남은 것이 꼭 삼 원하고 동전 몇 푼이다. 엊그제 겨울 외투를 사 원에 잡혀서 생긴 것이다.

방세와 전깃불 값이 두 달 치나 밀리었다. 삼 원은 방세 한 달 치를 주고 일 원에서 전등삯 한 달 치를 주고도 싶었으나 그러고 나면 그 나머지로 설렁탕이나 호떡을 사 먹어도 하루밖에는 못 지낸다. 그래 그대로 넣어 두고 한 이틀 지내는 동안에 일 원이 거진 달아났던 판인데 공연한 객기를 부리느라고 당치도 아니한 해태를 샀기 때문에 이제는 일 원 돈은 완전히 달아나고 삼 원만 남은 것이다.

P는 포켓 속에 손을 넣고 잔돈과 지폐를 섞어 삼 원 남은 돈을 만지작거렸다. 그러면서 왼편 손으로는 손가락을 꼽아 가며 삼 원을 곱쟁이쳐 보았다.

육 원 십이 원 이십사 원 사십팔 원 구십육 원 백구십이 원. 팔 원 모자라는 이백 원…… 사백 원 팔백 원 일천육백 원 삼천이백 원 육천사백 원 일만 이천팔백 원. 팔백 원은 떼어 버리고 이만 사천 원 사만 팔천 원 구만 육천 원 십구만 이천 원 삼십팔만 사천 원 칠십육만 팔천 원 일백오십삼만 육천 원…….

삼 원을 열여덟 번만 곱집으면 일백오십만 원이 된다. 일백오십만 원 그놈이 있으면…… 이렇게 생각하매 어깨가 으쓱해졌다.

삼 원의 열여덟 곱쟁이가 일백오십만 원이니 퍽 쉬운 일이다…… 그놈만 있으면 백만 원을 들여서 오십 전짜리 십육 페이지 신문을 하나 했으면 K사장의 엉엉 우는 꼴을 볼 수가 있을 것이다

그러나 아쉬운 대로 십오만 원만 있어도 일만 오천 원 아니 일천오백 원만 있어도 아니 일백오십 원만 있어도 십오 원만 있어도 위선 방세와

전등삯을 주고 한 달은 살아가겠다.

P는 한숨을 내쉬었다. 한 달? 한 달만 살고 나면 그 담은 어떻게 하나?…… 그래도 몇 백 원은 있어야지, 아니 몇 천 원은, 아니 몇 만 원은…….

P는 늘 하는 버릇으로 이런 터무니없는 공상을 되풀이하였다.

그는 최근 이러한 공상을 하면서부터 취직을 시들하게 여겼다.

취직이 된댔자 사오십 원이나 오륙십 원의 월급이다. 그것을 가지고 빠듯빠듯 살아간들 무슨 아기자기한 재미가 있을 턱도 없는 것이다.

가령 근실히 해서 월괘저금 같은 것도 하고 집도 장만하고 여편네도 생기고 사장이나 중역들의 눈에 들어 지위도 부장쯤으로는 올라가고, 그리하여 생활의 근거도 안정이 되고 하면 지금 같은 곤란은 당하지 아니하겠지만, 그러나 P에게는 아직도 젊은 때의 야심이 있어 그러한 고식된 안정이나 명색 없는 생활은 도리어 피하고 싶었던 것이다. 좀 더 남의 눈에 띄며 좀더 재미있고 그리고 자유로운 생활.

물론 그는 지금이라도 누가 한 달에 삼십 원만 줄 터니 와서 일을 해 달라면 마치 주린 개가 고기를 보고 덤비듯이 덮어 놓고 덤벼들 것이다. 그러나 속으로는 그와 딴판으로 배포를 부리고 있는 것이다.

P가 삼청동으로 올라가느라고 건춘문 앞까지 이르렀을 때에 저편에서 말쑥하게 봄 치장을 한 여자 하나가 마주 내려왔다.

역시 삼청동 근처에 사는 여자인지 P와는 가끔 마주치는 여자다.

P는 그 여자와 만날 때마다 일부러 눈익혀 보지 아니하는 체는 하면서도 실상은 고비샅샅 관찰을 하였고, 그리고 속으로는 연애라도 좀 했으면 하던 터이었다. 무엇보다도 동그스름한 얼굴에 이목구비가 모두 모지지 아니하고 얼굴의 윤곽이 둥글 듯이 모가 나지 아니한 것, 그래서 맘

자리도 그렇게 둥글려니 하는 것이 P의 마음을 끈 것이다.

그 여자는 자주 만나는 이 협수룩한 양복쟁이—P를 먼빛으로도 알아보았는지 처녀다운 조심스런 몸매로 길을 가로 비껴 가까이 왔다.

P는 고개를 꿋꿋이 쳐들고 앞만 치어다보면서도 속으로는,

'저 여자가 지금 내 옆으로 다가와서 조그만 소리로 정답게 구애(求愛)를 한다면? 사뭇 들여안긴다면?…… 어쩔꼬?'

이런 생각을 하면서 히죽이 웃는데 여자는 벌써 지나쳐 버렸다.

"흥! 어쩌긴 무얼 어째?…… 이년아, 일없다는데 왜 이래! 하고 발길로 칵 차 내던지지" 하고 P는 어깨를 으쓱하였다.

삼청동 꼭대기에 있는 집—집이 아니라 사글세로 든 행랑방—에 돌아왔다. 객지에 혼자 있으니 웬만하면 하숙에 있을 것이로되 방값이 밀리고 그것에 졸릴 것이 무서워 P는 방을 얻어 가지고 있던 것이다.

먹는 것이야 수중에 돈이 있는 데에 따라 호떡도 설렁탕도 백화점의 런치도, 그렇잖고 몇 끼씩 굶기도 하여 대중이 없었다.

볕 구경을 잘 못 해서 겨울에도 곰팡이가 슬고 이불을 며칠씩 그대로 펴두는 방바닥에서 먼지가 풀씬풀씬 올랐다.

하도 어설퍼 앉으려고도 아니하고 방 가운데 우두커니 서서 있노라니까 안방문 여닫는 소리가 들리며 주인 노파가 나와서 캑 하고 기침을 한다. P는 또 방세 졸릴 일이 아득하였다.

그러나 노파는 방세보다도 위선 편지 한 장을 들이밀어 준다. 고향의 형에게서 온 것이다.

편지를 뜯어 읽고 난 P는 말가웃[一斗半]이나 되게 큰 한숨을 푸 내쉬었다. 그러고는 편지를 박박 찢어 버렸다.

5

편지의 요건은 P의 아들에 관한 것이다.

P에게는 연전에 갈린 안해와 사이에 생긴 창선이라는 아들이 있다. 금년에 아홉 살이다.

안해와 갈릴 때에 저편에서 다만 어린애만이라도 주었으면 그것을 데리고 길러 가는 재미로 혼자 사는 세상에 낙을 붙이겠다고 사정하였다. 그리고 적어도 중학까지는 마치게 하겠다는 것이었다.

그렇게 했으면 P도 한짐을 덜었을 것이다. 그러나 그는 듣지 아니하였다.

어릴 적부터 소박데기 어미의 손에서 아비의 원망과 푸념을 들어가면서 자란 자식은 자란 뒤에 그 아비에게 호감을 가지지 못한다. P는 자식을 꼭 찾고 싶은 것은 아니나 아무튼 장성하면 아비라고 찾아올 터인데 그때에 P는 이미 늙고 자식은 팔팔하게 젊은 놈이 옛날에 제 어미를 소박한 아비라서 아니꼽게 군다면 그것은 차마 못 당할 노릇이다.

이러한 생각으로 P는 창선이를 내주지 아니한 것이다. 그러나 빼앗아 놓고 보니 이제 겨우 네댓 살밖에 아니 먹은 것을 자기 손으로 어찌할 수가 없다. 그리하여 할 수 없이 어렵사리 지내는 그 형에게 맡기어 놓고 다시 서울로 올라온 것이다. 보통학교에 다닐 나이가 되면 서울로 데려오겠다고 해 두고.

P의 형은 작년에 조카를 보통학교에 입학시키었다. 그러나 극빈 축에 드는 집안인지라 몇 푼 아니되는 월사금과 학비를 대지 못하여 중도에 퇴학시켰다. 애초에 입학시킬 상의로 P에게 편지를 했을 때에 P는 공부 같은 것은 시켰자 소용이 없으니 차라리 뼈가 보드라운 때부터 생일[勞

動을 시키라고 하였다. P의 형은 그러나 백부(伯父)의 도리로나 집안의 체면으로나 창선이를 생일을 시킬 수가 없었다. 차라리 자기 손에 두어 헐벗기고 헐입히면서 공부도 시키지 못하느니 제 아비인 P더러 데려가라고 작년부터 편지를 하던 것이다.

금년도 입학 시기가 당하매 P의 형은 P에게 누차 편지를 하였다. 금년에 입학을 시키지 못하면 명년에는 학령이 초과되어 들여 주지 아니할 것이니 어서 데려다가 공부를 시키라는 것이다.

"그 어린것이 굶기를 먹듯 하고 재주는 있으면서 남의 집 아이들이 학교에 다니는 것을 부러워하는 꼴은 차마 애처로워 볼 수가 없다. 차라리 이 꼴 저 꼴 보지 아니하는 것이 속이나 편하겠다."

이번 편지에는 이러한 구절이 있고 끝에 가서,

"여비가 몇 원 변통 되면 차를 태우고 전보를 칠 테니 정거장에 나와 데려가거라. 나도 웬만하면 객지에 혼자 있는 너에게 어린 자식을 떠맡기듯이 보내겠느냐마는 잘못하다가 그것을 굶겨 죽이겠기에 생각다 못하여 단행하는 것이다."

이러한 말이 씌어 있었다.

P는 박박 찢은 편지를 돌돌 뭉쳐 방구석에 내던지고 한숨을 푸 내쉬었다.

이제는 자식을 데리고 있기가 피할 수 없이 되었는데, 이떻게 했으면 좋을까 하는 것이다. 그는 형이 원망스럽고 아니꼬웠다.

굳이 제 아비를 따라 보낸다는 것이 아니라 부득부득 공부를 시키려는 것 때문이다. 기왕 서울로 보내나 시골서 데리고 있으나 고생시키기는 일반이니 차라리 시골서 일찍부터 생일이나 시켰으면 P에게는 여러 가지로 좋을 것이었다.

"흥! 체면! 공부! 죽여도 인텔리는 만들잖는다."

P는 혼자 이렇게 투덜거렸다.

"집에서 온 편지유? 무슨 걱정이 생겼수?"

말거리를 찾지 못하여 머뭇거리고 섰던 안방 노인이 동정이나 하는 듯이 이렇게 묻는다.

"아니요."

P는 마지못해 코대답을 하였다.

"필경 무슨 걱정이 생긴 게구려!"

노인은 자기의 말거리를 만들려고 아니라는데도 이렇게 걱정을 내놓는다.

"그게 모다 가난한 탓이지…… 저렇게 젊고 똑똑한 이가 저게 모다 가난한 탓이야! 어데 구실[職業] 자리 말한다더니 아직 아니 됐수?"

"네 아직……."

"거 큰일났구려! 어서 돼야 할 텐데…… 나두 꼭 죽겠수…… 이 늙은 것이!…… 돈 좀 마련되잖았수……?"

"네, 아직 좀……."

"저걸 어쩌나! 오늘은 물 값이야 전깃불 값이야 사뭇 받으러 달려들 텐데!"

"며칠만 더 미루십시오. 설마하니 마나님이야 아니 드리겠습니까……."

"아무렴! 실수야 없을 줄 알지만 내가 하도 옹색하니깐 그러는 거지……."

P는 노인이 지껄이게 두어두고 혼자 생각하였다. 전에 아는 집에서 셋방을 얻어들었을 때에는 두 달이고 석 달이고 세가 밀려야 조르는 법이

없었다.

밀려도 조르지 아니하는 아는 집…… 이것이 P는 도리어 미안해서 이곳으로 옮겨온 것이다. 옮겨와 가지고 막상 졸림질을 당하니 미안해도 졸리지는 아니하던 옛집이 그리워지는 것이다.

노인이 문을 가로막고 서서 수다스런 소리로 더 지껄이려고 하는데 마침 P의 동무 M과 H가 찾아왔다.

"어데 나가나?"

M이 그렇잖아도 벌씸한 코를 한 번 더 벌씸하고 사이 벌어진 앞니를 내어 보이며 싱끗 웃는다.

몸집은 M과 같이 통통하지만 키가 작아 M의 뒤에 가려 섰던 H가 옆으로 나서며 "안녕합시오" 하고 인사를 한다.

P는 싱끗이 웃었다. 이 M과 H는 같은 하숙에 있는데 두 사람은 곧잘 같이 돌아다닌다. 같이 가는 것을 나란히 세워 놓고 보면 하나는 키가 커서 우뚝하고 하나는 키가 작아서 납작 붙어 가는 것 같다.

얼굴도 M은 우둘부둘한 게 정객 타입으로 생기었고—잘못하면 복싱 링에 내세워도 좋겠고—H는 안존한 게 사무원 타입이다.

일상의 언행을 보아도 H는 무슨 이야기가 자기 전문인 법률에 관한 것에 다들리면 육법전서의 조목을 따르르 외우면서 이러고저러고 하다고 설명을 하고 M은 동경서 학생 ××에 제휴를 했던 만큼, 그리고 전문이 정경과인 만큼 좌익 진영에서 쓰는 어투가 그대로 나온다.

"여전히 모다 동색(冬色)이 창연하군!"

P는 두 사람의 특특한 겨울 양복을 보고, 그리고 자기의 행색을 내려보며 웃었다.

M이 신을 벗고 들어와 먼지 앉은 책상 위에 걸터앉으며 "춘래불사춘

일세" 하고 한마디 외운다. H도 따라 들어와 한편에 앉으며 한마디한다.

"아직 괜찮아…… 거리에 보니까 동복 입은 사람이 많데……."

"괜찮기는 무어 괜찮아…… 우리가 길로 돌아다니니까 사방에서 아이구 아야! 소리가 들리데."

"왜?"

"봄이 발밑에서 짓밟히느라고."

"하하하하."

세 사람은 소리를 내어 웃었다.

"참 시험 본 것이 어떻게 되었소?"

P는 H가 일전에 총독부에서 본 고원 채용시험을 생각하고 물어보았다.

"말두 마시우…… 이제는 꾹 들어앉어 공부나 해 가지고 변호사 시험이나 치겠소."

사람이 별로 변통성도 없고 그렇다고 여기저기 반연도 없어 취직이 여의하게 되지 못하는 것을 볼 때에 P는 가엾은 생각이 늘 들곤 하였다.

"가만있게…… 어서 변호사 시험만 파스하게. 그러면 이제 내가 백만원짜리 주식회사를 조직해 가지고 자네를 법률고문으로 모셔옴세."

이것이 M이 늘 농 삼아 하는 농담이다. M도 1년 동안이나 취직운동을 하면서 지냈건만 그는 되레 배포가 유하다. 조금 더 재빠르게 했으면 M은 벌써 취직이 되었을는지도 모르나 그는 타고난 배포와 그리고 남에게 아유구용을 하기 싫어하는 성질로 말하자면 취직전선의 낙오자다.

별로 만나야 할 일도 없다. 그러나 제각기 혼자 있으면 우울해지니까 이렇게 서로 찾으면 자주 만나게 된다.

만나 앉아서 이야기라도 지껄이면 그 동안만은 명랑하여진다. 지금 서울 안에 P니 M이니 H니와 매일 만나 하는 일없이 돌아다니고 주머니

구석에 돈푼 있으면 서로 털어 선술잔이나 먹고 하는 룸펜의 패가 수없이 많다.

무어나 일을 맡기었으면 불이 번쩍 일게 해낼 팔팔한 젊은 사람들이다. 그렇건만 그들은 몸을 비비 꼬고 있다.

아무 데도 용납치 못하는 사람들이다. ××적 ××에서 그들을 불러들이기에는 ××적 ××의 주관적 정세가 너무도 미약하다. 그것은 그들의 몇 부분이 동경서 학생으로 있을 시절에는 그 속에서 활발하게 ××을 계속하던 것이 조선에 나오면서 탈리되는 것으로 보아 그러한 해석을 내리지 아니할 수가 없다.

그렇다고 부르주아의 기성 문화기관에 들어가자니 그곳에서는 수요를 찾지 아니한다. 레디 메이드로 된 존재들이니 아무 때라도 저편에서 필요해야만 몇씩 사들여 간다.

M이 마코를 꺼내 놓고 붙여 문다. P는 포켓 속에 들어 있는 해태를 차마 내놓기가 낯이 따가워 M의 마코를 집어 당겼다.

(80여 자 삭제—편자)

P는 설명을 시작한다. P 자신 그러한 장난 비슷한 공상은 하면서 일단 해 보라고 하면 주저할 것이지만 어쨌거나 그랬으면 통쾌하리라는 것이다.

"먼점 경무국에 들어가서 아주 까놓고 이야기를 한단 말이야. 우리가 지금 대상으로 하는 것은 총독부가 아니라 조선의 소위 민간칙 유지들이니까 간섭을 말어 달라고."

"그러면 관허(官許) 메이 데이로구만."

"그래 관허도 좋아…… 그래 가지고는 기에다가는 무어라고 쓰느냐 하면 '우리에게 향학열을 고취한 놈이 누구냐?'…… 어때?"

"좋지!"

"인테리에게 직업을 대라…… 이렇게 노래를 지어 부르거든."

(10여 자 삭제—편자)

"응…… 유지와 명사의 가면을 박탈시키라고…… 한 몇 십 명이 그렇게 데모를 한단 말이야!"

"하하하하."

M은 이렇게 웃고 H는 시원찮게 핀잔을 준다.

"드끄럽소 여보…… 아 글쎄 멀끔멀끔한 양복쟁이들이 종로 네거리로 기를 받고 그렇게 다녀봐! 애들이 와서 나 광고지 한 장 주, 하잖나."

"하하하하."

"허허허허."

창밖에서 냉이장수가 싸구려 소리를 외치고 지나간다. M이 그에 응하여,

"이크! 봄을 떰핑하는구나!"

"훙, 경제학자라 달르군……. 참 우리 하숙에서는 채소를 좀 멕여 주어야지!"

"밥값을 잘 내보지."

"그도 그렇지만."

"나는 석 달 치 밀렸네."

"나도 그렇게 될걸."

"그러니까 나처럼 이렇게 아파트 생활을 해요."

이것은 P의 말이다. 아파트라고 말해 놓고도 서글퍼서 허허 웃었다.

"조선식 아파트! 그렇지만 우리가 아파트 생활을 했다면 아마 두어 달 전에 굶어 죽었을걸."

"나는 돈을 보면 초면 인사를 해야 되겠네…… 본 지가 하도 오래라서

낯을 잊었어."

"여보게" 하고 M이 의젓하게 H를 달군다.

"돈 구경한 지 오래됐다지?"

"응."

"존 수가 있네."

"멋?"

"자네 책 좀 삼사(三四) 구락부에 보내세."

"싫으이."

"자네 돈 구경하고…… 구경하고 나서 그놈으로 한잔 먹고……."

"한잔 말이 났으니 말이지 요즘 같으면 술이나 실컨 먹고 주정이라도 했으면 속이 시원하겠네."

"그러니까 말이야…… 가세. 가서 다섯 권만 잽혀."

"일없다."

"내가 찾어 주지."

"홍."

"정말이야."

"싫여."

6

그날 밤.

P와 M은 H를 졸라 그의 법률책을 잡혀 돈 육 원을 만들어 가지고 나섰다.

선술집에 가서 엔간히 취하도록 먹은 뒤에 C라는 카페에 가서 술 두 병을 놓고 자정이 되도록 노닥거렸다.

그곳에서 나올 때는 육 원 돈이 이 원 남았다. 이 원의 처지를 생각하던 세 사람은 일제히 동관으로 가기로 하였다.

세 사람이 모두 다리가 비틀거렸다. 그중에도 P는 더욱 취하였다.

닐리리 가락으로 들어박힌 갈보집.

다 쓰러져 가는 초가집을 세 사람이 아는 집 들어서듯이 쑥쑥 들어서니 "들어옵시오" "어서옵시오"라고 머리 딴 계집애와 배가 북통 같은 애밴 계집이 마루로 나선다.

P가 무심결에 해태갑을 꺼내어 붙여 무니까 머리 딴 계집애가 P의 목을 걸싸안고 볼에다 입을 쪽 맞추더니 "나도 하나" 하고 손을 벌린다. P는 기가 막혀 담뱃갑을 내미는데 H와 M은 박수를 하며 "부라보!" 하고 굉장하게 큰소리로 외친다.

건넌방에 들어가 앉으니 마루에서 따그락따그락 소리가 난다.

배부른 계집은 푸대접을 받고 머리 딴 계집애가 H와 M의 손으로 옮아다니면서 주물린다. 깩깩 소리를 지르고 엄살을 한다. 말을 붙이고 대답을 주고받고 하는 것이 H와 M은 전에 한번 와본 집인 듯하다.

술상이 들어왔다.

잔은 사발만 한데 술주전자는 눈알만 하다. 술을 부어 놓으니 M이 척 받아 놓고는 노래를 투정한다. 계집애는 그보다 더 약아 제가 그 술을 쪽 들여마시고는 빈 잔만 M의 입에 대어준다.

P는 개숫물같이 밍밍한 술을 두어 잔 받아먹는 동안에 비위가 콱 거슬려서 진정하느라고 드러누웠다.

H가 계집애를 무릎에 올려 놓고 신이 나서 노래를 부른다. 물론 고저

도 장단도 맞지 아니하는 노래다.

M이 애밴 계집을 실컷 시달려 주다가 머리 딴 계집애를 빼앗아 가더니 귀에 대고 무어라고 속삭거린다. 그러면서 둘이서 연해 P를 건너다보며 싱긋벙긋 웃는다.

조금 있다가 계집애가 P에게로 오더니 귀에다 입을 대고 속삭인다.

"저이가 나더러 당신하고 오늘 저녁…… 응 어때?"

"그래라."

P는 불쑥 성난 것처럼 대답했다.

"아이! 숭거워!"

계집애는 P를 한번 꼬집어 주고 다시 M에게로 달아났다.

M에게로 가서 또 무어라고 속삭거리더니 재차 와 가지고는 귓속말을 한다.

"자고 가, 응."

"그래 글쎄."

"꼭."

"응."

"정말."

"응."

술은 네 주전자가 들어왔는데 세 사람 손님은 두서너 잔씩밖에 아니 먹었다. 그 나머지는 다 저희가 먹었다. 계집애가 술이 곤주가 되게 취해 가지고 해롱해롱 까분다.

술값을 치르는 것을 보고 P도 따라 일어섰다. M이 몸뚱이로 슬쩍 밀어서 방 안으로 들여보내고 뒤에서 계집애가 양복 뒷깃을 잡아당긴다.

"그래라. 자고 간다."

P는 방 가운데 벌떡 드러누웠다.

"너희 집이 어디냐?"

계집애가 옆에 와서 앉는 것을 보고 P가 물었다.

"××도 ××"

"언제 왔니?"

"작년에."

P는 몸을 일으켰다. 또 속이 왈칵 뒤집혀 좀 더 진정하려고 하는 생각인데 계집애가 콱 밀어뜨린다.

"나이 몇 살이냐?"

"열여덟."

"부모는?"

"부모가 있으면 여기서 이 짓을 해?"

"왜 이 짓이 나쁘냐?"

"흥…… 나도 사람이야."

"에꾸! 나는 네가 신선인 줄 알었더니 인제 알고 보니까 사람이로구나!"

"드끄러!"

계집애는 눈을 쪽 흘기고는 갑자기 웃으면서 P의 목을 그러안는다.

"자고 가 응."

"우리 마누라한테 자볼기 맞고 쫓겨난다."

"그러면 내한테 와서 나하고 살지…… 여기 내 빚 팔십 원만 물어 주면……."

"팔십 원이냐?"

"응."

"가겠다."

P가 또 일어나려는 것을 계집이 껴안고 놓지 아니한다.

"자고 가…… 내가 반했어."

"아서라."

"정말!"

"놓아."

"아니야. 안 놓아. 자고 가요 응…… 나 돈 좀 주어."

"돈? 내가 돈이 있어 보이니?"

"돈 소리가 절렁절렁 나는데?"

미상불 P의 포켓 속에서는 아까부터 잔돈 소리가 가끔 잘랑거렸다.

"자고 나 돈 조꼼 주고 가 응."

"얼마나?"

"암만도 좋아…… 오십 전도, 아니 이십 전도."

계집애의 말이 떨어지기도 전에 P는 불에 덴 것같이 벌떡 일어섰다. 일어서면서 그는 포켓 속에 손을 넣어 있는 대로 돈을 움켜쥐어 방바닥에 홱 내던졌다. 일 원짜리 지전 두 장과 백통전이 방바닥에 요란스럽게 흐트러진다.

"아따 돈!"

해 던지고는 P는 뛰어나왔다. 그의 눈에는 눈물이 괴었다.

7

P는 정조(貞操)적으로 순진한 사나이가 아니다. 열네 살 때에 소꿉질 같은 장가를 갔고 그 뒤 동경 가서 있을 동안에 거기 여자와 살림도 하였다.

조선에 돌아와 직업을 가지고 있는 사이에 기생과 사귀어 한동안 죽을 동 살 동 모르게 지내기도 하였다.

그 밖에도 정 두어 지낸 여자가 두엇 더 있다. 그러나 삼십이 되도록 지금까지 유곽을 가거나 은근짜 집을 가거나 동관의 색주가집에 가서 잠자리를 한 일은 없다.

그것은 P의 괴벽이다. 어떠한 여자를 물론하고 그가 정이 들지 아니한 여자면 절대로 관계를 아니한다는 것이다.

그 대신 한번 P의 눈에 들고 따라서 정이 들면 아무것도 돌아보지 아니하고 심각한 열정에 맡기어 완전히 그 여자를 움켜쥐어 버리며, 또한 그 여자에게 전부를 내주어 버린다. 그리하여 그는 늘 all or nothing을 말한다.

이것이 처세상 퍽 이롭지 못한 것을 P도 잘 안다. 또 공연한 승벽이요 고집인 줄 알건만 그는 그것을 고치지 못한다.

이날 밤에도 그는 그 계집애를 조금도 어떻게 하겠다는 생각은 나지 아니하였다.

술 취한 끝에 속이 괴로우니까 진정을 하자는 판인데 "오십 전 아니 이십 전도 좋아" 하는 소리에 버쩍 흥분이 된 것이다.

너무도 인간이 단작스럽고 악착스러운 것 같았다. P가 노상 보고 듣는 세상이 돈을 중간에 놓고 악착스럽게 아둥바둥하는 것임을 모르는 바는 아니나 정조의 대가로 일금 이십 전을 요구하는 것을 처음 보았다.

P는 그러한 여자가 정조를 파는 데 무신경한 것도 잘 알고 있으며, 따라서 그것이 비도덕이니 어쩌니 하는 것도 아니다.

그의 관점과 해석은 그런 것보다 더 나아간 입장에 있었다.

그러나 '이십 전만 주어도' 소리에는 이것저것 생각하고 헤아릴 나위도 없었다. 더럽고 얄미우면서 그러면서도 눈물이 괴었다. 삼 원쯤 되는 전 재산을 털어 내던지고 정신없이 뛰어나온 것이다.

술 취한 P를 혼자 남겨둔 H와 M은 골목에 기다리고 서서 있었다. P가 뛰어나오는 것을 보고 그들은 위선 농을 건넨다.

"한턱 하오."

"장가 간 턱 하게."

P는 고개를 흔들었다. 그리고 멍하니 서서 생각을 하였다.

다분의 가면 밑에서 꿈틀거리는 인도주의에 몹시 증오를 느끼는 P는 이날 밤 자기의 행동을 어떻게 해석할지 몰라 괴로워하였다.

내일을 굶어야 할 그 돈이지만 돈이 아까운 것이 아니다. 정조 값으로 이십 전을 주어도 좋다는데 왜 정조는 퇴하고 돈만 있는 대로 다 떨어 주었는가? 왜 눈에 눈물은 괴었는가?

8

P는 머리가 띵하고 속이 뉘엿거리어 정신을 차릴 수가 없었다. 그는 두 친구에게 인사도 변변히 하지 아니하고 코를 벤 듯이 삼청동으로 올라왔다. 어서 바삐 좀 드러눕고만 싶었던 것이다.

아무리 방구들은 차고 지저분하게 늘어 놓았어도 제 처소는 반가운 것이다. 더구나 몸이 괴로울 때는!

P는 누더기 양복이나마 벗으려고도 아니하고 그대로 펴 두었던 이부자리 속에 몸을 파묻었다. 드러누우니 취기가 새삼스레 더하여 영영 옷 벗을 생각도 잊어버리고 그대로 잠이 들었다.

얼마를 자고 났는지 괴로워 부대끼다 못하여 잠이 깨었을 때는 목이 타는 듯이 말랐다.

물은 없다. 물이 없어 못 먹느니라 생각하니 목은 더 말랐다.

밤은 어느 때나 되었는지 짐작할 수가 없다. 전등은 그대로 켜져 있다. 밖에서는 사람 지나다니는 발소리도 들리지 아니한다. 전차 갈리는 소리도 들리지 아니하고 가끔 가다가 자동차의 경적이 딴 세상의 소리같이 감감하게 들리어 온다.

밤이 깊지 아니했으면 잠긴 안대문을 두드려 주인 노인에게라도 물을 청하겠지만 이 깊은 밤에 그리 하기도 미안하다. 그것도 방세나 여일하게 내었을 제 말이지 얼굴 대하기를 이편에서 피하는 판에 차마 못 할 일이다.

물지게 장수의 삐득거리는 소리가 들리나 하고 귀를 기울였으나 감감히 소리가 없다.

목이 더욱더욱 말라 들어온다. 입술이 바싹 마르고 입 안이 침기가 없고 목구멍이 바삭바삭 소리가 날 듯이 마르고, 그러고는 창자 속까지 말라 내려가는 듯하다.

방금 미칠 듯하다.

눈앞에 용용하게 흘러가는 푸른 한강이 어릿어릿하고 쏴 쏟아지는 수통 꼭지가 보이는 듯하다.

P는 배고픈 고비는 많이 겪어 보았으나 이대도록도 목마른 참은 당하기 처음이다.

배는 고프면 기운이 없이 착 가라앉을 뿐이었지만 목이 극도로 마름에는 금시 미치고 후덕후덕 날뛸 것 같다.

일어나서 삼청동 꼭대기로 올라가면 산골짜기의 물도 있고 또 우물도 있기는 하다. 그러나 이 어두운 밤에 어디가 어딘지 보이지 아니할 테고 또 우물에는 두레박도 없을 것이다.

겨우겨우 참아 가며 몇 시간을 삐대었다. 실상 한 시간도 못 되는 동안이지만 P에게는 여러 시간인 듯만 싶었다.

그런 뒤에 겨우 물지게 소리를 듣고 그는 수통 있는 곳을 찾아 뛰어나갔다.

사정 이야기도 변변히 하지 아니하고 쏟아지는 수통 꼭지에 매달리어 한 동이는 되리시피 냉수를 들이켰다. 물장수가 어이가 없어 멀끔히 치어다보고만 있다가 P의 꾸벅 하고 돌아서는 등뒤에다 혀를 끌끌 찬다.

밥보다도 더 다급하게 그립던 물을 실컷 들이켜고 나니 찌뿌둥하게 엉킨 듯 불쾌하던 취기도 적이 걷히고 정신이 말쑥하여졌다.

P는 새삼스레 양복을 벗어던지고 다시 자리에 파묻혔다. 이제는 잠이 십 리나 달아나고 눈이 초랑초랑하여진다. 그러면서 어젯밤 일이 머리에 떠오른다.

그것은 마치 못 먹을 것을 먹은 것처럼 께름칙한 기억이다. 아무렇게나 씻어 넘겨 버리재도, 그러나 머리 한구석에 박혀 가지고 사라지려 하지 아니하는 어룽(斑點)과 같다. 어떻게 해서라도 시원스러운 해석을 내리고라야 마음이 놓일 것 같다.

정조 대가로 일금 이십 전을 부르는 여자…….

방금 세상에는 한 번 정조를 빼앗긴 것으로 목숨을 버려 자살하는 여자가 있다. 그러는 한편 '이십 전도 좋소' 하는 여자가 있다.

여자의 정조가 그것을 잃었다고 자살을 하도록 그다지도 고귀한 것이라면 '이십 전에도 팔겠소' 하는 여자가 눈을 멀끔멀끔 뜨고 살아 있는 사실은 무엇으로 설명할 것인가?

또 정조를 '이십 전에도 팔겠소' 하는 여자가 있도록 그것이 아무렇지도 아니한 것이라면 그것을 한 번 빼앗긴 때문에 생명을 내버리는 여자가 있는 것은 무엇으로 설명할 것인가?

이 두 여자가 모두 건전한 양심의 소유자라고 볼 수 없다.

그러나 그 가운데 나무라기로 들면 차라리 정조를 빼앗긴 것으로 자살한 여자를 나무랄 것이지 '이십 전에 팔겠소' 하는 여자를 나무랄 수가 없다.

열여섯 살부터 시작하여 이래 삼 년이나 색주가집으로 굴러 다니는 여자다.

언제 누구에게 귀뗄어진 도덕관념이나 정당한 인생관을 얻어들은 적이 없을 것이다.

술잔을 들고 앉아 한 잔이라도 오는 손님에게 더 먹이어 한 푼어치라도 주인의 수입을 도와주면 칭찬이 오니 그만이다.

"고년 어여쁘다. 나하고 ××" 하고 손님이 말하면 그에 좇아 비록 조발(早發)일지언정 생리적 만족을 얻는 한편 그야말로 단돈 이십 전이라도 벌면 그만이다.

옆에서 그것을 시키기는 할지언정 그것이 나쁘다고 가르쳐 주는 사람이 있을 턱이 없는 것이다. 사실 일반 매춘부가 정조적으로 양심을 가진 듯이 보인다는 것은 그 대부분이 되레 한 가식(假飾)에 지나지 못하는 것이다.

그것은 그들에게 있어서 일종의 정당성을 가진 노동인 것이다.

그러니까 그것을 보고 불쌍하다고 여기고 동정을 하는 것은 위문이 폐문이다.

지금 세상은 정당한 성도덕이 서서 있는 때도 아니니다.

그것은 한 세대에 여러 가지의 시대사조가 얼크러져 있는 때문이다. 그러니까 여자의 정조에 대하여도 일률적으로 선악과 시비를 가릴 수는 없는 것이다.

하룻밤 몸값을 '이십 전도 좋소' 하는 여자, 그에게는 다른 사람이 갖는 성도덕도 없고 따라서 자신을 타락이라서 슬퍼하지도 아니한다.

그 여자 자신을 나무랄 필요도 없는 것이요, 동정을 할 머리도 없는 것이다. 그 여자 자신은 결코 불쌍한 사람이 아니다.

예수의 사랑(?)도 아무리 그 사랑이 크고 넓다 했을지언정 그것은 '불쌍한 사람' '죄지은 사람'에게 미칠 수 있는 것이다.

'불쌍하지 아니한' '죄짓지 아니한' 동관의 색주가 계집에게는 누구의 동정이나 사랑도 일없는 것이다.

"뭐? 관념적이라고?"

그렇다. 관념적이라도 할 수 없다. 그러나 그것은 그 여자의 주관을 객관화한 것이다. 그러니까 그것은 한 엄연한 현실이다.

(30여 자 삭제—편자)

또 그 병적 현실에 메스를 대는 것은 집단의 역사적 문제지만 룸펜 인텔리의 결벽과 흥분쯤으로는 문제도 되지 아니한다.

다만 취객이 삼 원 각수를 던져 주었음으로 해서 그 여자는 감격 없는 기쁨을 맛보았을 뿐일 것이다.

"이게 웬 떡이냐…… 어제 저녁에 꿈이 괜찮더니 이런 땡을 잡을 영으로 그랬구나…… 웬 얼간망둥이냐."

그 계집애는 응당 그렇게밖에는 더 생각되지 아니하였을 것이다. 그것이 결코 무리가 없는 당연한 일이다.

P는 여기까지 생각하고 입맛 쓴 고소를 띄웠다.

"홍! 되지 못하게…… 장님이 눈병 앓는 사람더러 불쌍하다고 한 셈인가."

P는 돌아누우면서 혀를 끌끌 찼다.

9

일천구백삼십사년의 이 세상에도 기적이 있다.

그것은 P가 굶어 죽지 아니한 것이다. 그는 최근 일주일 동안 돈이 생긴 데가 없다. 잡힐 것도 없었고 어디서 벌이를 한 적도 없다.

그렇다고 남의 집 문 앞에 가서 밥 한술 주시오 하고 구걸한 일도 없고 남의 것을 훔치지도 아니하였다.

그러나 그 동안 굶어 죽지 아니하였다. 야위기는 하였지만 그래도 멀쩡하게 살아 있다. P와 같은 인생을 이 세상에 하나도 없이 싹 치운다면 근로하는 사람이 조금은 편해질는지도 모른다.

P가 소부르주아 축에 끼이는 인텔리가 아니요 노동자였더라면 그 동안 거지가 되었거나 비상수단을 썼을 것이다. 그러나 그에게는 그러한 용기도 없다. 그러면서도 죽지 아니하고 살아 있다. 그렇지만 죽기보다도 더 귀찮은 일은 그를 잠시도 해방시켜 주지 아니한다.

그의 아들 창선이를 올려 보낸다고 어제 편지가 왔고 오늘은 내일 아침에 경성역에 당도한다는 전보까지 왔다.

오정 때 전보를 받은 P는 갑자기 정신이 난 듯이 쩔쩔매고 돌아다니며 돈 마련을 하였다. 최소한도 이십 원은…… 하고 돌아다닌 것이 석양 때 겨우 십오 원이 변통되었다.

종로에서 풍로니 냄비니 양재기니 숟갈이니 무어니 해서 살림 나부랭이를 간단하게 장만하여 가지고 올라오는 길에 전에 잡지사에 있을 때 안 ××인쇄소의 문선과장을 찾아갔다.

월급도 일없고 다만 일만 가르쳐 주면 그만이니 어린아이 하나를 써 달라고 졸라대었다.

A라는 그 문선과장은 요리조리 칭탈을 하던 끝에—그는 P가 누구 친한 사람의 집 어린애를 천거하는 줄 알았던 것이다.

"보통학교나 마쳤나요?" 하고 물었다.

"아니요."

P는 솔직하게 대답하였다.

"나이 몇인데?"

"아홉 살."

"아홉 살?"

A는 놀라 반문을 하는 것이다.

"기왕 일을 배울 테면 아주 어려서부터 배워야지요."

"그래도 너무 어려서 원…… 뉘집 애요?"

"내 자식놈이랍니다."

P는 그래도 약간 얼굴이 붉어짐을 깨달았다. A는 이 말에 가장 놀라운 일을 보겠다는 듯이 입만 벌리고 한참이나 P를 물끄러미 바라다본다.

"왜? 내 자식이라고 공장에 못 보내란 법 있답디까?"

"아니, 정말 그래요?"

"정말 아니고?"

"괜히 실없는 소리!…… 자제라고 해야 들어줄 테니까 그러시지?"

"아니, 그건 그렇잖애요. 내 자식놈야요."

"그럼 왜 공부를 시키잖구?"

"인쇄소 일 배우는 것도 공부지."

"그건 그렇지만 학교에 보내야지."

"학교에 보낼 처지도 못 되고 또 보낸댔자 사람 구실도 못할 테니까……."

"거 참 모를 일이요…… 우리 같은 놈은 이 짓을 해 가면서도 자식을 공부시키느라고 애를 쓰는데 되려 공부시킬 줄 아는 양반이 보통학교도 아니 마친 자제를 공장엘 보내요?"

"내가 학교 공부를 해 본 나머지 그게 못 쓰겠으니까 자식은 딴 공부를 시키겠다는 것이지요."

"글쎄 정 그러시다면 내가 내 자식 진배없이 잘 데리고 있으면서 일이나 착실히 가르쳐 드리리다마는…… 원 너무 어린데 애차랍잖애요?"

"애차라운 거야 애비 된 내가 더하지오만 그것이 제게는 약이니까……."

P는 당부와 치하를 하고 인쇄소를 나왔다. 한짐 벗어 놓은 것같이 몸이 가뜬하고 마음이 느긋하였다.

그는 집으로 올라가는 길에 싸전에 쌀 한 말을 부탁하고 호배추도 몇 통 사들었다. 그렁저렁 오 원을 썼다.

십 원 남은 중에 주인 노인에게 육 원을 내어주니 입이 귀밑까지 째어진다. 그 끝에 P가 사온 호배추를 내어주며 김치를 담가 달라고 하니 선선히 응낙한다. 그리고 자식을 데리고 자취를 하겠다니까 깍두기야 간장이야 된장 같은 것을 아까운 줄 모르고 날라다 주곤 한다.

10

이튿날 전에 없이 첫 새벽에 일어난 P는 서투른 솜씨로 화롯밥을 지어 놓고 정거장으로 나갔다.

그의 형에게서 온 편지에 S라는 고향 사람이 서울 올라오는 길에 따라 보낸다고 했으니까 P는 창선이보다도 더 낯이 익은 S를 찾았다.

과연 차가 식식거리고 들어서매 인간을 뱉어내 놓는 찻간에서 S가 창선이를 데리고 두리번거리며 내려왔다.

어디서 생겼는지 새까만 '고구라' 양복을 입고 이화표 붙은 학생모자를 쓰고 거기다가 보따리를 하나 지고 무엇 꾸린 것을 손에 들고 차에서 내리는 어린아이…… 저게 내 자식이니라 생각하니 P는 어쩐지 속으로 얼굴이 붉어지며 한편 가엾기도 하였다.

S가 두 손에 짐을 가득 들고 두리번거리다가 가까이 온 P를 보고 반겨 소리를 지른다. 창선이가 모자를 벗고 학교식으로 경례를 한다. 얼굴을 자세히 보니 네댓 살 적에 보던 것보다 더 한층 저의 외가를 닮았다. P는 그것이 몹시 불만하였다.

"그새 재미나 좋았나?"

S의 하는 첫인사다.

"뭘 그저 그렇지…… 괜한 산 짐을 지고 오느라고 애썼네."

P는 이렇게 인사 겸 치하를 하였다.

"원 천만에!…… 그 애가 나이는 어려도 어떻게 속이 찼는지…… 너의 아버지 알아보겠니?"

S는 창선이를 돌아보며 웃는다. 창선이는 고개를 숙이고 수줍은지 아무 대답도 아니한다.

P는 S와 창선이를 데리고 구름다리로 올라왔다.

"저의 외할머니가 저 양복이야 떡이야 모다 해 가지고 자네 댁에까지 오셨더라네…… 오셔서 어제 떠나는데 정거장까지 나오셨는데 여러 가지 신신당부를 하시는데…… 자네에게 전하라고."

S는 P가 그다지 듣고 싶지도 아니한 이야기를 뒤따라오며 늘어 놓는다. 그의 가슴에는 옛날의 반감이 솟구쳐 올랐다.

"별 걱정 다 하든 게로군…… 내 자식 내가 어련히 할까버 좇아다니며 그래!"

"그래도 노인들이라 어데 그런가…… 객지에서 혼자 있는데 데리고 있기 정 불편하거든 당신에게로 도루 보내게 하라고 그러시데……."

"그 집에 내 자식이 무슨 상관이 있어서 보내라는 거야?…… 보낼 테면 그때 데려왔을라구……."

P는 그것이 모두 그와 갈린 안해의 조종인 줄 알기 때문에 더구나 심정이 났다. 화가 나는 대로 하면 어린아이가 입고 온 양복도 벗겨 내던지고 싶었으나 꿀꺽 참았다.

11

일찍 맛보아 보지 못한 새살림을 P는 시작하였다.

창선이가 도착한 날 밤.

창선이는 아랫목에서 색색 잠을 자고 있다. 외롭게 꿈을 꾸고 있으려니 생각하매 전에 없던 애정이 솟아오르는 듯하였다.

이튿날 아침 일찍 창선이를 데리고 ××인쇄소에 가서 A에게 맡기고 안 내키는 발길을 돌이켜 나오는 P는 혼자 중얼거렸다.

"레디 메이드 인생이 비로소 겨우 임자를 만나 팔리었구나."

금 따는 콩밭

김유정
(1908~1937)

김유정(1908~1937)은 순수문예운동을 표방한 구인회의 회원으로 활동하기도 하였으며, 1935년 『조선일보』에 「소낙비」, 『조선중앙일보』에 「노다지」가 각각 당선되어 등단하였다. 이후 1937년 3월 폐결핵으로 죽기까지의 2년 남짓한 기간에 「동백꽃」, 「봄봄」, 「만부방」, 「안해」, 「땡볕」 등 30여 편의 단편을 발표하였다.

김유정은 토속적인 문체와 특유의 해학으로 대중에게 널리 알려져 있으며 농촌의 우직한 인간상을 특히 잘 그려내고 있다. 더불어 착하고 순박한 농민들이 가난 속에 허덕이는 모습을 통해 식민지 지배하에 있는 1930년대 농촌의 어렵고 암담한 현실을 보여 준다. 식민지 체제에 대한 날카로운 분석은 없지만, 작품 속의 인물들을 바라보는 작가의 따뜻한 시선을 통해 독자는 그 인물들을 이해하고 감싸 안게 되며 사회의 모순을 알게 된다.

「금 따는 콩밭」은 1935년 3월 『개벽』에 발표된 작품이다. 가난에 졸리다 못한 주인공이 일확천금의 꿈을 갖고 콩밭에서 금을 캐려 하지만 금이 나오지 않아 좌절에 이르고 만다는 내용이다. 허황된 행동이 실패로 끝나는 것은 당연한 이치로 볼 수 있지만 그렇게 할 수밖에 없는 현실을 이해할 때 우리는 그들의 아픔과 만나게 된다. 농사만 짓다가는 비렁뱅이가 되고 마는 현실, 여기에서 탈출하기 위해 그들은 금을 캐거나, 노름을 하거나, 아내를 들병이로 내세우고 또 매매하기까지에 이른다. 그러나 이 같은 행동은 몰락을 더욱 재촉할 뿐으로 이들이 갈 길은 고향을 떠나 도시 하층민이 되는 길뿐이다. 농촌의 붕괴 과정을 잘 보여주는 작품이다.

땅속 저 밑은 늘 음침하다.

고달픈 간드렛불. 맥없이 푸르께하다.

밤과 달라서 낮엔 되우 흐릿하였다.

겉으로 황토 장벽으로 앞뒤 좌우가 콱 막힌 좁직한 구뎅이. 흡사히 무덤 속같이 귀중중하다. 싸늘한 침묵, 쿠더브레한 흙내와 징그러운 냉기만이 그 속에 자욱하다.

곡괭이는 뻰질 흙을 이르집는다. 암팡스러이 내려쪼며 퍽 퍽 퍼억.

이렇게 메떨어진 소리뿐. 그러나 간간 우수수하고 벽이 헐린다.

영식이는 일손을 놓고 소맷자락을 끌어당기어 얼굴의 땀을 훑는다. 이놈의 줄이 언제나 잡힐는지 기가 찼다. 흙 한 줌을 집어 코밑에 바짝 들이대고 손가락으로 샅샅이 뒤져 본다. 완연히 버력은 좀 변한 듯싶다. 그러나 불통버력이 아주 다 풀린 것도 아니었다. 밀똥버력이라야 금이 온다는데 왜 이리 안 나오는지.

곡괭이를 다시 집어든다. 땅에 무릎을 꿇고 궁뎅이를 번쩍 든 채 식식거린다. 곡괭이는 무작정 내려찍는다. 바닥에서 물이 스미어 무르팍이

흥건히 젖었다. 굿엎은 천판에서 흙방울은 내리며 목덜미로 굴러든다. 어떤 때에는 윗벽의 한쪽이 떨어지며 등을 탕 때리고 부서진다.

그러나 그는 눈도 하나 깜짝하지 않는다. 금을 캔다고 콩밭 하나를 다 잡쳤다. 약이 올라서 죽을 둥 살 둥 눈이 뒤집힌 이판이다. 손바닥에 침을 탁 뱉고 곡괭이자루를 한 번 꼬나잡더니 쉴 줄 모른다.

등 뒤에서 흙 긁는 소리가 드윽드윽 난다. 아직도 버력을 다 못 친 모양. 이 자식이 일을 하나 시졸 하나. 남은 속이 바직바직 타는데 웬 뱃심이 이리도 좋아.

영식이는 살기 띤 시선으로 고개를 돌렸다. 암말 없이 수재를 노려본다. 그제야 꾸물꾸물 바지게에 흙을 담고 등에 메고 사다리를 올라간다.

굿이 풀리는지 벽이 우찔하였다. 흙이 부서져 내린다. 전날이라면 이곳에서 안해 한번 못 하고 생죽음이나 안 할까 털 끝까지 쭈뼛할 게다. 그러나 이젠 그렇게 되고도 싶다. 수재란 놈하고 흙더미에 묻히어 한껍에 죽는다면 그게 오히려 날 게다.

이렇게까지 몹시 몹시 미웠다.

이놈 풍치는 바람에 애꿎은 콩밭 하나만 결단을 냈다. 뿐만 아니라 모두가 낭패다. 세 벌 논도 못 맸다. 논둑의 풀은 성큼 자란 채 어지러이 널려 있다. 이 기미를 알고 지주는 대로하였다. 내년부터는 농사질 생각을 말라고 발을 굴렀다. 땅은 암만을 파도 지수가 없다. 이만해도 다섯 길은 훨썩 넘었으리라. 좀더 지펴야 옳을지 혹은 북으로 밀어야 옳을지, 우두머니 망설거린다. 금점일에는 푸뜸이다. 입대껏 수재의 지휘를 받아 일을 하여 왔고, 앞으로도 역시 그러해야 금을 딸 것이다. 그러나 그런 칙칙한 짓은 안 한다.

"이리 와 이것 좀 파게."

그는 어쓴 위풍을 보이며 이렇게 분부하였다. 그리고 저는 일어나 손을 털며 뒤로 물러선다.

수재는 군말 없이 고분하였다. 시키는 대로 땅에 무릎을 꿇고 벽채로 군버력을 긁어낸 다음 다시 파기 시작한다.

영식이는 치다 나머지 버력을 짊어진다. 커단 걸대를 뒤툭거리며 사다리로 기어오른다. 굿문을 나와 버력 더미에 흙을 마악 내칠려 할 제,

"왜 또 파. 이것들이 미쳤나그래!"

산에서 내려오는 마름과 맞닥뜨렸다. 정신이 떠름하여 그대로 벙벙히 섰다. 오늘은 또 무슨 포악을 들을려는가.

"말라니까 왜 또 파는 게야" 하고 영식이의 바지게 뒤를 지팡이로 콱 찌르더니 "갈아먹으라는 밭이지 흙 쓰고 들어가라는 거야, 이 미친것들아. 콩밭에서 웬 금이 나온다구 이 지랄들이야 그래" 하고 핏대를 올린다.

밭을 버리면 간수 잘못한 자기 탓이다. 날마다 와서 그 북새를 피고 금하여도 담날 보면 또 여전히 파는 것이다.

"오늘로 이 구뎅이를 도로 묻어 놔야지 낼로 당장 징역갈 줄 알게."

너무 감정에 격하여 말도 잘 안 나오고 떠듬떠듬거린다. 주먹은 곧 날아들듯이 허구리께서 불불 떤다.

"오늘만 좀 해 보고 고만두겠어유."

영식이는 낯이 붉어지며 가까스로 한마디하였다. 그리고 무턱대고 빌었다.

마름은 들은 척도 안 하고 가 버린다. 그 뒷모양을 영식이는 멀거니 배웅하였다. 그러나 콩밭 낯짝을 들여다보니 무던히 애통 터진다. 멀쩡한 밭에가 구멍이 사면 풍풍 뚫렸다.

예제없이 버력은 무데기 무데기 쌓였다. 마치 사태 만난 공동묘지와도 같이 귀살쩍고 되우 을씨년스럽다. 그다지 잘되었던 콩포기는 거반 버력 더미에 다 깔려 버리고 군데군데 어쩌다 남은 놈들만이 고개를 나풀거린다. 그 꼴을 보는 것도 자식 죽는 걸 보는 게 낫지 차마 못할 경상이었다. 농토는 모조리 떨어질 것이다. 그러나 대관절 올 밭도지 벼 두 섬 반은 뭘로 해내야 좋을지. 게다 밭을 망쳤으니 자칫하면 징역을 갈는지도 모른다. 영식이가 구뎅이 안으로 들어왔을 때 동무는 땅에 주저앉아 쉬고 있었다. 태연무심히 담배만 뻑뻑 피는 것이다.

"언제나 줄을 잡는 거야."

"인제 차차 나오겠지."

"인제 나온다" 하고 코웃음치고 엇먹더니 조금 지나매,

"이 새끼."

흙덩이를 집어들고 골통을 내려친다.

수재는 어쿠하고 그대로 폭 엎드린다. 그러나 벌떡 일어선다. 눈에 띄는 대로 곡괭이를 잡자 대뜸 달겨들었다. 그러나 강약이 부동. 왁살스러운 팔뚝에 튕겨져 벽에 가서 쿵 하고 떨어졌다. 그 순간에 제가 빼앗긴 곡괭이가 정백이를 겨누고 날아드는 걸 보았다. 고개를 홱 돌린다. 곡괭이는 흙벽을 퍽 찍고 다시 나간다.

수재 이름만 들어도 영식이는 이가 갈렸다. 분명히 홀딱 속은 것이다.

영식이는 본디 금전에 이력이 없었다. 그리고 흥미도 없었다. 다만 밭고랑에 웅크리고 앉아서 땀을 흘려 가며 꾸벅꾸벅 일만 하였다. 올핸 콩도 뜻밖에 잘 열리고 맘이 좀 놓였다. 하루는 홀로 김을 매고 있느라니까,

"여보게, 덥지 않은가. 좀 쉬었다 하게."

고개를 들어 보니 수재다. 농사는 안 짓고 금전으로만 돌아다니더니 무슨 바람에 또 왔는지 싱글벙글한다. 좋은 수나 걸렸나 하고,

"돈 좀 많이 벌었나. 나 좀 좨주게."

"벌구 말구. 맘껏 먹고 맘껏 쓰고 했네."

술에 거나한 얼굴로 신껏 주적거린다. 그리고 밭머리에 쭈그리고 앉아 한참 객설을 부리더니,

"자네 돈벌이 좀 안 할려나. 이 밭에 금이 묻혔네 금이."

"뭐?" 하니까, 바로 이 산 너머 큰 골에 광산이 있다. 광부를 삼백여 명이나 부리는 노다지판인데 매일 소출되는 금이 칠십 냥을 넘는다. 돈으로 치면 칠천 원. 그 줄맥이 큰 산허리를 뚫고 이 콩밭으로 뻗어나왔다는 것이다. 둘이서 파면 불과 열흘 안에 줄을 잡을 게고, 적어도 하루 서너 돈씩은 따리라. 우선 삼십만 원만 해두 얼마냐. 소를 산대도 만 필이 아니냐고. 그러나 영식이는 귀담아 듣지 않았다. 금점이란 칼 물고 뜀뛰기다. 잘되면 이어니와 못 되면 신세만 조핀다. 이렇게 전일부터 들은 소리가 있어서였다. 그 담날도 와서 꾀송거리다 갔다.

셋째번에는 집으로 찾아왔는데 막걸리 한 병을 손에 떡 들고 영을 피운다. 몸이 닳아서 또 온 것이었다. 봉당에 걸터앉아서 저녁상을 물끄러미 바라보더니 재수는 몸을 훑는다는 둥 일꾼은 든든히 먹어야 한다는 둥 남들은 논을 사느니 밭을 사느니 떠드는데 요렇게 지내다 그민둘 테냐는 둥 지겨웁게 지껄인다.

"아주머니, 이것 좀 먹게 해 주시게유."

그리고 비로소 영식이 안해에게 술병을 내놓는다. 그들은 밥상을 끼고 앉아서 즐거웁게 술을 마셨다. 몇 잔이 들어가고 보니 영식이의 생각도 적이 돌아섰다. 딴은 일 년 고생하고 끽 콩 몇 섬 얻어먹느니보다는

금을 캐는 것이 슬기로운 짓이다. 하루에 잘만 캔다면 한 해 줄곧 공들인 그 수확보다 훨씬 이익이다. 올봄 보낼 제 비료값, 품삯, 빚해 빚진 칠 원 까닭에 나날이 졸리는 이판이다. 이렇게 지지하게 살고 말 바에는 차라리 가로지나 세로지나 사내자식이 한번 해 볼 것이다.

"내일부터 우리 파보세. 돈만 있으면이야 그까진 콩은……."

수재가 안달스리 재우쳐 보채일 제 선뜻 응낙하였다.

"그래보세. 빌어먹을 거 안 됨 고만이지."

그러나 꽁무니에서 죽을 마시고 있던 안해가 허구리를 쿡쿡 찔렀게 망정이지 그렇지 않았더면 좀 주저할 뻔도 하였다.

안해는 안해대로의 심이 빨랐다. 시체는 금점이 판을 잡았다. 섣부르게 농사만 짓고 있다간 결국 비렁뱅이밖에는 더 못 된다. 얼마 안 있으면 산이고 논이고 밭이고 할 것 없이 다 금쟁이 손에 구멍이 뚫리고 뒤집히고 뒤죽박죽이 될 것이다. 그때는 뭘 파먹고 사나. 자, 보아라. 머슴들은 짜위나 한 듯이 일하다 말고 훅닥하면 금점으로들 내빼지 않는가. 일꾼이 없어서 올핸 농사를 질 수 없으니 마느니 하고 동리에서는 떠들썩하다. 그리고 번동 포농이 쫓아 호미를 내어던지고 강변으로 개울로 사금을 캐러 달아난다. 그러나 며칠 뒤에는 다비신에다 옥당목을 떨치고 히짜를 뽑는 것이 아닌가. 안해는 콩밭에서 금이 날 줄은 아주 꿈 밖이었다. 놀라고도 또 기뻤다. 올해는 노냥 침만 삼키던 그놈 코다리(명태)를 짜장 먹어 보겠구나, 만 하여도 속이 메질 듯이 짜릿하였다. 뒷집 양근댁은 금점 덕택에 남편이 사다 준 흰 고무신을 신고 나릿나릿 걷는 것이 무척 부러웠다. 저도 얼른 금이나 펑펑 쏟아지면 흰 고무신도 신고 얼굴에 분도 바르고 하리라.

"그렇게 해 보지 뭐. 저 양반 하잔 대로만 하면 어련히 잘될라구."

얼뚤하여 앉았는 남편을 이렇게 추겼던 것이다.

동이 트기 무섭게 콩밭으로 모였다. 수재는 진언이나 하는 듯 이리 대고 중얼거리고 저리 대고 중얼거리고 하였다. 그리고 덤벙거리며 이리 왔다가 저리 왔다가 하였다. 제딴은 땅 속에 누운 줄맥을 어림하여 보는 맥이었다.

한참을 밭을 헤매다가 산 쪽으로 붙은 한구석에 딱 서며 손가락을 펴 들고 설명한다. 큰 줄이란 본시 산운 산을 끼고 도는 법이다. 이 줄이 노다지임에는 필시 이켠으로 버듬히 누웠으리라. 그러니 여기서부터 파들어 가자는 것이었다.

영식이는 그 말이 무슨 소린지 새기지는 못했다. 마는 금점에는 난다는 수재이니 그 말대로 하기만 하면 영락없이 금퇴야 나겠지 하고 그것만 꼭 믿었다. 군말 없이 지시해 받은 곳에다 삽을 푹 꽂고 파헤치기 시작하였다.

금도 금이면 애써 키워온 콩도 콩이었다. 거진 다 자란 허울 멀쑥한 놈들이 삽 끝에 으스러지고 흙에 묻히고 하는 것이다. 그걸 보는 것은 썩 속이 아팠다. 애틋한 생각이 물밀 때 가끔 삽을 놓고 허리를 구부려서 콩잎의 흙을 털어 주기도 하였다.

"아, 이 사람아 맥적게 그건 봐 뭘 해, 금을 캐자니깐."

"아니야, 허리가 좀 아파서!"

핀잔을 얻어먹고는 좀 열쩍었다. 하기는 금만 잘 터져 나오면 이까진 콩밭쯤이야. 이 밭을 풀어 논도 만들 수 있을 것이다. 눈을 감아 버리고 삽의 흙을 아무렇게나 콩잎 위로 홱홱 내어던진다.

"구구루 땅이나 파먹지 이게 무슨 지랄들이야!"

동리 노인은 뻔질 찾아와서 귀거친 소리를 하고 하였다.

밭에 구멍을 셋이나 뚫었다. 그리고 대구 뚫는 길이었다. 금인가 난장을 맞을 건가 그것 때문에 농군은 버렸다. 이게 필연코 세상이 망하려는 징조이리라. 그 소중한 밭에다 구멍을 뚫고 이 지랄이니 그놈이 온전할 겐가.

노인은 제물 화에 지팡이를 들어 삿대질을 아니할 수 없었다.

"벼락 맞느니 벼락 맞어."

"염려 말아유. 누가 알래지유."

영식이는 그럴 적마다 데퉁스리 쏘았다. 골 김에 흙을 되는대로 내꼰지고는 침을 탁 뱉고 구뎅이로 들어간다 그러나 마음 한구석에는 언제나 끄은하였다. 줄을 찾는다고 콩밭을 통히 뒤집어 놓았다. 그리고 줄이 언제나 나올지 아직 까맣다. 논도 못 매고 물도 못 보고 벼가 어이 되었는지 그것조차 모른다. 밤에는 잠이 안 와 멀뚱허니 애를 태웠다.

수재는 낙담하는 기색도 없이 늘 하냥이었다. 땅에 웅숭그리고 시적시적 노량으로 땅만 판다.

"줄이 꼭 나오겠나?" 하고 목이 말라서 물으면,

"이번에 안 나오거든 내 목을 비게."

서슴지 않고 장담을 하고는 꿋꿋하였다.

이걸 보면 영식이도 마음이 좀 뇌는 듯싶었다. 전들 금이 없다면 무슨 멋으로 이 고생을 하랴. 반드시 금은 나올 것이다. 그제서는 이왕 손해는 하릴없거니와 고만두리라는 절망이 스스로 사라지고 다시금 주먹이 쥐어지는 것이었다.

캄캄하게 밤은 어두웠다. 어디선가 뭇개가 요란히 짖어댄다.

남편은 진흙투성이를 하고 산에서 내려왔다. 풀이 죽어서 몸을 잘 가누지도 못하고 아랫목에 축 늘어진다.

이 꼴을 보니 아내는 맥이 다시 풀린다. 오늘도 또 글렀구나. 금이 터지면 집을 한 채 사간다고 자랑을 하고 왔더니 이내 헛일이었다. 인제 좌지가 나서 낯을 들고 나아갈 염의조차 없어졌다.

남편에게 저녁을 갖다 주고 딱하게 바라본다.

"인젠 꿔온 양식도 다 먹었는데……."

"새벽에 산제를 좀 지낼 텐데 한 번만 더 꿔와."

남의 말에는 대답 없고 유하게 흘개늦은 소리뿐 그리고 드러누운 채 눈을 지그시 감아 버린다.

"죽거리두 없는데 산제는 무슨……."

"듣기 싫어, 요망맞은 년 같으니."

이 호통에 안해는 고만 멈씰하였다. 요즘 와서는 무턱대고 공연스리 골만 내는 남편이 역 딱하였다. 환장을 하는지 밤잠도 아니 자고 소리만 빽빽 지르며 덤벼들려고 든다. 심지어 어린것이 좀 울어도 이 자식 갖다 내꾼지라고 북새를 피는 것이다.

저녁을 아니 먹으므로 그냥 치워 버렸다. 남편의 영을 거역키 어려워 양근댁한테로 또다시 안 갈 수 없다. 그간 양식을 줄곧 꾸어다 먹고 갚지도 못하였는데 또 무슨 면목으로 입을 벌릴지 난처한 노릇이었다.

그는 생각다 끝에 있는 염치를 보째 쏟아 던지고 다시 한 번 찾아가는 것이다. 마는 딱 맞닥뜨리어 입을 열고 "낼 산제를 지낸다는데 쌀이 있어야지유" 하자니 역 낯이 화끈하고 모닥불이 날아든다.

그러나 그들은 어지간히 착한 사람이었다.

"암 그렇지요. 산신이 벗나면 죽도 글릅니다" 하고 말을 받으며 그 남편은 빙그레 웃는다. 워낙 이 금점에 장구 닳아난 몸인만치 이런 일에는 적잖이 속이 틔었다. 손수 쌀 닷 되를 떠다 주며 "산제란 안 지냄 몰라두 이왕 지낼려면 아주 정성껏 해야 됩니다. 산신이란 노하길 잘하니까유" 하고 그 비방까지 깨쳐 보낸다.

쌀을 받아 들고 나오며 영식이 처는 고마움보다 먼저 미안에 질리어 얼굴이 다시 빨갰다. 그리고 그들 부부 살아가는 살림이 참으로 참으로 몹시 부러웠다. 양근댁 남편은 날마다 금점으로 감돌며 버력더미를 뒤지고 토록을 주워 온다. 그걸 온종일 장판돌에다 갈면 수가 좋으면 이삼 원, 옥아도 칠팔십 전꼴은 매일 심이 되는 것이었다. 그러면 쌀을 산다, 피륙을 끊는다, 떡을 한다, 장리를 놓는다— 그런데 우리는 왜 늘 요꼴인지 생각만 하여도 가슴이 메이는 듯 맥맥한 한숨이 연발을 하는 것이었다.

안해는 집에 돌아와 떡쌀을 담그었다. 낼은 뭘로 죽을 쑤어 먹을는지. 윗목에 웅크리고 앉아서 맞은쪽에 자빠져 있는 남편을 곁눈으로 살짝 할퀴어본다. 남들은 돌아다니며 잘두 금을 주워 오련만 저 망나니 제 밭 하나를 다 버려도 금 한 톨 못 주워 오나. 에에, 변변치도 못한 사나이. 저도 모르게 얕은 한숨이 거푸 두 번을 터진다.

밤이 이슥하여 그들 양주는 떡을 하러 나왔다. 남편은 절구에 쿵쿵 빻았다. 그러나 체가 없다. 동네로 돌아다니며 빌려 오느라고 안해는 다리에 불풍이 났다.

"왜 이리 앉었수, 불 좀 지피지."

떡을 찧다가 얼이 빠져서 멍하니 앉았는 남편이 밉살스럽다. 남은 이래저래 애를 죄는데 저건 무슨 생각을 하고 저리 있는 건지. 낫으로 삭정이를 탁탁 조겨서 던져 주며 안해는 은근히 혹닥이었다. 닭이 두 홰를 치고 나서야 떡은 되었다. 안해는 시루를 이고 남편은 겨드랑에 자리때기를 꼈다. 그리고 캄캄한 산길을 올라간다.

비탈길을 얼마 올라가서야 콩밭은 놓였다. 전면이 우뚝한 검은 산에 둘리어 막힌 곳이었다. 가생이로 느티 대추나무들은 머리를 풀었다. 밭머리 조금 못미처 남편은 걸음을 멈추자 뒤의 안해를 돌아본다.

"인내, 그리구 여기 가만히 섰어."

시루를 받아 한 팔로 껴안고 그는 혼자서 콩밭으로 올라섰다. 앞에 쌓인 것이 모두가 흙 더미, 그 흙 더미를 마악 돌아설려 할 제 아마 돌을 찼나 보다. 몸이 쓰러지려고 우찔끈하니 안해가 기겁을 하여 뛰어오르며 그를 부축하였다.

"부정타라구 왜 올라와, 요망맞은 년."

남편은 몸을 고루잡자 소리를 빽 지르며 안해 얼빰을 붙인다. 가뜩이나 죽으라 죽으라 하는데 불길하게도 계집년이. 그는 마뜩지 않게 두덜거리며 밭으로 들어간다. 밭 한가운데다 자리를 펴고 그 위에 시루를 놓았다. 그리고 시루 앞에다 공손하고 정성스리 재배를 커다랗게 한다.

"우리를 살려 줍시사. 산신께서 거들어 주지 않으면 저희는 죽을밖에 꼼짝할 수 없습니다유."

그는 손을 모으고 이렇게 축원하였다.

안해는 이 꼴을 바라보며 독이 뾰록같이 올랐다. 금점을 합네 하고 금한 톨 못 캐는 것이 버릇만 점점 글러 간다. 그전에는 없더니 요새로 건듯하면 탕탕 때리는 못된 버릇이 생긴 것이다. 금을 캐랬지 빰을 치랬나. 제발 덕분에 고놈의 금 좀 나오지 말았으면. 그는 빰 맞은 앙심으로 맘껏 방자하였다.

하긴 안해의 말 고대로 되었다. 열흘이 썩 넘어도 산신은 깜깜 무소식이었다. 남편은 밤낮으로 눈을 까뒤집고 구덩이에 묻혀 있었다. 어쩌다 집엘 내려오는 때이면 얼굴이 헐떡하고 어깨가 축 늘어지고 거반 병객이었다. 그리고서 잠자코 커단 몸집을 방고래에다 퀑, 하고 내던지고 하는 것이다.

"제이미붙을, 죽어나 버렸으면."

혹은 이렇게 탄식하기도 하였다.

안해는 바가지에 점심을 이고서 집을 나섰다. 젖먹이는 등을 두드리며 좋다고 끽끽거린다.

이젠 흰 고무신이고 코다리고 생각조차 물렸다. 그리고 금하는 소리만 들어도 입에 신물이 날 만큼 되었다. 그건 고사하고 꿔다 먹은 양식에 졸리지나 말았으면 그만도 좋으리마는.

가을은 논으로 밭으로 누렇게 내리었다. 농군들은 기꺼운 낯을 하고 서로 만나면 흥겨운 농담, 그러나 남편은 앰한 밭만 망치고 논조차 건살 못하였으니 이 가을에는 뭘 거둬들이고 뭘 즐겨 할는지. 그는 동리 사람의 이목이 부끄러워 산길로 돌았다.

솔숲을 나서서 멀리 밖에를 바라보니 둘이 다 나와 있다. 오늘도 또 싸운 모양. 하나는 이쪽 흙 더미에 앉았고 하나는 저쪽에 앉았고. 서로들 외면하여 담배만 뻑뻑 피운다.

"점심들 잡숫게유."

남편 앞에 바가지를 내려놓으며 가만히 맥을 보았다.

남편은 적삼이 찢어지고 얼굴에 상채기를 내었다. 그리고 두 팔을 걷고 먼 산을 향하여 묵묵히 앉았다.

수재는 흙에 박혔다 나왔는지 얼굴은커녕 귓속드리 흙투성이다. 코

밑에는 피딱지가 말라 붙었고 아직도 조금씩 피가 흘러내린다. 영식이 처를 보더니 열쩍은 모양. 고개를 돌리어 모로 떨어치며 입맛만 쩍쩍 다신다.

금을 캐라니까 밤낮 피만 내다 말라는가. 빚에 졸리어 남은 속을 볶는데 무슨 호강에 이 지랄들인구. 안해는 못마땅하여 눈가에 살을 모았다.

"산제 지낸다구 꿔온 것은 은제나 갚는다지유?"

뚱하고 있는 남편을 향하여 말끝을 꼬부린다. 그러나 남편은 눈썹 하나 까딱하지 않는다. 이번에는 어조를 좀 돋으며 "갚지도 못할 걸 왜 꿔오라 했지유!" 하고 얼추 호령이었다.

이 말은 남편의 채 가라앉지도 못한 분통을 다시 건드린다. 그는 벌떡 일어서며 황밤주먹을 쥐어 창낭할 만치 아내의 골통을 후렸다.

"계집년이 방정맞게."

다른 것은 모르나 주먹에는 아찔이었다. 멋없이 덤비다간 골통이 부서진다. 암상을 참고 바르르 하다가 이윽고 안해는 등에 업은 언내를 끌러 들었다. 남편에게로 그대로 밀어던지니 아이는 까르륵 하고 숨 모는 소리를 친다. 그리고 안해는 돌아서서 혼잣말로 "콩밭에서 금을 딴다는 숙맥도 있담" 하고 빗대 놓고 비양거린다.

"이년아 뭐!"

남편은 대뜸 달겨들며 그 볼치에다 다시 올찬 황밤을 주었다. 지그 남편 계집이니 위로도 하여 주련만 요건 분만 폭폭 질러 놓려나. 예이, 빌어먹을 거, 이판사판이다.

"너허구 안 산다. 오늘루 가거라."

안해를 와락 떠다밀어 논둑에 제켜놓고 그 허구리를 발길로 퍽 질렀다. 안해는 입을 헉 하고 벌린다.

"네가 허라구 옆구리를 쿡쿡 찌를 제는 은제냐, 요 집안 망할 년."

그리고 다시 퍽 질렀다 연하여 또 퍽.

이 꼴들을 보니 수재는 조바심이 일었다. 저러다가 그 분풀이가 다시 제게로 슬그머니 옮아 올 것을 지르채었다. 인제 걸리면 죽는다. 그는 비슬비슬하다 어느 틈엔가 구뎅이 속으로 시나브로 없어져 버린다. 볕은 다사로운 가을 향취를 풍긴다. 주인을 잃고 콩은 무거운 열매를 둥글둥글 흙에 굴린다. 맞은쪽 산 밑에서 벼들을 베며 기뻐하는 농군의 노래.

"터졌네, 터져."

수재는 눈이 휘둥그렇게 굿문을 뛰어나오며 소리를 친다. 손에는 흙 한줌이 잔뜩 쥐었다.

"뭐?" 하다가 "금줄 잡았어, 금줄."

"응!" 하고 외마디를 뒤남기자 영식이는 수재 앞으로 살같이 달려들었다. 허겁지겁 그 흙을 받아들고 샅샅이 헤쳐 보니 딴은 재래에 보지 못하던 불그죽죽한 황토였다. 그는 눈에 눈물이 핑 돌며,

"이게 원줄인가?"

"그럼 이것이 곱색줄이라네. 한 포에 댓 돈씩은 넉넉 잡히대."

영식이는 기쁨보다 먼저 기가 탁 막혔다. 웃어야 옳을지 울어야 옳을지. 다만 입을 반쯤 벌린 수재의 얼굴만 멍하니 바라본다.

"이리와 봐. 이게 금이래."

이윽고 남편은 안해를 부른다. 그리고 내 뭐랬어, 그러게 해 보라고 그랬지, 하고 설면설면 덤벼 오는 안해가 한결 어여뻤다. 그는 엄지가락으로 아내의 눈물을 지워 주고 그러고 나서 껑충거리며 구뎅이로 들어간다.

"그 흙 속에 금이 있지요?"

영식이 처가 너무 기뻐서 코다리에 고래등 같은 집까지 연상할 제 수재는 시원스러이 "네, 한 포대에 오십 원씩 나와유" 하고 대답하고 오늘 밤에는 꼭 정녕코 꼭 달아나리라 생각하였다.

거짓말이란 오래 못 간다. 봉이 나서 뼈다귀도 못 추리기 전에 훨훨 벗어나는 게 상책이겠다.

노인부(老人夫)

송 영

(1903~1978)

송영(1903~1978)은 서울에서 태어나 해방 후 월북한 소설가이자 극작가, 아동문학가이다. 그는 소설 속에 노동자들의 삶과 투쟁을 적극적으로 다루었으며 이념적으로 투쟁성이 강한 작가로 평가되고 있다. 「선동자」, 「용광로」, 「석공조합대표」, 「교대시간」, 「노인부」 등의 소설은 노동자들의 삶을 다룬 그의 대표적인 작품들로 노동문학의 선구적 지위에 놓아야 한다는 평가를 받는다. 그는 일본에서 사회 밑바닥의 생활을 겪으면서 노동현장의 경험을 쌓아 이후 이것이 그의 문학세계의 기반을 이룬 것으로 알려져 있다. 그러나 그의 작품은 도식적이리만큼 저항과 혁명의 이념을 사건전개의 주축으로 삼아 소설적 재미를 덜 느끼게 한다는 지적을 받기도 한다.

여기에 수록한 「노인부」는 민족해방운동에 몸을 바친 아버지와 아들이 서로 얼굴도 모른 채 살아가다 화장터의 인부로 전락한 아버지가 어느 날 감옥에서 나온 시체를 화장했는데 알고 보니 한 번도 얼굴을 본 적이 없는 자기의 아들이었다는 줄거리이다. 이 작품은 우연성이 지나치고, 낭만적으로 사회운동을 그렸다는 감이 있지만 민족해방운동의 역사적 변모 양상을 부자의 비극적인 만남을 통해 상징적으로 보여주고 있다. 개화파와 함께 만주에서 학교를 세우고 교육사업을 하는 등 애국계몽운동을 펼치던 아버지의 세대는 새로운 이념하에 사회운동을 하는 새로운 세대의 청년들(아들의 친구들)에게 자신들이 '썩은 물건'이지만 너희들은 뜻을 꺾지 말고 싸우라고 격려한다. 이는 나라의 독립을 위해서는 먼저 민족의 실력을 양성해야 한다고 생각하여 교육을 통한 계몽 활동에 전념하다 좌절해 갔던 초기의 민족운동이 3·1운동 이후 다음 세대에 의해 새로운 사상을 바탕으로 각 방면의 사회운동과 민족해방투쟁으로 발전해 갔던 모습을 암시하는 것이기도 하다. 우연처럼 보이겠지만 이 작품은 아들의 얼굴도 모른 채 민족의 해방을 위해 싸워야 했던 우국지사형의 아버지에서 조직적인 사회운동과 정치투쟁을 해 나가는 아들로 세대를 이어 가며 민족해방의 투쟁은 그칠 수 없음을 보여 준다. 그것이 당시 우리 민족이 걸어가야 했던 운명의 길이기도 하다.

1

눈은 온다.

함박 같은 눈은 온다.

이곳은 서울서 얼마 떨어지지 아니한 홍린산이요 그리고 이 산 속에 하나밖에 없는 홍린사라는 절에 딸려 있는 화장장이다.

한 달에 잘해야 열 번, 그렇지 않으면 두세 번밖에 일을 아니하는 화장터이다.

사방으로 소나무는 무성하고 산 아래 멀리로는 한강이 흘러간다.

바람은 눈발을 몰아서 화장장의 양철지붕을 광광 울린다.

화장장 안은 어두컴컴하다.

두 개의 아궁이가 가운데에 놓여 있고 그 앞으로는 시체를 모셔 놓는 까치발 두 개가 놓였다.

그 앞으로는 유리창 안 조그만 마루가 있고 그 마루에는 향탁이 하나, 목탁이 한 개, 경문이 한 권 놓여 있다. 그리고 아궁이 앞에는 장작 쌓는

광이 있고 그 광 옆에는 화장지기 노인이 묵고 있는 조그만 방이 있다.

박 첨지 영감은 이 방 안에 앉아서 담배를 먹고 앉았다.

지금은 흰 머리가 눈빛같이 반짝거리는 노인이다.

그러나 허리도 굽어지지 않고 목소리가 쨍쨍한 것이 젊은 사람 같아 보인다.

담배연기는 방 안을 뽀얗게 만든다.

벽은 신문지를 발랐다. 누렇게 더러운 헌 신문지에는 커다란 활자로 이 같은 것이 씌어져 있었다.

'재만동포의 위기'

내어쫓긴 육천 동포는 장차 어떻게 될까?

노인은 이것을 보고 두 눈이 이상스럽게 번쩍하였다.

입으로 "힝!" 하면서 담배를 더 빡빡 빤다. 바깥에는 눈보라 소리가 더 몹시 난다. 소나무는 팽 팽 쏴—쏴— 소리를 낸다. 가끔 이 바람 소리를 타고 언덕 너머에서는 새벽을 고하는 목탁 소리가 들려 온다…….

노인은 역시 아무 소리 없이 담배만 빡빡 빨고 앉았다. 똥글똥글한 담배연기는 또 벽에 붙인 헌 신문에 가 부딪힌다.

그리고 '재만동포의 위기'라는 큰 글자가 또 나타나 보인다.

2

이 박 첨지 영감도 원래는 만주에서 살았다.

삼십 년 동안이나 연길현으로, 왕정현으로, 간도로, 시베리아로—언제든지 눈보라가 덮은 들을 휩싸는 벌판으로 돌아다녔었다.

집은 경기도 포천 땅이었다.

조그만 농토도 있고 부모와 젊은 처도 있었다. 그러나 삼촌도 없고 형과 아우도 없었다. 아버지도 독신이요 자기도 독신이었던 것이다.

그러자 그가 서른 살이 될라 말라 할 적에 그는 제일 먼저 상투를 잘라 버리고 서울로 뛰어 올라갔던 것이다.

그래서 뜨겁게 불같은 주먹들을 쥐고 날뛰던 김옥균, 서재필, 박영효, 윤치호 들과 한패가 되었던 것이다.

그러나 그들의 높은 뜻은 물거품같이 되면서 그만 서로들 헤어지며 떨어지며 하였던 것이다.

이런 통에 이 박 첨지는 만주로 뛰어갔던 것이다. 벌써 그때에는 만주의 구석구석마다 쫓겨간 무리들이 흩어져 살아 있을 때다.

그는 주먹을 쥐고 악을 썼다.

"죽을 때까지 가르치자—배우지를 못해서 오늘 같은 일을 당했다."

이런 결심이 점점 더 굳어지면서 그는 활동하기를 시작하였던 것이다.

그때 처음으로 조선을 떠나오려고 할 때에 고향에서 편지 한 장이 왔었다. 그것은 아버지 편지였었다.

"너 혼자만이 날뛴다고 세상이 바로잡히는 것이 아니다. 부질없이 엉뚱한 생각만을 말고 곧 내려오너라. 그래서 얼마 아니 있으면 백골이 될 나의 밑에 와 있어다우. 그리고 젊은 아내를 잘 거느리고 살아라. 우리 집에는 너 하나만이 승종을 하는 줄을 너는 왜 모르느냐. 먼저가 네 몸이요 다음이 집안이요 그런 뒤에 나라의 일이다. 때를 기대리어 집안이나 바로잡아야 한다.

그리고 어저께 네 아내는 순산 생남하였다. 이름은 보영(輔永)이라고 짓고 싶다. 네 의향에는 어떠할는지……."

……하는 이러한 내용이었었다. 그는 이 편지를 받고 감동이 되지는 아니하고 도리어 자기의 큰뜻을 행하라는 권고나 들은 듯이나 싶었다.

그래서 아주 간단하게,

"저는 먼저 저가 큰일을 하려면 집안을 잊어버려야 할 줄 압니다. 제 대신 새로 나온 보영이놈이나 잘 기르셔서 재미나 보아 주십시오.

저는 지금 만주로 떠나갑니다. 그래서 그곳의 동포를 위하여 교육사업에나 몸을 바치겠습니다. 그리고 제 처에게도 잘이나 있으라고 말을 좀 전해 주십시오."

이렇게 떠나와서는 학교를 세우기를 시작한 것이 모두 삼십여 군데나 되었으니 그중에 중학교도 한 개가 있었던 것이다.

이러다가 그는 다시 조선으로 돌아오지 않으면 안 될 일이 생겼다.

이래서 모든 것을 다 잊어버리고 다시 홀몸으로 돌아왔다.

그래서 서울이라고 돌아와서는 한숨을 쉬었다. 처음에 서울을 떠나간 때와는 아주 더운 피가 없어진 셈이다.

주먹은 한숨으로 변하였던 것이다.

고향이라고 찾아왔으나 집까지 없어졌다. 그리고 동네 늙은이에게 얻어들은 것을 모아 보면 부모는 물론 돌아가시고 집안도 물론 폐가가 되고 그의 아내와 아들만은 서울인지 어디론지 가 버렸다는 것이다.

그러나 지금은 무엇을 하는지도 모르고 그보다도 죽었는지 살았는지도 모른다는 것이다. 그래서 그는 다시 서울로 돌아와서 여러 가지로 알아보았으나 알 길도 없고 점점 닥쳐 오는 것이 당장에 먹고사는 일이다.

이러다가 우연히 옛날 친구를 만나 그의 소개로 이 화장장의 인부로 붙어 있으면서 겨우겨우 그날의 연명이나 하고 지내는 것이었다.

몸은 늙고 기운은 없어졌으나 그러나 그의 가슴에 큰뜻만은 사라지지 않았다.

이래서 언제든지 조선과 만주를 생각하면서 담배만 먹고 지내 갔던 것이다.

다시 만주로 가고 싶었으나 자연히 못 가고 하루이틀 있는 것이 벌써 4년이 넘었으며 따라서 처음에는 잠시 용신지처로 생각하고 있었던 이곳이 이제 와서는 내어떼칠 수도 없이 되었던 것이다.

그러나 항상 만주의 일이 눈에 환하며 옛날 서울의 일과 또는 지금 호화스럽게 부자들이 된 옛 친구의 보기 싫은 꼴이며 또 자기의 아들이 어디서 무엇을 하고 있는지가 궁금하였던 것이다.

그리고 차라리 만나보지는 못할지언정 자기의 아들도 자기같이 어디서든지 큰뜻을 위해서 활동이나 하고 있었으면 하는 간절한 희망이 있었다.

제 아비의 자식이니 아주 못난 놈은 아니 되었겠지—하는 스스로 믿는 생각도 나며 따라서 이 생각이 날 때마다 스스로 기쁨을 마지않았던 것이다.

그러나 아궁지 속에서 송장 타는 소리가 똑딱 핏—꼬르르! 하는 소리를 들어가면서 맞는 칼로 장작을 탕탕 쪼갤 때에는 어쩐지 쓸쓸한 생각이 떠나가지를 않았던 것이다.

3

날이 훤하게 밝으면서 눈은 더 푹푹 쏟아진다.

노인은 바깥으로 나왔다. 날은 진정 푸근하여진 모양이다. 아직까지 화장장 안 한편 구석은 어두컴컴하였다.

대문을 열었다. 바람은 자고 눈만 쏟아진다. 소나무는 눈꽃이 핀 듯하다. 온 산은 모두 하얗다. 부연 하늘에는 눈발이 찼다.

노인은 방한모를 눈만 내놓고 푹 뒤집어쓴 뒤에 비를 들고 나섰다. 그래서 처마가로 돌아다니면서 대강대강 쌓인 눈을 쓸어 버렸다.

차차 날은 밝아졌다.

노인은 눈 묻은 비를 탁탁 털어서 화장장 안에다 내어던지고 대문을 닫은 뒤에 눈 쌓인 언덕으로 올라갔다. 아침밥을 준비하는 홍린사의 종소리는 점점 크게 들려 왔다.

"앵히 또 밥이나 좀 얻어먹어야지" 하면서 노인은 눈 속으로 사라져 버렸다.

노인이 아침을 다 먹고 다시 화장장으로 돌아왔을 때에는 눈은 그쳤다.

그리고 구름 속에서 은빛 같은 태양은 내리쏟아졌다. 온 세상은 그야말로 눈이 부시는 은세계가 되었다.

노인이 막 화장장 안으로 들어가려고 할 때에 별안간에 언덕 아래에서 사람 소리가 두런두런 난다.

"에구 미끄러……."

"이것 이따가 큰일났데. 우리들은 홀몸인데도 이렇게 어려운데……."

"그런데 누가 있을까?" 하는 젊은 사나이들의 목소리다.

노인은 "힝 오늘 일거리 생겼군" 하면서 잠깐 멈칫하고 있었다.

조금 있다가 세 청년은 나타났다. 목도리와 코와 입을 막고 외투들을 입었다.

"어서들 옵쇼. 퍽들 미끄럽지요."

노인은 친절하게 맞는다.

"네― 네……."

청년들은 "네" 소리로 대답 겸 인사들을 하였다.

"자 추우신데 이리 좀 들어오십쇼."

"네― 괜찮습니다."

세 청년은 하얗게 묻은 눈을 탁탁 털면서 화장터 안으로 들어섰다.

"아이구 식전이 되어서 화롯불도 없고…… 자 잠깐만 참으십쇼" 하면서 부엌으로 들어간다.

세 청년은 걸상에 가 걸터앉으며 모두 아궁이를 쳐다본다.

"아니 이 안에서 저 노인이 혼자 자나."

"에구 나 같으면 자긴커녕 쳐다보지도 못하겠네."

"그것도 버릇이 되면 관계없겠지."

"홍 아무리 버릇이 된다고 하더라도 나는 꼼짝도 못 하겠네…… 에구 오늘같이 눈이나 쏟아지고 바람이나 휙휙 불면 좀 무섭겠나."

"히히."

모두들 어떻게 송장 냄새가 가득 찬 이 산속 이 화장터 빈방에서 혼자서 자나 하는 걱정들만 한다.

그들은 마치 이 '어떻게 자나'를 걱정들이나 하러 온 사람같이들 되었다.

노인은 질화로에다 숯불을 피워서 방으로 들여 가면서,

"자 추우신데 이리로 좀 들어앉으십쇼."

"네 네."

세 청년은 방으로 들어갔다.

그중에 한 청년이,

"노인께서 여기 일을 맡아 보십니까?"

"네. 그렇다우" 하고 노인은 세 청년을 쳐다들 보았다. 눈물이 반짝하는 것을 발견하였다.

"음 기특한 청년들이로군."

이 노인은 능히 사람의 눈만 보고도 그 사람이 어떠한 사람들인 것을 알아보는 것이다.

"그런데— 여보슈들 누구의 화장을 하러 왔습니까?"

이번에는 노인이 먼저 물었다.

"네— 저희들 친구랍니다."

"네— 친구예요?" 하면서 노인은 만주에 있을 때에 자기들과 같이 일들을 하던 동지를 자기들 손으로 장사를 지내던 생각이 났다.

"그런데— 노인, 여봅쇼. 한 시간가량 있으면 일행이 오겠는데요. 먼저 준비를 하여 주시는 게 어떻겠습니까?"

"네— 준비야 별것이 있나요. 차차 모두 들어오신 후 하여도 넉넉합니다—."

"그런데 화장료는 얼마나 됩니까?"

"그저 돈 십 원 되지요. 전에는 십 원씩이었으나 지금은 팔 원으로 내렸고 그 외에 잔돈 몇 푼이 더 들어가면 한 십 원이 됩니다."

"네— 그러고는 아무것도 아니 드나요?"

"그거야 들이려면야 한이 없지요. 허 이 화장터가 절에 부속이 되어 있으니만치 시식을 올리려면 돈이 더 들겠지요. 그렇지만 보아하니 젊은 양반들이시니까 그까짓 미신의 행동은 아니들 하시겠지요. 허허" 하면서 담배를 피워 문다.

이 '미신의 행동'이란 말이 화장쟁이 노인에게서 나오는 것을 보고는 세 청년은 깜짝 놀랐다.

그리고 일종 호기심들이 나서 서로들 쳐다들 보았다.

노인은 담배 연기를 뿌옇게 내어뿜으면서 흰 눈썹 아래에서 반짝이는 눈초리로 젊은 그들이 하는 모양을 알아보았다. 그리고 또 "힝!" 하였다. 언제든지 기가 막히는 때에는 이 "힝!" 소리가 나오고 따라서 자기의 옛날 생각이 나는 것이다.

"여보슈들— 그런데 노형들이 친구들일 것 같으면 퍽 젊으실 모양일 터인데요."

"네 퍽 젊답니다. 겨우 서른 살이 지난 지도 몇 해가 못 됩니다."

"뭐요. 왜 그렇게 젊은 양반이 돌아가셨나요."

이 소리에 아무 대답들이 없었다. 조금 만에 그중에 좀 뚱뚱하게 생긴 청년 하나가 좀 얼굴에 강개한 빛을 띄우면서 "말하자면 원통한 죽음이랍니다" 하는데 세 청년의 얼굴은 다 같이 쓸쓸하였다.

그러나 한편으로 불에 타는 듯한 무서운 빛이 눈구석에 나타났다. 노인은 더 듣고 싶었다.

"왜요, 무슨 몹쓸 병에 걸렸던가요."

"차라리 그러면 관계찮게요. 이따가 보시면 차차 아시겠지만 ××에서 죽어서 나왔답니다."

"네 ××에서 죽었어요."

노인은 벌써 다 알았다. 그러면 이 세 청년들은 어떤 '회'의 일을 하는 가상한 친구들인 것을 알았다.

(노인은 언제든지 이런 사람을 가상하게 보았다.)

"공연히 말씀만 해서 안됐소만 죽은 친구와 노형네들은 다 같은 회원이십니까?"

이 소리에 세 청년은 확실히 이 노인은 보통 노인이 아니라는 것을 알았다. 그래서 다소 의심스럽게 대답을 하였다.

"네— 그렇답니다. 같은 조합원이랍니다."

"그리고 오늘 장사도 조합장으로 지내는 것이랍니다."

"네! 조합장요."

그러자 한 청년이,

"노인 금융조합은 아니예요."

노인은 침통하게 웃었다.

"허허 나도 금융조합이 아닌 것만큼은 아는 놈이라우 허……" 하면서 다소 영웅심리가 생겼다.

'나도 집안을 내버리고 만주 벌판으로 돌아다니면서 삼십 년 동안이나 일을 하였다'고 하는 것을 말하고 싶었다.

그러나 그렇게 아무렇게나 말을 하는 것도 도리어 소년배의 하는 일같이 생각이 되어서 그냥 허허 웃어 버렸던 것이다.

금융조합이라고 말하던 청년이 좀 미안하여서,

"노인 괜히 실례했습니다."

"에구 천만에 말씀을 다 하슈—."

"그런데 노인께서는 그전에는 무엇 하셨습니까?"

그 청년은 이어서 말을 하였다. 노인은 그냥 담배만 몇 번 빨다가,

"에구 그까짓 지난 이야기야 하면 뭐하나요. 어떻든지 나는 썩은 물건이요. 그러나 젊은 친구들의 하는 일들은 기뻐하는 놈이지요. 나도 젊어서는 큰일을 한답시고 만주로 간도로 돌아다니기를 삼십 년이나 했다우."

"네—."

세 청년은 일시에 놀랐다.

"네, 그러세요."

"훙, 그까짓 거야 다 무슨 소용이 있단 말이유. 어떻든지 나는 썩은 폐물이요. 그저 이 마른 가슴속 애물같이 치미는 것만 가끔 있는 놈이라우…… 허…… 자— 여러 노형들은 그야말로 불덩이요, 주먹이 쇠 같고 태산이라도 옮겨 놓을 수 있겠죠…… 어떻든지 용감하게 처음 뜻을 꺾이지나 마시오…… 허……."

도도한 웅변은 쏟아져 나왔다.

"아니 노인께서는 왜 지금은 이런 일을 하십니까?"

"허허 기름이 마른 것을 어떻게 허우— 그렇지만 노형네들은 나같이 늙지는 마우. 늙어도 힘있는 늙은이가 되시유— 외국의 큰 정치가도 실상은 육칠십의 늙은이들이 아니요. 그렇지만 나는 화장지기 늙은이구료. 허허" 하면서 강개한 목소리를 낸다.

세 청년의 호기심 그리고 일층 숭배하는 마음은 점점 커갔던 것이다.

"노인은 자제도 안 계십니까?"

"힝, 나는 아무것도 없는 독신이라우— 자식이라고 살았으면 아마 당신네들만큼은 되었을 것인데 지금은 죽었는지 살았는지도 모른다우" 하면서 퍽 쓸쓸한 빛이 돈다.

"네 그러세요. 그러면 노인은 누구시라고 하나요."

"홍 그저 모두 박 첨지라고 부른다우— 그리고 이름은 '평' 외자라우—."

"아, 박평 씨이세요—" 하면서 모두 세 청년은 무엇이 생각나는 듯이 서로 쳐다볼 때에 밖에서 사람들이 떠드는 소리가 난다.

"여보게— 어디들 있나."

"여기 있네" 하면서 세 청년과 노인은 부리나케 밖으로 나갔다.

4

다시 해는 회색구름 속으로 들어가고 가는 눈발은 떨어지기 시작한다.

모두 일행은 한 30명은 된다. 그중에는 여자도 2, 3인이 섞여 있었다. 검정빛 관을 천천히 들고들 올라온다.

"자 이리로 갖다가 모십시오" 하면서 노인은 인도를 한다.

몇 사람은 관을 갖다가 까치발 위에다 고요히 올려 놓았다.

"에구 올라오는데 퍽 미끄럽지—."

"말 말게 내 엉뎅이가 어떻게 되었는지 모르겠네."

"홍홍 나도 손바닥이 얼얼한데— 어떻게 절을 했는지—."

한참이나 모두 이런 이야기뿐이다.

그러면서 화장장 안으로 들어와서 아궁지도 들여다보며 경문책도 열어 보며 방 안도 들여다들 본다.

먼저 왔던 좀 똥똥하게 생긴 청년이(살이 찐 것이 아니라 얼굴이 똥똥해 보인다) 노인에게,

"자 얼른 일을 시작하여 보시지요."

"네, 그런데 절을 가서 주장중을 불러와야 합니다."

"주장중요. 그럼 어서 불러오십시쇼."

노인은 그냥 언덕 위로 올라갔다.

"여보게들 저기 간 노인이 보통 노인이 아닐세."

나중 왔던 사람들이 모두 귀를 모은다.

"홍 만주에 가서 학교를 서른 개나 세우던 운동객이라네—."

"머 국민파 운동객이었었네그려—."

"어떻든지 장하지 않은가? 조선의 노인이 모두 저만큼만 되어도 좋겠네—."

"그건 그만 이야기를 하고 우리 어떻게 할까" 하고 나중에 온 키 큰 청년이 말을 한다.

뚱뚱한 청년이,

"뭐? 식(式) 말이지. 간단하게 하게그려. 화장을 모시려고 할 때에 간단한 추도문이나 읽고 일동이 오 분간 명례(暝禮)나 하세그려?"

이 소리에 모두들 정숙하여졌다.

그들은 키가 크고 적고 뚱뚱하고 마르고 하였다. 코도 다르고 눈도 다르며 입은 옷도 다르다.

그러나 백색테러의 희생된…… 아끼는 마음 원통한 마음! 분노— 그리고 혁명에 대한 불 같은 결심 앞으로 더 싸우겠다는…… 이 분노와 이…… 심은 다 같이 공통이 되어 있었다.

모양은 백 가지나 마음은 한가지다. 쓸쓸한 가운데에도 기운은 뻗치고 슬픈 가운데에도 새로운 계획은 고개를 들었던 것이다.

노인은 돼지같이 생긴 중을 데리고 내려왔다. 살은 뚱뚱히 찌고 두 뺨은 뒤룩뒤룩한다. 두 눈은 조그만 것이 '치게미'가 흘러나온다.

검정 장삼에 기계같이 합장배례를 하면서,

"소승 문안드립니다. 원로에 얼마나들 고생이 되겠습니까?"

그중에 키 큰 청년이 대답을 하였다.

"네 천만에요. 그런데 얼른 화장을 집행하게 해 보시지요."

"네. 그런데 시식은 어떻게 하시나요?"

"시식은 그만두겠습니다."

이 소리에 따라서 홍 시식 홍—홍— 하는 코웃음 소리가 이 구석 저 구석에서 났다. 그중에도 가느다란 여자의 목소리로,

"어떻든지 종교도 좋은 장사야…… 부처님 파먹는 싸구려 종교……호……."

"에구— 싸구려보담도 우리들의 아편이야!"

주장중은 "아편" 이야 하는 소리가 무슨 뜻인지는 모르나 어떻든지 반대파의 말인 줄은 알았다. 아마 '천작쟁이'(천주학쟁이)들인가 보다 하였다. 그러나 억지로 참고,

"여보 박 첨지. 어수 불이나 때슈—."

퉁명스럽게 내던지고,

"그러면 화장료나 내시지요."

"얼마인가요?"

"팔 원입니다."

이래서 주장중은 돈 팔 원과 화장 허가장만 받아 가지고 목탁 한 번 뚜드리지도 못하고 가 버렸다.

노인은 참나무 장작을 몇 개 잘게 패어 가지고 화장터 뒤 굴뚝 앞으로

갔다. 눈발에 솟은 굴뚝의 밑구멍에는 조그만 아궁이 한 개가 있다.

똥똥한 청년과 여자 두 사람이 따라갔다.

"노인, 거기다가 왜 불을 때십니까?"

"네. 다 까닭이 있지요. 이래야 앞 아궁지의 불이 붙는다우. 여기서 타는 불기운은 빨아올리는 힘이 있으니까…… 왜 물리학에 그런 게 없습니까? 허허—."

이 소리에 두 여자는 깜짝 놀랐다. 그러나 청년만은 놀라지 않았다.

노인은 불을 붙이고 부채질을 하면서

"그런데 저 양반이 왜 ××으로 들어갔습니까?"

"네. 그건 간단하게 말하자면 ×××사건으로 들어갔답니다."

"네. 그러면 제일차 사건인가요."

"그렇답니다."

"그런데 여기 오신 분들은?"

"네 노동조합, 농민조합장, 청년동맹, 그리고 근우회, 프롤레타리아예술동맹의 맹원들이랍니다."

"네, 참 건방진 소리 같지만 어떻든지 잘들이나 싸워 주시구료."

이때에는 몇 사람의 청년이 와서 있을 때다.

노인은 다시 아궁이 앞으로 왔다. 그리고 "자, 어서 시체를 모십쇼" 하면서 노인은 쇠문을 벌컥 열었다. 그 안은 굵은 쇠가 세 개가 가로놓였고 그 위로 굵고 동그란 나무토막이 십여 개가 놓였다. 그 위에다 시체를 얹었다. 가만히 미는 대로 나무토막이 구르면서 시체는 완전히 아궁이로 들어가고 말았다.

이러면서 흑흑 느끼는 소리도 났다.

키 큰 청년은—,

"자. 오 분간 명례입니다."

이 소리에 따라서 일동은 엄숙하게 서서 장경례를 하고서 눈들을 감았다.

비장한 광경은 그들의 앞에 벌어졌다. 노인의 눈에서는 눈물이 떨어졌다.

오 분 뒤에 "자" 하는 소리와 같이 모두들 눈을 뜨고 허리를 폈다. 아무 소리도 없었다.

노인도 떨리는 목소리로 "자. 불을 핍니다—" 하면서 성냥을 그어 석유를 칠한 장작에다 던졌다.

팍! 하면서 불은 붙었다.

키 큰 청년은 "자. 우리 마지막으로 가는 동지 박 군을 위하여 간단한 조문이나 읽읍시다."

목소리는 떨리었다. 키 큰 청년은 조문을 꺼내들고 읽기를 시작한다.

노인도 한옆에 서서 있었다.

청년은 목이 메었다. 읽는 소리는 점점 알아들을 수가 없게 된다.

"동지 박보영 군—."

이 소리에 먼저 놀란 것은 노인이었다.

"어, 보영이—."

덮어 놓고 눈물은 났다. 정신은 아찔하였다. 그러나 다시 정신을 차리었다. 자세히 알지도 못할 일이다. 같은 성명이 있는지도 모르는 까닭이다.

"군은 우리들의 앞잡이로서 우리들 전…… 하여 생때같은……을 ××기었다.

군은 처음에는 예술동맹의 ××로서 왼 애지프로에 전력을 다했으며 뒤에는 농민조합의 한 분자로서 실제 운동에 몸을 바쳤다.

그러나 우리들이 잊지 못할 192×년 ×월 ×일은 군은 모든 우리들 암술동지와 같이……××에 ××녀 갔다.

그리고 ××에게 ―하였다.

그리고 우리와 다시 만날 때에는 뺏뺏한 육체로 변하였다. 그리고…….”

다 읽지를 못하고 울어 버리었다. 모두 느낀다.

“우리들은 ××한다. 우리들의…….”

아주 울어 버렸다.

불길은 아궁지 속에 가득 찼다. 탁탁 하는 장작 타는 소리는 유난히도 들렸다.

일동은 무아몽중이 되었을 때에 미친 듯이 이상스러워진 노인의 목소리가 났다. 여기에 일동은 정신이 다시 났다.

“여보, 이게 박보영이요?”

똥똥한 한 청년은,

“네…… 그렇답니다.”

“그러면 부모가 있답디까?”

“네?”

이러면서 똥똥한 청년은 대답을 못 하였다.

키 큰 청년은,

“아니 왜 그러십니까?”

“글쎄 알 일이 있소.”

“자세히는 모르나 아버지는 박 군 어려서 만주 갔었다는데 종무소식이요 어머니는 서울 와서 돌아갔답니다."

"그리고 지금은 홀몸이지요."

"네—" 하면서 노인은 털썩 주저앉았다. 두 눈은 허옇게 되었다.

먼저 왔던 세 청년은 그제야 깨달았다. 왈칵 달겨들어서 노인을 부축하면서,

"아니 왜 이러십니까?"

노인은 그저 미친 듯이 그저 두 손만 내흔든다. 모두들 깜짝 놀라서 이 노인에게로 덤벼들었다.

노인은 한참 만에야 다시 두 눈을 바로 떴다. 두 눈에 눈물이 가득 찼다. 일어나더니 번개같이 아궁이 뚜껑을 열었다.

그들의 동지! 젊은 일꾼의 시체는 시뻘건 불꽃에 싸여 있다.

"여보소들 이게 우리 아들이라우."

노인은 악을 쓰고 다시 주저앉았다.

"내가 내 아들놈을 살라 버릴 줄은 꿈에도 생각을 못했구료—" 하면서 그냥 운다.

모두들 아무 소리도 못했다. 노인도 크게 울지 아니하였다.

얼마 뒤에 노인은 "자, 여보슈들 나는 다시 울지도 않겠수. 여러분들은 저애보다 몇 백 갑절 힘 있게들 ××시오……" 하면서 허허허 웃어 버린다.

이 노인의 말소리는 그들의 가슴속 뼛속 살속까지도 깊이깊이 사무쳤던 것이다. 노인은 그저 허허거리면서 더 굵은 장작을 푹푹 질러 버린다. 아궁이 안에서는 심장이 타는 소리가 '빠지지' 난다.

눈은 다시 푹푹 쏟아졌다.

5

며칠 뒤에 이 노인은 화장장을 떠나서 다시 만주로 향해서 떠나갔다.

6

몇 해가 지났으나 이 노인의 소식은 알 수가 없었다. 그러나 서울과 시골에는 점점 더 큰 ××이 일어났다. 아침에 호외가 나는가 하면 밤중에도 호외는 또 돌았다. 어느 ……에서는, 어느 ……에서는, 어느 ×장에서는, ××에서는, 어느 강연회에서는 이러이러한 어떤 일이 일어났다는 초호 특호의 활자가 뚜렷하게 보였다.

민촌(民村)

이 기 영
(1895~1984)

이기영(1895~1984)은 식민지 시대의 정서를 가장 잘 그려낸 소설가로 알려져 있다. 그의 작품은 식민지 농민들의 생동감 넘치는 생활 감정을 진실하게 묘사하고 살아 있는 듯 인물들이 풍부하게 그려져서 예술적 감흥을 불러일으키는 데 성공하고 있다. 그는 「서화」, 「도박」, 「고향」, 「신개지」, 「봄」 등 뛰어난 농민소설뿐만 아니라 「제지공장촌」과 같은 노동소설, 「인간수업」 등의 지식인 풍자소설도 발표하여 작가의 관심 영역이 당대 민중의 삶에 폭넓게 펼쳐졌음을 알 수 있다. 가장 뛰어난 사실주의 작가라는 칭송에도 불구하고 우리들이 그의 작품을 잘 대하지 못했던 것은 해방 후 월북하여 북한에서 문학 활동을 활발히 한 때문이다. 소위 월북작가여서 그의 작품을 출간하는 일이 금지되었던 까닭에 뒤늦게 일반 대중에게 그의 명성이 알려진 셈이다.

여기 수록한 소설의 제목인 '민촌'은 이기영의 호이기도 하다. 충청도의 향교말이라는 상놈만 사는 민촌을 배경으로 친일 지주 박 주사 집안의 착취와 횡포, 소작농민들의 궁핍한 생활 속에서도 배어 나오는 민중적 정서와 자각을 잘 그려내고 있다. 벼 두 섬 값에 어린 딸을 첩으로 빼앗아 가는 봉건적 착취와 자본주의적 수탈의 구조를 줄거리의 중심에 두고 농촌 궁핍의 사회적 원인과 자본주의의 병폐가 '창순이'를 통해 고발되지만, 첩으로 팔려 가는 일은 막지를 못한 채 작품은 끝이 나고 있다. 해결의 전망은 거대한 구조의 벽 앞에 좌절되지만 이 소설이 가진 미덕은 당대 민중들의 발랄한 삶의 모습들을 아낙네들의 수다, 민요, 농사일 등을 통해 아주 생생하게 들려준다는 데 있다. 즉 민중에게 친근하게 읽힐 수 있는 형식에(약간은 신파적인 곳도 있지만 이는 그때와 지금의 생활 정서의 차이에서 오는 오해라고 보면 좋다) 농민의 삶의 진실된 측면이 잘 그려져 있는 작품이다.

1

태조봉 골짜기에서 나오는 물은 '향교말'을 안고 돌다가 동구(洞口) 앞 버들숲 사이를 뚫고 흐르는데 동막골로 넘어가는 실백 같은 개울 건너 논둑 밭둑 사이로 요리조리 꼬불거리며 산잔등으로 기어올라갔다. 그 길가 냇둑 옆에 늙은 향나무 한 주가 마치 등 굽은 노인이 지팡이를 짚고 있는 형상을 하고 섰는데 그 언덕 옆으로는 돌담으로 쌓은 옹달샘이 있고 거기에는 언제든지 맑은 물이 남실남실 두던을 넘어 흐른다.

그런데 그 앞 개울은 가뭄에 바짝 말라붙었던 개천에 이 샘물이 겨우 '메기' 침같이 흐르던 것이 이번 장마통에 그만 물이 버쩍 늘었다.

양청물같이 푸른 하늘에는 망태솜 같은 흰 구름이 둥둥 떠도는데 녹음이 우거진 버들숲 사이로는 서늘한 매미 소리가 흘러 나온다. 이쪽 숲 앞으로는 툭 터진 들 안에 장잎이 갈라진 벼포기가 일면으로 퍼렇고 멀리 보이는 설화산이 가몰가몰 남쪽 하늘가에 닿았다. 푹푹 찌는 중복 허리에 불볕이 쨍쨍 나는 저녁때이다.

조 첨지 며느리, 점백이 마누라, 성삼이 처, 또는 점순이, 이쁜이는 지금 샘가에 늘어 앉아서 한편에서는 보리쌀을 씻고 또 한편에서는 푸성귀를 헹구는데 수다하기로 유명한 성삼이 처는 이런 때에도 입을 다물 수 없는 모양이다. 그는 웃을 때마다 두 뺨에다 샘을 파고 말할 때에는 고개를 빼뚜로 하면서 쌍꺼풀진 눈을 할금할금하는 것이 버릇이었다. 어떻든지—헤반주그레한 얼굴이 눈웃음 잘 치고 퍽 산들거리는—이 동리에서는 제일 하이칼라상이란다. 그래 주전부리(?)도 곧잘 한다는 소문이 나기는 벌써 오래전부터이다마는 시애비와 서방은 도무지 그런 줄을 모른다는 멍텅구리 한 쌍이라고 흉이 자자하단다.

지금 성삼이 처는 전과 같은 표정으로 점백이 마누라를 할끗 쳐다보며 "아주머니!" 하고 열쌔게 불렀다. 그의 날카롭고 윤나는 목소리로…….

(또 무슨 소리가 나올라누!)

일상 뜸하니 남의 말만 듣고 있는 조 첨지 며느리는 은근히 가슴속으로 생각하였다. 하긴 그는 아직 파겁을 못 한 숫각시로서 이런 자리에서 그들과 같이 말참례를 하기는 어려웠다.

안동포 적삼 소매를 활짝 걷어붙인 뿌연 살이 포동포동 찐 팔뚝으로 보리쌀을 이리저리 헤쳐서 푹 눌렀다, 썩싹 푹 눌렀다 썩싹 하고 한참 장단을 맞춰서 재미있게 씻던 성삼이 처는 바가지로 물을 퐁! 퐁! 퍼붓고는 한번 휘둘러서 보리쌀을 헹구더니만 그 옆에 놓인 옹배기에다 뽀얗게 우러난 뜨물을 쪽 따라 놓는다. 하지만 무슨 의미인지 점백이 마누라를 할끗 쳐다보고 한번 쌩긋 웃는다.

"아주머니! 박 주사 아들이 또 첩을 얻었다지요?"

"그렇다네, 돈 많은 이들이니까 우리네 '소'를 개비하듯 얼마든지 할 수 있겠지."

점백이 마누라는 그리 대수롭지 않은 듯이 볼먹은 소리로 이렇게 대답한다. 그의 목소리는 원래 예사로 하는 말도 퉁명스럽게 들리었다.

"그런데 그 전 첩은 가기 싫다는 걸 억지로 쫓았대요! 동전 한 푼 안 주고…… 그래 울며불며 나갔다던가."

"그럼 왜 아니 그렇겠나. 아무리 첩이라 하기로니 같이 살겠다고 데려다 놓고 불과 일 년에 맨손으로 나가라니!"

"그야 그렇지요만 나 같으면 그대로 쫓겨나지는 않겠어요!" 하고 성삼이 처는 별안간 두 눈초리가 샐쭉해진다.

"그럼 어찌하나? 첫째는 당자가 싫다 하고 왼 집안사람이 돌려내는 바에야 그 눈칫밥을 먹고 어떻게 살겠나? 그러기에 예전 말에도 여편네는 뒤웅박팔자라고 했다네. 더군다나 민적도 없는 남의 첩 된 신세가 아닌가?"

"그러면 그까진 놈 고장을 들어서 메부치고 한바탕 분풀이도 실컷 좀 못 할까?"

이 말이 채 떨어지기도 전에 눈앞을 흘끗 쳐다보던 점백이 마누라는 별안간 "쉬—" 하고 성삼이 처의 옆구리를 꾹 찔렀다. 이 바람에 성삼이 처는 깜짝 놀라서 고개를 홱 돌이켰다. 과연 거기에는 지금 말하던 박 주사 아들이 보였다. 그래 그는 시치미를 뚝 떼고 정신없이 보리쌀을 헹구는 체하였다.

모시 두루마기에 맥고모를 쓴 박 주사 아들은 살이 너무 쪄서 아랫볼이 터덜터덜하는 얼굴을 들고 점잖은 걸음새로 조를 빼며 걸어온다. 그는 어느 틈에 나왔는지 모르는 개천가 논둑에서 뒷짐 지고 섰는 조 첨지를 보고는 "영감 근력 좋은가?" 하고 거침없이 하소를 내붙인다. 그런데 조 첨지는 그게 누구인지 의아하는 모양으로 한참 동안을 자세히 쳐다보더니 그제서야 비로소 알아차린 모양으로 아주 반색을 하면서 "아! 나으리십니까. 웬수의 눈이 어두워서…… 해마다 달습니다그려. 어서 죽어야 할 터인데…… 아! 그런데 어디를 가십니까?" 하고 그는 박 주사 아들이 오는 편으로 꼬부랑꼬부랑 따라 나온다.

"응! 이 아래 들에 좀……."

그는 이런 대답을 거만하게 던지고 샘둑에 둘러앉은 여자들을 자존심이 가득한 눈매로 한 번을 쓱 둘러보더니만 다시 무슨 생각이 들었는지 저만큼 가다가 "그래도 좀 더 살아야지!" 하는 말을 고개를 홱! 돌이키며 하였다. 이 바람에 그는 다시 한 번 샘둑을 보았다.

"더 살면 무엇합니까? 살수록 고생이지요 아하!"

조 첨지는 한숨 섞인 말을 하며 동구 안으로 들어가는 그의 뒷모양을 우두커니 서서 보더니 다시 돌아서서 멀리 설화산 쪽을 바라본다. 그는 부지중 후 하는 한숨을 내쉬고 등을 좀 펴 보았다.

"새파란 젊은 놈이 제 할아비뻘 되는 노인보고 하소를 깍듯이 한담!" 하고 성삼이 처는 또 입을 삐쭉! 하는데 "할아비뻘은커녕 증조할아비뻘도 넉넉하겠네!" 하고 지금 막 바가지로 물을 퍼붓던 점백이 마누라는 또 이렇게 맞장구를 쳤다.

그는 다시 조 첨지 며느리를 쳐다보며,

"참 자네 시아버니 연세가 올해 몇에 나셨나?"

"여든……일곱이시래요!" 하는 말에 그들은 모두 입을 딱 벌리었다.

"같은 양반이라도 이 아랫말 서울댁 양반은 그렇지 않더구만."

"응 그 양반은 원체 얌전하니까 무얼! 저희가 우리보고 하소해 주기로니 근본이 안 떨어지기나 우리가 저희보고 하오를 않기로니 근본이 안 올라스기는 피차 일반이지. 지금 세상은 저만 잘나면 예전같이 판에 박은 상놈 노릇은 않는가 본데 저만 잘나고 돈만 있으면 아주 고만인 세상인데 무얼!"

"아이구! 아주머니는 아들을 잘 두셨으니까 그러시지. 학교 공부에도 번번이 일등 간다지요?"

"글쎄! 장래가 어떠할는지. 우리 늙은 내외는 그저 저 하나만 바라고 사네마는 그나마 뒤 대기가 여간 어려워야지. 참 자네도 어서 아들을 낳아야 할 텐데 도무지 웬 심인가? 소식이 감감하니!…… 좀! 단골한테나 물어보지?"

"그러지 않아도 물어보았대요!"

"그래 뭬라구?"

점백이 마누라는 별안간 목소리를 죽이며 은근히 쳐다본다.

"살풀이를 해야 한대요!"

(살은 무슨 살? 서방질을 작작 하지!)

점백이 마누라는 속으로 이런 말을 생각하면서 겉으로는 "그럼 그 살을 풀어야지! 무슨 터줏살이라던가?" 하고 다시 의심스러운 듯이 물어보았다.

"아니 궁합이 안 맞는대요!"

(핑계 김에 잘됐군!)

그는 또 속으로 이런 생각을 하면서 그런 체하고 고개를 끄덱끄덱 하였다. 그는 이야기에 팔려서 볼일을 못 본 것이 생각난 것처럼 소두방 같은 손으로 보리쌀을 씻기 시작하였다. 큼직한 얼굴에는 얽은 구멍이 벌집같이 숭숭 뚫렸다.

지금까지 기척없이 열무를 씻고 있던 점순이는 별안간 고개를 반짝 쳐들며,

"그런 젊디젊은 이가 노인을 보고 어떻게 하소가 나온대요?" 하고 이상스러운 표정으로 점백이 마누라를 쳐다본다. 그는 마치 여태까지 그 생각을 하느라고 잠자코 있었던 것처럼.

"양반이라 그렇단다!" 하고 점백이 마누라는 대답하였다. 이 말에 무슨 생각이 들었던지 성삼이 처는 또 이야기를 끄집어 내놓는다.

"아주머니! 나는 참 저승에 가서라도 양반 될까 봐 겁이 나요! 잔뜩 갖춰 앉아서 그게 무슨 자미로 산대요? 해! 해!……."

"그래도 지금 그까짓 것은 아주 약과라네. 예전에는 참말로 지독하였느니. 어디가 남편의 얼굴을 바로 쳐다볼 뻰이나 하며 시부모 앞에 철퍽 앉아 보기를 할까. 꼭 양수거지를 하고 섰지. 어떻든지 양반이란 것은 마치 옷치소곰을 마르듯이 한 치 반 푼을 다투고 매사에 점잖하기로만 위주하였느니!"

한참 말끄러미 쳐다보던 성삼이 처는 별안간 "그런 이들이 내외 잠자리는 어찌했을까?" 하고 그만 웃음을 내뿜는 바람에 조 첨지 며느리는 "아이 형님도……" 하고 손등으로 입을 가리며 웃는다.

"그렇던 양반이 지금은 차차 상놈들 닮아 간다네!" 하고 점백이 마누라도 빙그레 웃었다. 이쁜이는 그만 고개를 푹 숙였다.

"아마 그들도 자네 말마따나 양반을 '결박'으로 알았든지 지금은 아주 상놈 행세를 하며 그저 말버릇만 '양반'이 남은 모양이데. 다른 것은 모두 상놈을 닮아 가며 상놈보고 하대하는 것만 그대로 가지고 있으니. 하기는 그것마저 없어지면 아주 상놈과 마찬가지가 될 터이니까. 이 양반 꺼풀만 가지고 있는지도 모르지만, 참말로 예전 양반은 양반다운 행세가 있었다네!"

"박 주사 양반 같은 것은 양반탕반 개 팔아 두 냥 반만도 못한 것이 무슨 양반이라구?"

"예전 양반은 돈을 알면 못 쓴댔는데 지금 양반은 돈을 잘 알아야만 되나 부데. 그이도 돈으로 양반이지, 만일 돈이 없어 보게, 누가 그리 대단히 알겠나. 그러니까 그에게 돈이 떨어지는 날에는 양반도 떨어지는 날이란 말일세. 그러니까 돈을 제 할아비 신주보다 더 위할밖에. 우리네 가난한 사람의 통깝데기를 벗겨서라도 돈을 더 모으자는 것은 좀 더 양반 노릇을 힘있게 하자는 수작이지."

"참 돈이 그른지 사람이 그른지 지금 세상은 모두 돈만 아는 세상인가 봐요. 의리도 없고……."

"사람이 글러서 돈이 생겼다네. 돈 없는 즘생들은 제각기 빌어먹고 잘들 살지 않나?"

"참 그래요, 예전 이야기에도 즘생들이 돈을 맨들어 썼단 말은 못 들었구먼!"

"그렇지만 힘센 놈이 약한 놈은 잡아먹지 않아요! 즘생들은?" 하고 별안간 점순이는 의심스러운 듯이 물었다. 그는 자기도 모르는 이런 말이 쑥 나왔다

"잡아먹힐 놈은 먹히더라도, 무얼 사람들도 그런 세음이지. 얘! 나는 제멋대로만 살 수 있다면 단 하루를 살다 죽더래도 좋겠다!"

"봄 하늘에 훨훨 나는 종달새 같이요?"

"그래, 참 네가 잘 말했다" 하고 점백이 마누라는 슬쩍 웃는다. 그가 제법 이런 소리를 하게 된 것은 실상은 자기 아들에게서 들은 말이다. 서울 양반댁이라는 이는 역시 양반으로 서울 가서 중학교를 다니다가 온 청년인데 이 동리 사람들은 그를 이렇게 부르는 터였다. 그가 집에 있을 때면 점백이 아들은 늘 그를 찾아가서 놀았으므로 그에게 이런 말을 듣

고 와서는 저의 부모에게 옮긴 것이다. 그런 소리를 들을 때에는 언제든지 신기한 것처럼 영감은 고개를 끄덱끄덱 하며 "하긴 그도 그리여……" 하고 무엇을 생각하는 것같이 하고 있었다.

그들은 이런 이야기를 하다가 하나씩 둘씩 제 집으로 흩어져 갔다. 성삼이 처는 보리쌀 든 자배기에다 물을 하나 가득 이고 한 손에는 뜨물 옹배기를 들고서는 자배기 전으로 물이 넘어 흘러서 입으로 대드는 것을 푸! 푸! 내뿜으며 걸어간다. 이 집 저 집에서는 저녁 연기가 꾸역꾸역 떠오른다.

2

향교말이란 동리는 자래로 상놈만 사는 민촌으로 유명한 곳이었다. 과연 사오십 호나 되는 동리에 양반이라고는 약에 쓰려고 구해도 없는 상놈 천지였다. 어쩌다 못생긴 양반이 이 동리로 이사를 왔다가는 그들에게 돌려서 얼마를 못 살고 떠나고 하였다.

그러나 그 전에는 양반의 덕으로(?) 향교(鄕校) 하나를 중심으로 향교 논도 부쳐먹고 향교 소임 노릇도 해서 먹고살기는 그렇게 걱정이 없더니 시체 양반은 잇속이 어찌 밝은지 종의 턱찌끼까지 핥아먹는 더러운 양반이 생긴 뒤로는 그나마 죄다 떨어지고 지금은 향교 고지기가 겨우 논 여남은 마지기를 얻어 부치는 것뿐이었다. 그 나머지는 모두 권세 좋은 양반들이 얻어 하고 얻어 주기도 하는데 박 주사 아들이 제 하인으로 부리는 이웃 상놈에게도 이 논을 더러 얻어 준 일이 있다.

그래 이 동리 사람들은 점점 더 못살게만 되는데 작년에 흉년을 만나서 더구나 못살 지경이 되었다. 그들 중에 조금 살기 낫다는 이가 남의 논 섬지기나 얻어 부치는 것인데 박 주사 집 논을 얻어 짓는 사람도 몇 집은 된다. 그렇지 않으면 모두 나무장사와 짚신장사와 산전(山田)을 파서 굶다 먹다 하는 이들뿐으로 올해는 또 물난리가 나서 온통 떠내려가 버려서 가을이 된대야 벼 한 톨 구경할 수 없게 되었다 한다. 그것은 박 주사 집 땅을 올해도 다행히 그대로 부치다가 그만 그 지경이 된 것이었다. 박 주사 집에서 이 논을 떼지 않고 그대로 둔 것은 다만 점순이 모친이 안으로 조른 보람만이 아니라 어떤 무엇이 있었는지도 모르겠다. 그것은 박 주사는 그때 그 논을 벌써 언제부터 맨입으로 드난을 하며 논 좀 달라고 지성껏 조르는 성룡이를 주자는 것을 박 주사 아들이 우겨서 그대로 둔 것을 보아도…….

그 박 주사 집이란 벌써 몇 대째로 이웃 말에서 사는 집인데 해마다 형세가 늘어가서 이 통 안에서 제일 부명을 듣는 터이다. 안팎으로 잇구멍은 몹시 밝아서 박 주사의 어머니 귀머거리 노인도 잇속에 들어서는 귀가 초롱같이 밝아진다는—어떻든지 모두 그런 식구끼리 잘 만나서 사는 집이란다. 그래 그 아들은 지금 스물이 겨우 넘은 젊은 친구가 어떻게도 의심스럽든지 또한 남만 못지않은 그 아버지 박 주사가 아주 세간을 맡기었다 한다. 지금 동척회사 마름이요, 면협 의원이요, 금융조합 평의원으로 세력이 당당하여 내년에는 보통학교 학무위원으로 추천해 준다는 셋줄도 있다는데, 칼 찬 순사나 군직원들이 출장을 나오게 되면 으레 그 집으로 먼저 와서 네냐, 내냐, 막 터놓고 희영수(戱영수, 남과 실없는 말이나 짓을 함)를 하고 보통학교 훈도까지 가끔 나와서 그와 술잔을 기울이는 터이었다.

그러나 이런 말을 장황히 늘어 놓을 것은 없겠다. 왜 그러냐 하면 이런 박 주사 집이나 박 주사 아들 같은 사람은 어느 시골이든지 결코 절종(絶種)은 되지 않았을 터이므로, 지금 샘에서 돌아온 점순이는 푸성귀 담은 바구니와 물동이를 부뚜막에 놓았다. 모친은 벌써 보리쌀을 안치고 불을 때기 시작하였다. 보리짚이 화르르화르르 타오른다.

"물은 그렇게 많이 이고 무겁지 않으냐? 순영이가 왔다갔다."

"네! 언제쯤?"

"지금 막 또 온다구 하더라만. 그럼 너는 순영이와 같이 네 오빠 등거리나 하나 박어라."

"어머니 혼자 바쁘잖아?"

"아니" 하는 모친의 대답이 떨어지지마자 "그새 왔니?" 하고 순영이가 들어왔다.

그는 해죽이 웃는 낯으로 점순이를 쳐다보며—그는 점순이보다 이쁘다 할 수는 없지마는 얼굴이 좀 동고소름한 게 살이 토실토실 올라서 탐스럽게 생긴 처녀였다. 역시 점순이와 동갑으로 올해 열여섯 살이라 하는데 엉덩이가 제법 퍼지고 기다란 머리채가 발꿈치까지 치렁치렁하였다—점순이는 키가 날씬하고 얼굴이 갸름한 게 그리 살찌지도 또한 마르지도 않은 그리고 살빛이 무척 희었다…….

"나는 지금 샘으로 가볼까 하다가 이리 왔다. 왜 그렇게 늦었늬?"

"열무에 버러지가 어떻게 먹었는지 좀 정하게 씻느라고. 자 방으로 들어가자."

"더운데 무엇하러 들어가니? 여기서 하자꾸나!"

"아니, 뒷문 앞은 시원하단다."

그래 그들은 방으로 들어가서 손그릇을 벌여 놓고 앉았다.

"그것은 뉘 버선이냐?"

"아버지 해란다!"

"요새 삼복머리에 버선은 왜?" 하고 점순이는 순영이 얼굴을 이상한

듯이 쳐다보았다. 그 표정은 갑자기 웃음으로 변하여졌다—확실히 빈정거리는 웃음으로,

"옳지! 알겠다. 그렇지!"

"무에 그래여? 삼복에는 왜 버선을 못 신늬!"

"선보러 갈 버선?……" 하는 말이 채 떨어지기도 전에 순영이는 달려들어서 점순이의 입을 틀어막으며 한 손으로는 그의 허벅다리를 꼬집었다.

"아야! 야…… 안 할게!, 내 다시는 안 하오리다! 호호호…… 그럼 거짓말이냐? 또!"

"얘 그런 소리는 하지 말고 어서 바느질이나 가르쳐 주렴! 얼른 해 가지고 오라는데 기애가—" 하는 순영이는 오히려 부끄러운 듯이 두 뺨이 가만히 붉어졌다.

"왜 그리 또 급한가?"

"기애는—또! 어머니가 얼른 오라구 하니까 그렇지. 우리 어머니 늬 집에 올 때마다 그런단다."

"그는 왜?"

"누가 아니— 커드만 머슴애 있는 집에 가서 왜 그리 오래 있느냐고 그런다는구만— 커다란 계집애가 철을 몰러두 분수가 있지 않으냐구—."

"너는 우리 오빠가 좋으냐?"

별안간 밑도 끝도 없이 점순이는 이런 말을 불쑥 물어보았다. 그래 순영이는 얼을 먹은 모양이었다.

"그럼 또 너는 좋지 않으냐?"

"나는 좋지 않다. 아주 심술꾸러긴데 무얼—."

"얘 사내들은 그래야 쓴다더라. 숫기가 좋아야—."

"그럼 너는 우리 오빠가 좋은 게로구나!"

"누가 좋댔늬…… 그렇단 말이지."

순영이는 얄미운 듯이 점순이를 흘겨보는데 눈 흰자위가 위로 쏠리고 입에는 벙싯 웃음이 고였다.

"오빠는 아주 너한테 반했단다."

"아이 기애는……."

순영이는 어이가 없는 듯이 점순이를 쳐다보았다.

"무얼 나도 다 아는데…… 늬들은 어젯밤에 담 모퉁이에서 속살거리지 않었늬?"

이 말에 고만 순영이는 실쭉해지더니,

"그럼 또 너는 어제 저녁때 '서울댁'하고 늬 원두막에서 단둘이 있지 않었늬? 나두 개울창에서 똑똑히 좀 보았다나—."

"그리여 기애는 누가 아니라남! 그럼 그때 너두 왜 놀러 오지 않구?"

이렇게 아무렇지도 않게 말하는 점순이를 순영이는 은근히 놀랐다. 그럴 줄 알았다면 나도 흉을 보지 말걸! 하는 생각이 났다.

"남의 재미있게 노는 걸 훼방치면 좋으냐? 무얼! 그때 갔어 봐. 속으로 눈딱총을 놓았을 것을……."

"아니야 나도 어제 첨으로 그이하고 이야기해 봤단다. 그런데—."

"그런데 뭐? 그때 너는 어째 혼자 있었늬? 자옥 맞이하랴고 호호호……."

"기애는 별소리를 다하네. 글쎄 들어 봐요! 점심을 해 놓고 기다리니까 어머니가 원두막에서 들어오시더니 나보고 이라시겠지— 어서 밥먹고 원두막에 가 보아라. 내가 들에 밥 내다 주고 올 동안만—아버지와 우리 오빠는 어제 산 너머에 있는 집의 화중밭을 매셨단다."

"오 참 어제도 늬집은 일했지. 점심때 연기가 꼬약꼬약 나더라!"

"그래 막 나가 앉아서 바느질거리를 손에 잡으려니까 별안간 인기척이 나더구나 깜짝 놀라 쳐다보니까 그이겠지! 나는 그때 어쩔 줄을 몰라서 고개를 푹 숙였단다."

"그래 그이가 뭐라구 하든?"

"번히 알면서 왜 모르는 체하늬! 사람이 사람을 보는 것이 무엇이 부끄러워—이라겠지."

"얼레! 그이도 꽤 우습잖다! 그래 그때 너는 뭐라구 했니?"

"그런 때 무슨 말이 나오겠니. 거저 웃고 쳐다보았지. 그랬더니 그는 그렇지! 그렇지! 진작 그렇게 고개를 들 것이지—하고 나를 꿰뚫을 듯이 쳐다보던가. 그리더니 무작정하고 망태기에서 참외를 끄내 먹으며 나보고도 자꾸 먹으라 하겠지!"

"얼레! 그이가 왜 그렇다늬! 그래 어떻게 되었니!"

순영이는 한 걸음 다가앉으며 이상스런 듯이 눈을 크게 뜨고 점순이를 쳐다보며 하는 말이었다.

"그 담에 이런 이야기를 하였단다.—참외를 어귀어귀 먹으면서—나를 양반이라고 늬들이 돌려내다부다마는 양반도 역시 사람이란다. 하기는 같은 사람으로 누구는 양반이니 누구는 상놈이니 하고 또 누구는 잘살고 누구는 못사는 것이 발써 못생긴 인간이다. 그렇다면 너하고 나하고 같이 노는 것이 어멸 것 무엇 있늬? 다 같은 사람인데 나는 너한테 '창순아!' 하고 불러 주는 소리를 들었으면 제일 좋겠다구."

"얼레! 그것은 또 무슨 소리라늬?"

"그라지 않어도 그때 나는 건 왜요? 하고 깜짝 놀라며 물어보았단다.

그랬더니 그이는 이렇게 말하겠지—그러면 너하고 나하고 동무가 되지 않니—?"

"그럼 같이 놀잔 말이라구나!"

"그래 나는 당신도 우리네 상놈 같구려! 하였더니 그이는 나는 상놈이 되고 싶다 하겠지. 내 원 어찌 우스운지!"

"왜 그런다니? 그이가 미치지 않었을까?"

"몰라…… 그러고 여러 가지 이야기를 하였단다.—서울 이야기, 여학생 이야기—이 세상이 악하고 어떻고 어떻다고 한참 떠들었단다."

"그건 또 웬 소린가—아니 참말로 들을 만했었구나! 그럴 줄 알았더면 나도 좀 가서 들을 것을!"

"그리다가 주머니를 부시럭부시럭 하더니만 돈을 집히는 대로 끄내서 세보도 않고 내놓고는 고만 뒤도 안 돌아다보고 휘적휘적 가겠지!"

"얼레! 그래 얼마나?"

"동전하고 백통전하고 한 네댓 냥은 되어 보이드라. 그래 나는 한참 동안 덩둘하다가 나 봐요! 하고 암만 불러도 세상 와야지. 그만둬 하고 손을 내젓고 가겠지."

"참외는 몇 개를 먹었는데?"

"세 개를 먹었단다. 하기는 잘 안 익은 놈을 두 개는 도려 놓았지만두. 먹은 값으로 치면 한 개에 닷 돈을 치더라도 냥 반밖에 더 되니?"

"그렇지!"

"그런데 나는 참외값을 안 받으려고 하였는데—부끄럽게 그것을 어떻게 받니? 그런데 나중에 세어 보니까 넉 냥 일곱 돈이던가!"

말을 마치자 눈앞을 힐끗 쳐다보던 점순이는 몸을 소스라쳐 놀란다.

"아이 오빠두 도둑괴마냥 왜 거기가 착딱 붙어 섰어?"

이 소리에 순영은 기겁을 하여 몸을 움츠렸다…….

"나도 좀 같이 놀자꾸나! 무슨 이야기를 그렇게 재미있게 했니?" 하고 사내는 벙글벙글 웃는다. 그는 깎은 머리를 수건으로 질끈 동였는데 서근서근한 얼굴이 매우 귀인성 있어 보였다. 지금 열팔구 세밖에 안 돼 보이는 소년티가 있긴 하나 그의 힘줄 켱긴 장딴지라든지 굵은 팔뚝이 한 장정같이 기운차 보였다. 그는 지금 들에서 무엇을 하다 왔는지 손에는 흙가루가 뽀얗게 묻었다.

"순영이가 오빠의 흉을 보았다우—커다란 머슴애가 남의 색시 궁둥이를 줄줄 따라다닌다구—"

"누가 그래여? 기애는 참!……" 하고 순영이는 얼굴이 빨개지며 불안한 웃음을 웃는데 "아, 참말로 그랬니?" 하고 사내는 순영이게 팩 달려들었다. ……점순이는 뱅글뱅글 웃는 눈으로 그의 오빠를 할겨보면서 밖으로 살짝 나와 버렸다.

"아! 왜 이래? 저리 가래두……."

하고 순영이의 징징 우는 소리가 들리자 부엌에서 모친의 목소리가 났다.

"점동아! 왜 그러늬? 남의 낼모레 시집갈 색시를— 가만두어라! 성이나 내라구."

"시집가기 전은 상관없지!"

사내는 빙그레 웃고 다시 순영이를 쳐다볼 때 그는 얄미운 눈초리로 사내를 할겨보았다. 별안간 고개를 폭 수그리더니 어느덧 그의 눈에서는 눈물 방울이 뚝뚝 떨어졌다. 이 꼴을 본 사내는 다시 달려들어 그를 꼭 껴안았다. 그리고 뜨거운 입술을 그의 입에다 대었다.

그러나 문 밖에서 박 주사 아들이 왔다.

"김 첨지 집에 있나?" 하는 그의 목소리가 나자 "아이구! 나리 오십니까? 저 일 갔답니다" 하고 점순이 모친은 불을 때다 말고 부지깽이를 손에 든 채 일어나서 맞는다.

"모처럼 오셔야 앉으실 데도 없고— 원 사는 꼬라구니가 이렇답니다…… 그 밀방석 위라도 좀 앉으시지!" 하고 그는 불안한 듯이 얼굴에 당황한 빛을 띠고 있다. 마치 무슨 죄를 짓고 난 사람같이—과연 그는 가난을 죄로 알았다—안방을 흘금흘금 곁눈질하던 박 주사 아들이 교만한 웃음을 엷게 머금고 "무얼 바로 갈걸! 괜찮어" 하는 모양은 자기의 행복을 더욱 느끼고 자기가 금방 더한층 훌륭한 사람이 된 것을 의식하는 표정 같다.

"그래도……."

점순이 모친은 이렇게 말끝을 죽이더니 다시 무슨 생각이 들었는지 잠깐 머뭇거리다가 비로소 다른 말을 꺼내었다. 그는 있는 힘을 다하여 간신히 이 말을 하는 모양 같다. 할까 말까? 하고 몇 번을 망설이다가 하는 말같이— "저, 내년에는 논 좀 더 주십시오! 아, 올해는 뜻밖에 그런 물로 저희도 저희지만은 댁에도 해가 적지 않습니다."

"논? 어듸 논이 있어야지. 그러나 어듸 가을에 가서 또 보세."

이 말에 점순이 모친은 반색을 하는 듯이 한 걸음 자기도 모르게 주춤 나오며 "참 나리만 믿습니다. 어듸 다른 데야……."

"그리여 어듸 보세…… 더러 댁에도 좀 놀러 오게나그려! 인제 늙은이가 좀 바람도 쐬고 그러지! 집안 일은 딸에게 맡기고……."

그는 무슨 까닭인지 말끝을 이렇게 흐린다.

"어듸 좀처럼 나설 새가 있습니까? 지지한 살림이 밤낮 해도 밤낮 바쁘답니다. 그까짓 것은 아직 미거하고…… 참 언제쯤 새로 오신 마마님도 뵈올 겸 한번 놀러 가겠습니다."

"그라게! 나는 가—" 하고 박 주사 아들은 마당에 놓인 절구통전에 걸터 앉았다가 호기 있게 벌떡 일어나 나갔다. 궐련을 펵펵 피우면서— "아, 그렇게 바로 가세요? 그럼 안녕히 가세요—" 하고 점순이 모친은 한동안 그를 눈으로 배웅하였다. 어쩐지 그의 눈에는 까닭 모를 눈물이 핑 돌았다.

3

동편 '흑성산' 쪽에서 난데없는 매지구름이 둥둥 떠돌더니 우르르 하는 천둥 소리와 함께 소나기가 새까맣게 묻어 들어온다. 미구에 높은 바람이 휘돌아들자 주먹 같은 빗방울이 뚝! 뚝! 듣더니만 그만 와 하고 정신을 차릴 수 없이 한줄금을 퍼붓는다.

이제까지 조용하던 천지는 갑자기 난리 난 세상같이 수란하다. 들에서 일하던 사람들이 헐헐 느끼며 뛰어 들어온다. 낙숫물이 떨어져서 개울물같이 흐르고 황톳물이 또랑이 부듯하게 나간다. 앞 논에 볏잎과 마당가에 있는 포플러나무 잎새가 빗방울을 맞는 대로 까땍까땍 너울거린다. 그러는 대로 우 와 소리를 친다. 하자 어느 틈에 그쳤는지 가는 비가 솔솔 내리며 번개가 번쩍! 번쩍! 하고 무서운 천둥 소리가 우르르 나더니 거먹구름이 북쪽으로 몰려간다. 어디서 자끈자끈 하는 것은 벼락을 쳤나 보다! 한데 어느 틈에 씻은 듯 가신 듯한 맑은 하늘이 되었다. 그러자 초생달이 동천에 뚜렷이 떠오른다.

보리죽 보리밥으로 저녁이라고 끼니를 에운 뒤에 그들은 항상 모이는 점백이 집 마당으로 모여들기 시작하였다. 점순이 아버지도 저녁숟갈을 놓자 담뱃대를 들고 그리로 마실을 갔다. 멍텅구리 한 쌍이라는 조 첨지

부자도 벌써 왔고 이 동리에서 어른 중에는 제일 유식하다는—하긴 겨우 언문을 깨쳐서 겨울에 이야기책을 뜨덤뜨덤 볼 줄 아는 것뿐이다마는 어떻든지 이 동리에서는 제일 유식한 '지식계급'이라는—원득이도 왔다. 총각대방 수돌이 코똥 잘 뀌는 박 첨지커니 죽 늘어앉아서 하루 동안 피곤한 몸을 쉬는 판이다. 노인들은 장죽에다 담배를 피워 물고—그것도 '희연'이 너무 비싸서 사먹는 사람도 별로 없지마는 배짱 크고 담대하기로 유명하고 노름 잘하고 개평 잘 떼는 순익이는 몰래 담배를 심어서 순써리로 썰어서 말려 먹는 것을 한 대씩 나눠 주었다.

노인들은 구성진 목소리로 이야기를 하는데 나이 그중 많고 이야기 잘하는 조 첨지가 이 동리에서는 제일 어른이었다. 젊은 축들은 저만큼 따로 자리를 펴는 이도 있었다. 요사이 그들의 이야깃거리는 경향 각처에 물난리 난 소문이었다.

안마당에서는 내일 논 맬 밥거리—보리방아를 찧는데 성삼이 처도 방아꾼으로 뽑혀와서 지금 세장단마치로 쿵 쿵 쿵더쿵하고 한참 재미있게 찧는 판이다. 성삼이 처는 방아를 찧는 데도 멋이 잔뜩 들어서 절구전에다 '사잇가락'을 넣어서 부딪치는데 그게 아주 홍취 있게 들리었다.

점백이 마누라, 이쁜이 어머니커니 조 첨지 며느리는 저편에서 키질을 하고 멋거리진 순이 어머니, 말 잘하는 수돌이 처, 여러 가지 의미로 유명한 성삼이 처는 이렇게 한패가 되어서 방아를 찧는다. 어떻든지 어울리기도 잘들 어울렸다.

성삼이 처는 물론 이런 때에도 입을 가만두지 않고 숨이 차서 쌔근쌔근하면서도 무엇을 속살거리고는 그 유명한 윤나는 웃음을 웃었다. 그러면 수돌이 처가 또 우스운 소리를 해서 그만 웃음통이 터지고 절굿공이를 맞부딪치며 허리를 잡는데 별안간 순이 어머니가 이런 노래를 내었다.

쿵덕 쿵덕 쿵더쿵
잘두 잘두 찧는다!
이 방아를 다 찧어서
누구하고 먹고살까?

그래서 그들의 방아가 다시 어울렸는데 별안간 어디서 생겼는지 절구통 갈보라는 술장사하는 순옥이 처가 엉덩춤을 추며 절굿공이를 들고 대들었다.

한 말 닷 되 술을 빚고
말두 될랑 떡쳐서
동무님네 불러다가
먹고 뛰고 놀아 보세
얼싸절싸 쿵더쿵

그는 이렇게 소리를 받자 절굿공이를 들고 한 번 핑그르 맴돌아서 다시 장단을 맞춰 찧는데 여러 사람들은 그만 일시에 웃음통이 터졌다. 조첨지 며느리는 배를 움켜쥐고 속으로 웃느라고 땀이 다 났다. 그러나 절구질꾼들은 더욱 세차게 내리찧으며 모두 신명이 나서 어깨가 으쓱으쓱하여졌다.

어떤 년은 팔자 좋아
금의옥식에 싸였는데
이내 팔자 어인 일고

절구질에 손 터지네
아이구지구 쿵더쿵

이번에는 수돌이 처가 이렇게 받자 잇대어서 성삼이 처가 또 받았다.

시뉘 잡년 화냥년
말전주는 왜 하누?
콩밭고랑 김맬 적에
정든 임을 어짜라구
얼싸절싸 쿵더쿵!

그래 그들은 다시 웃음을 내뿜고 절굿공이를 맞부딪고 보리쌀을 펴헤치고 한바탕 야단이 났다. 더구나 성삼이 처의 웃음소리라니 까투리 나는 소리로 알바가지를 있는 대로 뒤떨었다.

바깥마당에는 지금 서울댁 양반이 왔다. 그래 그들은 인사하기에 한참 부산하였다. 그들은 모두 서울댁 양반을 좋아하였다. 그것은 비단 그에게는 양반티가 없는 것뿐 아니라 그의 호활하고 의리 있는 것이 마음을 끌었음이다. 생김생김도 눈이 큼직하고 콧날이 서고 준수한 얼굴이었다. 그렇다니 말이지 그에게 먼저 반하기는 성삼이 처였다. 그들은 마치 서울댁을 지식주머니로 아는 듯이 그를 만나면 우선 세상 형편을 물어 보았다. 그럴 때마다 그는 여러 가지 이야기를 하였다.―그는 신문에서 본 말, 자기가 아는 일, 이 세상 여러 가지 문제를 이야기해 들려주었다. 그러면 그들은 모두 재미있게 듣고 있었다. 요새는 물난리에 서울 사는 민 부자가 돈 천 원을 기민구제에 기부했다는 말을 할 때 그들은 모두 입이 딱 벌어지도록 놀랐다.

그는 또한 이런 소리를 하였다.—…… 하는 것이 그의 말투이었다. 물론 이 말을 처음 들을 때는 그들은 깜짝 놀라고 의심하였지마는 그는 어디까지 자기 말을 주장하였다.

그가 그들에게 한 말을 간단하게 추려 말하면 이러하였다.—

"첫째 한말로 할 것은 돈이 쌀이 아니요 돈이 옷감이 될 수 없는데—또한 그 쌀이나 옷감을 가만히 앉었는 사람의 손으로 된 것이 아닌데—어찌해서 누구나 손가락 하나 까딱하지 않은 사람이라도 돈이라는 종이 조각을 가지면 당장에 부자가 되느냐? 그게 벌써 틀린 일이다. 가령 지금 쌀 한 말에 이 원을 한다면 그 쌀 한 말을 만들어 내기에는 봄으로부터 가을까지 전후 비용이—더구나 남의 장리를 얻어서 농사를 진 사람으로는 지금 그 값에 몇 동갑이 더 들었을 것인데 이러한 품밥 든 생각을 않고 장사하는 놈들이 제 맘대로 값을 올렸다내렸다 하는 것도 불공평한 일이다.

이것이 모두 장사치의 잇(利)속으로 따진, 사람까지도 상품(商品)으로 만들어서 저희의 부(富)만 늘리자는 짓이다. 그러므로 만일 돈을 쓸 터이면 그것은 반드시 그만큼 사람에게 유익한 일을 하는 사람들끼리만 쓸 것이지 결코 놀고 먹는 놈이나 악한 짓을 하는 놈은 못 쓰도록—그래 병신, 노인, 어린이들 외에는 모두 제각기 재간대로 일을 하고 사는 것이 옳은 일이다."

그는 이렇게 말하였다. 그래 그는 부자를 욕하고 박 주사 아들을 욕하고 이 너머 이 진사 집보고도 욕을 하며 그놈들은 양반도 아니요 사람도 아니요 똥내만 맡고 사는 개만도 못한 놈들이라고 하였다.

그들이 처음으로 이 말을 들었을 때는 대단히 놀랐다. 그것은 지금까지 자기들이 그중 쳐다보고 훌륭한 사람으로 알던 그이들을 보고 이렇게 욕하는 까닭이었다. 그러나 그의 말을 들을수록 그런 의심은 차차 풀리었다. 그래 민 부자의 천 원 기부도 그리 놀랄 것이 아닌 줄을 알았다.

그 언제인가도 그가 또 이런 말을 하다가 "지금은 돈만 아는 세상이다. 만일 개가 돈을 가졌다면 멍 첨지(僉知)라고 공대할 세상이야!" 하는 말에 그들은 모두 웃음통이 터졌었다.

그는 지금도 한참 그런 이야기를 하다가 집으로 간다고 일어섰다.

"아! 더 놀다 가시지유" 하고 이 구석 저 구석에서 만류하는 말이 쏟아졌다. 그러나 그는 어디 볼일이 좀 있다고 그길로 바로 발길을 돌리었다. 그는 이 아랫말에 사는 자기 백부의 집에 와 있는데 서울서 내려온 지가 며칠 되지 않았다. 그는 아직 장가도 아니 든 스물두서넛밖에 안 돼 보이는 소년으로 어려서부터 큰집에서 커났다.

지금 그길로 가다가 그는 점순이 집에를 들렀다. 싸리문 안에 들어서 보아도 아무 기척이 없다. 그는 집이 빈 줄 알고 막 도로 나오려는데 별안간 안방에서 누가 쫓아나온 줄 알고 보니 그는 점순이었다.

"나 봐요! 저…… 어저께 그 돈 받으세요!" 하고 그는 당황한 모양으로 부르짖었다.

"무슨 돈? 아! 참외값을 도로 받으라구."

"참외값이 더 된대두!"

"더 되나 덜 되나 너는 그것만 그저 생각하고 있니? 더 되거던 네가 쓰려무나!"

"얼레! 남이 흉보게."

"흉은 무슨 흉?"

"남의 사내에게 거저 돈을 받는다구."

"그게 무슨 흉될 게 있니? 깨끗한 마음으로 주고받았다면, 너두 참 퍽 고지식하구나. 그러면 이 담에 참외로 대신 주랴무나!"

"그럼 내일 와요! 참외막으로."

"응! 그래."

그는 이렇게 대답하고 바로 자기 집으로 향하였다. 그는 자기가 점순이 집에를 왜 들르고 싶었는지 알 수 없는 일이었다. 이날 밤에 점순이는 베개를 여러 번 고쳐 베고 생각하였다. (퍽두 이상한 사람이다……) 하고.

4

그 이튿날 밤이었다. 점순이 모친이 원두막에 나가는 길에 점순이도 따라 나갔다. 서울댁은 오지 않았다. 그래 점순이는 은근히 기다렸지마는 지금은 그가 오려니 해서 나간 것은 아니다. 웬일인지 가고 싶은 마음이 내켜서—그것은 달이 휘영청 밝아서 이상스럽게도 어떤 궁금한 생각이, 그대로 방 안에 앉았기가 싫었음이다.

그런데 순영이가 아까 저녁때 와서 그 말을 듣고 그러면 저도 같이 놀러 가겠다고. 그래 저의 어머니한테 허락을 맡아 가지고 오겠다. 과연 나갈 무렵에 그는 벙긋벙긋 웃고 뛰어왔다. 그래 지금 원두막으로 같이 나가는 길이다. 무슨 일인지 점순이 부친은 산 너머에 볼일이 있다고 저녁을 먹고 바로 나갔다. 그래 점순이 모친이 원두막을 지키러 나가게 된 것이다.

원두막은 앞산 모퉁이 개울 옆으로 기다랗게 생긴 원두밭둑에다 지었다. 거기는 냇물 소리가 쏴 하게 들리고 물에서 일어나는 서늘한 바람이 원두막 위로 솔솔 불어왔다.

냇물은 달빛에 어른어른하고 저편 백모래밭에는 돌비늘이 반짝반짝 빛나는데 이편 언덕 위로는 포플러의 푸른 숲이 어슴푸레한 그림자를 던지고 있다. 다시 눈앞으로는 설화산 쪽이 아지랑이같이 몽롱한데 푸른 하늘에는 뭇별이 깜빡깜빡 눈웃음을 치고 인간을 내려다본다.

점순이와 순영이는 지금 홀린 듯이 이 밤경치에 취하여 한참 재미있게 노는데 별안간 인기척이 나는 바람에 마주 보니 그는 뜻밖에 서울댁과 점동이었다.

"너는 왜 또 오늬? 집 보라니까 저이는 누구야?" 하는 점순이 모친은 점동이 뒤에 또 한 사람이 있는 줄을 비로소 알고 묻는 말이었다. 그래 목소리를 듣고 그제야 안 것처럼 그는 다시 정답게 아는 체를 한다.

"아! 밤에 다 마실을 오시유? 나는 누구라구 어서 올라오시지유!"

"네, 참외 먹으러 왔습니다. 점동이를 만나서" 하고 서울댁은 원두막 밑에서 대답하였다.

"참외를 따온 것이 아마 없지. 그럼 점동아, 네가 좀 따라므나. 그럼 여기서 노다 가시유. 나는 밭을 좀 매야!" 하고 노파는 원두막에 꽂힌 호미를 빼들고 내려왔다.

"달 밝고 서늘해서 밭매기는 썩 좋겠다. 기왕 나왔으니 너두 밭이나 좀 매람!"

"가만있수! 저 양반하고 이야기 좀 할라우. 어서 어머니 먼저 매시유!"

참외 망태기를 메고 원두막으로 가는 점동이는 이렇게 대답하였다.

"아, 참외나 하나 자시고 매시지요!"

서울댁은 이렇게 권하여 보았다.

"지금은 생각 없어유. 내야 먹고 싶으면 이따가 먹지요."

그는 이렇게 대답하고 맨 윗고랑으로 올라가서 글발을 매기 시작하였다. 호미가 흙덩이에 부딪는 소리가 사각사각 난다. 그 동안에 점동이는 참외를 한 망태기 따 가지고 왔다. 그래 서울댁보고 원두막으로 올라가자 하였다.

"무얼 여기서 먹지" 하고 서울댁은 사양하였다.

"아니요 올라가요! 앉을 자리두 없는데. 얘들아! 올라가도 괜찮지. 응? 우리 큰애기들아!"

원두막 위에서는 킬킬 웃는 소리가 들리었다. 소곤소곤하는 소리도 난다. 뒤미처 "맘대로 해요!" 하는 점순이의 날카롭게 부르짖는 소리가 들리자 그들은 원두막 위로 올라갔다. 그런데 점순이는 그들이 앉기도 전에 서울댁 앞에다 웬 돈을 절그럭! 하고 꺼내놓았다.

"그게 뭬야?"

점동이가 눈이 휘둥그래지는 것을 보고 색시들은 또 웃었다.

"아, 참외값!" 하고 서울댁은 그 사연을 이야기하고 이런 말을 하였다. 서울서 장사하는 사람들은 돈을 안 주어서 못 받는다고.

"그럼 그 돈으로 지금 참외나 먹읍시다. 아무 돈이나 쓰면 됐지. 계집애들이란 저렇게 꼼꼼해. 담배씨로 뒤웅을 파랴듯이" 하고 점동이는 참외를 한 개씩 안기었다.

"그럼 또 턱없이 남의 돈을 받어?"

점순이는 얄미운 표정으로 점동이를 쳐다보며 부르짖었다. 그러나 점동이는 참외를 깎아서 어석어석 먹으면서,

"그래 잘했다. 상급으로 참외나 더 먹어라. 그리고 소리나 한마디씩 하구!"

"아이구 망측해라! 누가 소리를 한담 사내들 있는 데서!"

"사내들 있는 데서는 왜 못 하는 법이냐? 늬들끼리는 곧잘 하면서."

"무슨 소리를 했어?"

"늬들이 이렇게 하지 않었니?" 하더니 점동이는 고개를 외로 꼬고 청승스런 목소리로 군소리하는 흉내를 내었다.

가세 가세!
나물 가세
동산으로
나물 가세

나물 캐고
피리 불고
노다 노다
임도 보고

"아이 우리가 언제 그런 소리를 했어!" 하고 색시들은 얼굴이 빨개지며 부끄러워 죽겠다는 듯이 우는 소리를 한다. 그들은 안타까운 목소리로,

"안 했걸랑 고만두람! 오, 내 참 성삼이네가 하던가? 아니 서울댁 양반! 서울 색시들도 노래를 하나요. 여학생도?" 하고 점동이는 서울댁을 쳐다본다.

"하고말구 창가를 하지."

"오, 창가. 이렇게 하는 것 말이—학도야 학도야 청년학도야! ……이렇게."

색시들은 또 킬킬 웃었다. 점동이의 털털한 수작에 그들은 적이 부끄럼이 가시었다. 그들은 이렇게 재미있게 노는데 나중에는 서울댁의 이야기에 모두 귀를 기울이게 되었다. 그는 역시 이 세상이 악하고 부자가 악하다는 말을 하였다. 그래 우리 젊으나젊은 청춘이 꽃동산과 같은 아름다운 세상에서 잘살 것을 지금 이렇게 되었다고 흥분하였다.

—보아라! 이 아름다운 경치를. 저 안타까운 별들을. 저 밝은 달빛. 저 그윽한 물소리, 저 은근한 수풀 속 나무나무 가지가지에 녹음이 우거진 이때, 우리들은 경치 좋은 이 산속에다 정결하게 집을 짓고 옷 밥 걱정이 없이 살아 본다고 생각해 보자. 아버지와 어머니는 들에 나가서 일을 하고 우리들은 학교에 가서 공부하며 뛰고 놀다가 저녁때 돌아와서는 들에 나가서 부모님의 일도 거들어 주고 저 산 밖으로 노래를 부르면서 놀러 다닌다면—얼마나 우리의 사는 것이 아름답겠니? 모든 사람이 다 같이 일하고 다 같이 벌어서 부자와 가난이 없게 산다면 그때야말로 이웃사람은 진정으로 정답고 사랑하고 싶어서 오늘은 늬 집에 모이자, 내일은 우리 집에 모이자 하고 즐기며 뛰놀 것이다. 그때야말로 공중에 나는 새도 인간의 행복을 노래하고 땅 위에 피는 꽃도 사람의 즐거움을 웃어줌일 게다. 그때야말로 참으로 이 세상 만물이 인간을 위하여 축복을 드릴 것이요 저 달을 보아도 우리의 마음이 즐거울 것이다. 그런데 지금은 어떠하냐? 우리는 공부할 나이에 공부도 못 하고 늙으신 부모는 밤낮 일을 해도 가난에 허덕허덕하지 않으냐? 처녀의 고운 손은 방아찧기에 악마디가 지고 청춘남녀는 맘대로 사랑할 수도 없지 않으냐? 못 먹고 헐벗으며 게딱지만 한 오막살이 속에서 모기 빈대 벼룩에게 뜯겨가며 이렇게 하루살기가 지겹도록 고생고생하게 된 것은 그게 모두 몇 놈의 악한 놈들이 돈을 모두 독차지해 가지고 착하게 부지런히 일하는 많은 사람들을

가난의 구렁으로 잡아 처넣은 까닭이다. 아! 지금 저 달이 밝지마는 우리에게 좋을 것이 무엇이며 지금 이 바람이 서늘하다마는 우리의 가슴은 더욱 답답하지 않으냐?

낮에는 햇빛 밑에서 일을 하고 밤에는 달 아래서 하루의 피곤한 몸을 쉬는 천만 사람이 다 같이 일해서 먹고사는 세상이 참으로 사람답게 사는 세상이 될 것이다.—

하는 그의 열정으로 부르짖는 말에 그들은 모두 넋을 잃고 귀를 기울였다. 점순이와 순영이는 하염없이 눈물을 글썽글썽하였다. 참으로 그런 세상을 어서 보고 싶도록…… 그래 그렇지 못한 자기네의 지금 생활이 몹시도 분하고 애달펐다. 그렇게 허튼소리를 하던 점동이까지 잠자코 앉아서 무엇을 우두커니 생각하고 있었다. 그래 사방은 괴괴하니 오직 물소리만 요란히 들리었다.

점동이가 눈짓을 하자 순영이는 살그머니 원두막 아래로 내려갔다. 그런데 원두막 위에 단둘이 앉았던 점순이는 별안간 '서울댁' 무릎 앞에 푹 엎어지며 흑흑 느껴 울었다. 그것은 무슨 그를 사랑하고 싶어서 그리한 것이 아니라 지금 그에게 들은 말에 감격하여 견디지 못한 발작이었다. 과연 그는 지금까지 살아온 것을 생각할 때 오직 '불행' 그것으로만 느껴졌다.

"당신은 왜 그런 말을 일러 주셨소" 하는 것처럼 그는 이제까지 모르던 슬픔을 깨달은 것 같다.

이때 남자는 그를 마주 껴안고 그의 뜨거운 입술에다 자기 입술을 대었다. 저편 나무 속에서도 목메어 우는 소리가 가늘게 들리었다. 점동이와 순영이도 거기서 우는 게다. 아직 인생의 대문에도 못 들어간 그들을 울리게 하는 것이 대체 무엇인가? 달아! 혹시 네가 아는가?

물소리 울음소리! 또는 모친의 밭 매는 호미 소리, 이 소리들이 서로 어울리어 이 밤의 심포니를 싸고 고요히 흐른다.

5

그 후 한 달이 지나서이다. 가난한 집안에는 보리양식이 떨어질 칠궁(七窮)으로 유명한 음력으로 칠월 말에 접어들었다. 향교말에는 양식이 안 떨어진 집이 별로 없는데 점순이 집에도 벌써부터 보리가 떨어졌다.

그 동안에는 어떻게 부자가 품도 팔고 이럭저럭 지내왔으나 앞으로는 앞뒤가 꼭 막혀서 살아갈 길이 막연하였다. 그것은 논밭에 김도 다 매고 두렁도 다 깎은 터이므로 일꾼들은 모두 나무갓으로 올라갈 때다. 이제는 품을 팔아먹을 일거리라고는 없었다. 벼는 벌써 부옇게 패었다.

그러므로 점순이네 부자도 나무나 해서 팔아먹는 수밖에는 다른 수가 없었다. 원두도 이제는 다 되어서 더 팔아먹을 것은 없었다.

산이 없는 점순이네는 나무갓을 얻기도 용이하지 않았다마는 그래도 부자가 일을 하기만 하면 남의 나무를 베어 주고라도 나무갓을 조금 얻을 수도 있었는데 화불단행이란 옛말이 거짓말이 아니던지 이런 때에 뜻밖에 김 첨지가 덜컥 병이 났다. 그는 벌써 한 이레째나 생인발을 앓느라고 꼼짝을 못하고 드러누웠는데 그래 순색스로 더치게 되었다. 그게 퉁퉁 부었다. 그런데 양식은 똑 떨어졌다. 점순이 모친은 생각다 못해 마지막으로 박 주사 아들한테 장리벼 한 섬을 얻으러 갔다.

박 주사 아들이 흉악한 불깍정인 줄은 그도 모르는 바가 아니었지만 저번에 논을 달라고 할 적에도 그리할 듯한 대답을 한 것이라든지 그때 은근히 한번 놀러 오라던 말을 생각해 보면 어디로 보든지 호의를 가졌던 것만은 확실한 모양이다. 나중에 알고 보면 이 호의가 무척 고가(高價)임을 알고 그는 아연실색할 것이다마는 지금은 두 수 없이 꼭 죽었다 할 판이므로 이런 때에는 턱에 없는 것도 믿고 바라는 것이 사람의 정리이다. 물에 빠진 사람은 지푸라기라도 붙잡는다 하지 않는가?

한번 놀러 오라 하고 더구나 논까지 줄 듯이 대답한 그런 고마운 사람에게 어찌 구원의 손을 내밀지 않을 수 있으랴? 그 자가 도척(盜跖)이거나 동척회사 마름이거나 이런 때는 그런 것이 상관없다. 그저 한번 놀러 오라는 말과 논을 줄 듯이 대답한 그런 고마운 생각만 나는 것이다. 하기는 이런 사람을 어리석다 할는지 모른다. 과연 박 주사 아들은 그의 어리석음을 비웃었다. 그러나 이런 죄없는 어리석은 사람을 농락하려는 사람을 또한 사람이라 할까? 옳다! 지금 이 세상에서 물론 이런 사람을 잘났다 하겠지. 남을 잘 속여서 제 낭락을 하는 사람을 똑똑하다고 칭찬하지 않는가? 그렇다면 박 주사 아들도 물론 똑똑한 사람으로 칭찬을 받을 터인데 다만 너무 똑똑해서 알깍정이가 된 까닭에 똑똑한 사람을 칭찬하는 이 지방 사람들까지도 그를 좀 비방하게 되었단 말이다.

그러나 이런 말을 지금 여기서 옥신각신할 때가 아니다. 점순이 모친은 지금 등이 달아서 많은 희망을 품고 박 주사 아들을 찾아갔다.

과연 박 주사 아들은 서슴지 않고 한마디로 선뜻 승낙하였다. 한 섬으로 만일 부족하거든 두 섬이라도 갖다 먹으라고.

이때 점순이 모친은 얼마나 기뻐하였던가? 과연 자기도 모르게 입이 저절로 벌어졌다. 그래 그는 무수히 감사하다는 치사를 드리고 마치 승전고나 울리고 돌아오는 장수의 마음같이 걷잡을 수 없는 기쁜 마음으로 그 집 대문을 나섰다.

그런데 박 주사 아들이 대문 밖에까지 따라 나오더니 잠깐 조용히 할 말이 있다고 구석한 곳으로 손짓을 한다.

그것은 이러한 조건이었다. —장리벼는 지금 말한 대로 줄 터이니 그 대신 자네 딸을 나 달라고—

그래도 집에서는 이런 줄을 모르고 행여나 무슨 수가 있나? 하고 은근히 기다리었다. 고정하기로 유명한 김 첨지까지—가지 말라고 큰소리를 지르던—도 무슨 수가 있는가? 하고 바라는 바가 있었다. 그런데 마누라는 눈물만 얻어 가지고 돌아왔다. 그는 그때 박 주사 아들한테 그 소리를 들을 때에 그만 가슴이 덜컥 내려앉으며 별안간 두 눈이 캄캄하였다. 그는 아무 대답도 않고 그길로 돌아서서 눈물만 비 오듯 쏟으며 정신없이 돌아왔다. 그는 지금 눈가 퉁퉁 부은 눈으로 안산만 우두커니 쳐다보고 한 손으로 턱을 괴고는 풀이 없이 앉았다. 그래 김 첨지는 화가 버럭 났다.

"아! 뭬라구 하던가?"

그는 돌아누우며 궁금한 듯이 이렇게 물었다.

"한 섬은 말고 두 섬이라도 갖다 먹으랍디다."

"그럼 잘 되지 않었나! 무얼?"

"그 대신 점순이를……."

마누라는 목이 메어 말끝을 못 다 마치고 우는 얼굴을 외로 돌렸다. 이 소리에 별안간 김 첨지는 벌떡 일어나 앉으며, "무엇이 어짜고 어째?" 하고 그는 갈범의 소리로 부르짖는다. 온 집안이 찌르릉 울렸다. 이 바람에 점순이 모친은 깜짝 놀라서 뒤로 무르칭하고 부엌에서 무엇을 하던 점순이는 방으로 뛰어들어 왔다. 이때 김 첨지는 수염 속으로 쭉 찢어진 입을 실룩실룩하더니 무섭에 이를 악물고 두 주먹을 불끈 쥐었다. 그의 큰 눈에서는 불덩이가 왔다 갔다 하였다.

"글쎄 가지 말라니까 왜 기어이 가서 그런 더러운 소리를 듣느냐 말야. 이것아 응?"

"누가 그럴 줄 알었소."

마누라는 주먹으로 때릴까 봐 겁이 나는 듯이 몸을 움츠렸다.

"내가 굶어 죽어 보아라! 그런 짓을 하나. 글쎄 셋째 첩으로 딸을 팔아 먹는단 말이냐? 그래 뭬라고 대답하였나! 이편은 응?"

"뭬라긴 무얼 뭬래요. 하두 기가 막혀서 아무 말두 안 했지!"

"그래! 그 말을 듣고 가만히 있었단 말이야? 이년아! 그놈의 낯짝에다 침을 뱉지 못하고 응! 예이 더러운 놈! 네까짓 놈이 양반의 자식이냐? 하고 어서 가서 그래라! 어서, 네까짓 놈에게 딸을 주느니 차라리 개에게 주겠다고 개만도 못한 놈아, 박 주사 아들놈아! 이 더러운 양반놈아! 엿다! 너는 이것이 상당하다! 하고 그놈의 낯짝에다 침을 탁 뱉어 줘라! 자 어서 가서 그래, 응! 어서 가서—" 하고 그는 소리를 고래고래 지르며 마누라를 자꾸 주장질하였다. 그러나 마누라는 아무 말 없이 그만 흑흑 느끼며 울기만 한다. 그래 점순이도 따라 울었다.

이때 별안간 "어—" 하는 외마디 소리를 지르자 김 첨지는 쾅! 하고 방바닥에 고꾸라졌다. 이 바람에 그들 모녀는 '에구머니' 소리를 쳤다. 점순이는 한걸음에 뛰어들며 "아버지!" 하고 그의 몸을 얼싸안고 모친은 창황망조하여 오직 '찬물 찬물' 하였다. 그래 점순이는 얼른 냉수를 떠다가 부친의 이마에 뿜었다. 김 첨지는 그만 딱 까무라쳤다.

모녀는 어쩔 줄을 모르고 다만 사지가 벌벌 떨리었다.

점순은 아까 순영이가 갖다 주던 좁쌀 한 되로 미음을 쑤느라고 부엌에 있었던 까닭에 그들이 수작하는 말을 낱낱이 들었었다. 그래 그는 부친의 까물친 까닭도 잘 알 수 있었다.

이 소문이 난 뒤로는 향교말 사람들은 모두 박 주사 아들을 욕하며 점순이 집 식구를 구제하기 시작하였다. 그것은 성삼이 처까지도 그리하였다. 아래 윗 동리를 돌아다니며 상놈의 반반한 계집이라고는 모조리 주워 먹던 박 주사 아들도 웬일인지 성삼이 처만은 건드리지 못하였다. 아니 그는 벌써 언제부터 성삼이 처를 상관하려고 애써 보았지마는 서방질 잘하기로 유명한 성삼이 처는 박 주사 아들이라면 그만 고개를 흔들었다. 그것은 동리마다 박 주사 아들의 뚜쟁이가 있는데 향교말 뚜쟁이가 박 주사 아들의 말을 넌지시 비춰 볼라치면 성삼이 처는 대번에 입을 비쭉거리며 "그까짓 자식이 사람인가. 양반인지는 모르지마는 사람은 아닌데 무얼!" 하고 다시는 두말도 못 하게 하였다.

이 유명한 성삼이 처가 우선 쌀 닷 되와 돈 열 냥을 가지고 왔다. 그래 점순이 모친은 은근히 놀랐다. 점백이 집에서도 보리 두 말을 가져왔다. 수돌이 집에서도 보리 한 말을 가져왔다. 이쁜이네 집에서는 밀가루 두 되, 만엽이 집에서는 좁쌀 한 되! 심지어 밥 한 그릇 죽 한 사발이라도 모두 가지고 와서는 김 첨지의 고정한 마음을 칭찬하였다.

그러나 속담에 가난 구제는 나라에서도 못 한다고 허구한 날에 그들을 구제할 수 없었다. 그날 저녁에 점동이도 일하고 돌아와서 이 소리를 듣고는 역시 김 첨지만 못지않게 펄펄 뛰었다. 그는 자기 혼자 벌어먹일 터이니 걱정 말라고 큰소리를 하였다. 그러나 그의 한 몸으로 온 집안 식구를 건져 가기는 그야말로 하늘에 올라가서 별따기같이 어려운 일이었다.

김 첨지는 그 후에 다시 깨어나기는 났지마는 그 뒤로 병은 점점 더치었다. 약 쓸 일에 무엇에 돈 쓸 일은 그 전보다 몇 갑절 더 들게 되었다. 그러나 그 역시 박 주사 아들의 말은 다시는 입 밖에 내지도 못하게 하였다.

하루는 점순이가 아버지 앞에 무릎을 꿇고 조금도 사색없이 공손한 말로 박 주사 아들한테 시집가지란 말을 자청해 보았다. 그러나 김 첨지는 역시 펄펄 뛰며 듣지 않았다.

"그러면 내 자식이 아니라고!"

그 후로 그의 병세는 더욱 위중하여 아주 인사불성이 되었다. 그런데 약을 써볼래야 돈 한 푼 없고 미음 한 그릇을 쑬 거리가 없었다. 그래 모친은 생병이 나서 울기만 하고 점동이가 겨울 나뭇짐을 해 팔아서 그날 그날을 간신히 지나간다.

점동이는 이를 악물고 결심하였다. 그는 자기의 한몸이 부서지기까지 어떻게든지 자기의 힘으로 버티어 보려 하였다. 그는 밤에도 산에 가서 나무를 해 오고 날 궂은 날은 짚신도 삼아 팔았다. 조금도 쉬지 않고 일을 하였다. 그는 할 수 있는 데까지 해 보다가 만일 되지 않으면 나중에는 어떠한 짓이든지, 무슨 일이든지 해 보겠다는 마음이었다. 그는 자기의 누이를 더러운 돈에 팔아먹고 사느니보다는 차라리 도적질을 하든지 ×××하고 감옥에 들어가는 것이 훨씬 나으리라 생각하였다.

그러나 점순이는 또한 점순이대로 자기 한몸을 어떻게 처치할 것을 단단히 결심하였다. 그것은 지금 다시 자기의 부모에게나 오빠에게는 박 주사 아들한테 시집가겠다는 허락은 당초에 얻을 수가 없을 줄을 밝히 알았다. 그래 그는 아무도 모르게 자기 혼자 결행(決行)하기로 하였다. 그것은 내일이라도 이 동리에 있는 박 주사 아들의 뚜쟁이에게 간단한 한마디 대답을 기별해 주면 고만이다.

그러나 점순이가 이 일을 작정하기에는 며칠을 두고 밤잠을 못 자고 그의 조그만 가슴을 태울 대로 태웠다. 그는 울기도 많이 하고 참으로 어찌해야 좋을는지 가슴이 답답하였다. 그런 자에게 자기의 한몸을 바친다는 것은 참으로 죽기보다 쓰라린 일이었다. 만일 지금 누가 그보고 이렇게 말한다면—내가 네 집 식구를 먹여 살릴 터이니 그 대신 네가 죽어라! ―한다면 그는 선뜻 대답하였을 것이다. 그러나 지금 세상에서는 그런 의협심(義俠心)을 가진 고마운 사람도 없다. 과연 그는 이 일만 말고는 다른 어떠한 일이라도 무서워하지 않겠다고 아무리 발버둥치고 허공을 우러러보았지마는 역시 이 일밖에는 다른 도리는 없었다. 그도 저도 할 수 없다면 좌이대사(坐而待死)나 한다지만 자기의 한몸을 바치게 되면 그들을 구원할 수 있는데 어떻게 모르는 체할 수 있으랴? 그들의 목숨의 자물쇠는 오직 자기 한 손에만 쥐어졌다. 더구나 부친은 병석에 누워 신음하는데 미음 한 그릇을 쑬 거리가 없는 이때가 아닌가? 아무리 할 수 없는 일이라도―슬프고 또 슬프고 죽기보다 쓰라린 슬픔이라도―자기는 그것을 참고 견딜 수밖에 없다는―아니 자기는 살다가 살 수 없거든 그때는 자기 혼자 조용히 죽자. 비록 박 주사 아들은 말고 도척이한테라도 지금 사정으로는 갈 수밖에 없다! 하고 그는 악에 받쳐 부르짖었다.

하기는 이 근처에도 다른 부자가 없는 것은 아니다. 소위 행세한다는 양반부자도 많다. 그러나 그들은 모르는 체하였다. 자기 집안형편을 잘 알면서도 그들은 모두 모르는 체하였다. 장리벼 한 섬이나 두 섬은 그게 몇 푼어치나 되는가? 그들이 그것을 줄 생각만 있으면 가난한 집의 쌀 한 줌이나 동전 한 푼보다도 하찮고 쉬운 일인데―그것도 자기 부친의 고정한 심사는 여태까지 남의 것을 떼먹은 일은 없는데도, 어떻게든지 해 갚을 마음을 먹고 장리벼를 달라는데도―그들은 벼 한 톨을 주지 않았다. 그것도 더구나 이런 때에 한집안 식구가 몰사할 지경에 벼 한 섬이나 두 섬으로 죽을 사람이 살겠다는데도 그들은 모두 모르는 체하였다. 그것은 마치 자기네는 봉황선(선유배) 타고 뱃놀이를 하면서 바로 지척에서 물에 빠져 죽어 가는 사람들이 억! 억! 소리를 치며 물을 켜고 허우적거리는데도 그들은 모르는 체하고 그대로 보고 있는 것 같다. 닻줄 하나만 내리 던져 주면 살겠는데도 그들은 모르는 체하고 내려다보기만 하고 있다. 아니 내려다보기만 하는 것이 아니라 빙글빙글 웃고 본다. 그리고 자기네의 행복을 더욱 느끼고 있다.

그렇다! 이것이 지금 세상이다. 이것이 짐승보다 낫다는 사람 사는 세상이다. ××××× 이것이 옳다 한다. 거룩한 하나님의 교회는 이것을 찬미한다. 아! 이 땅에다 어서 유황불을 던지소서! 소돔 고모라 성에다가. 아멘! 아멘!…….

점순이가 이런 생각을 한다면 그는 이 당장에 부엌으로 뛰어들어 가서 식칼을 들고 나설 것이다. 그는 희미하나마 '서울댁'의 하던 말이 옳게 생각되었다. 과연 그는 이 세상이 악한 줄을 직각적(直覺的)으로 깨달았다. 가난은 전생의 죄업이요, 부귀는 하늘이 낸다는 말이 새빨간 거짓말로 알게 되었다. 그래 그는 서울댁과 같이 ××× 생쥐 같은 도적놈으로 알게 되었다. 그런데 자기는 그 생쥐 같은 더러운 도적놈에게 몸을 바치지 않으면 아니 되게 되었다. 깨끗한 처녀를 바치지 않으면 아니 되게 되었다.

마침내 점순이는 내일 아침에 박 주사 아들에게 기별하기로 마음을 작정하였다. 그는 지금 마지막으로 이 하룻밤을 순결한 처녀의 몸으로 보내려 하였다. 아까까지도 악에 받쳐서 두 눈이 뽀송뽀송하던 그로도 별안간 이런 생각은 다시금 설움에 목메었다. 그는 하염없이 흐르는 눈물을 걷잡지 못하여 아무도 모르게 울 밖에 나와 섰다. 그것은 아무도 보지 않는 곳에서 마음놓고 실컷 울어나 보려 함이었다.

아직 초저녁이지마는 달은 뜨려면 아직도 먼 모양! 어슴푸레한 황혼이 차차 어둠의 장막으로 싸여 가는데 적막한 산촌은 죽음의 나라같이 괴괴하였다. 그것은 자기의 운명도 이 밤과 같이 점점 어두워서 앞길이 캄캄해지는 것 같다. 하늘에는 뭇별이 깜박거리고 은하수는 높직이 매달렸는데 직녀성은 견우성을 바라다보고 있다. ……산뜻한 바람이 어디서 이는지 양버들 잎새를 바르르 떨리우는데, 아랫말로 가는 산길이 희미하게 뒷산 잔등 위로 보인다. 억새가 바삭바삭 맞부비는 야릇하고 갑갑한 소리가 나자 무슨 새인지 '빽!' 하고 외마디 소리를 지르고 날아간다. 벌써 지랑폭에는 이슬이 축축히 내리었다. 그는 이때의 모든 것이 다만 슬픔의 상징으로 보였다. 그래 그는 하늘을 쳐다보고 울었다. 땅을 굽어보고 울었다. 산을 바라보고 울었다. 저 으슥한 숲을 보고 울었다. 그리고 아무 하소연하는 말은 나오지 않고 오직 어머니…… 아버지…… 오빠…… 하고 부르짖으며 울었다.

그런데 어느 틈에 왔는지 서울댁이 와서 자기 옆에 섰는 것을 발견하였다. 그래 그는 소스라쳐 놀라며 고개를 푹 숙였다. 과연 그가 밤에 여기 오려니는 꿈에도 생각지 못할 일이었다.

"아! 웬일이야?" 하고 '서울댁'은 깜짝 놀라며 묻는다.

"아니요! 저…… 저……" 하고 점순이는 그만 울음을 삼키었다. 그리고 아무렇지도 않은 표정을 지었다. 그러나 서울댁도 이 소문은 벌써부터 들은 터이다. 그도 자기의 있는 돈을 몇 냥간 점동이를 갖다준 일이 있었다.

"나두 다 아는데 무얼!" 하는 그의 말이 채 떨어지기도 전에 점순이는 와락 달려들어 그를 얼싸안고 고개를 그만 그의 가슴에다 푹 처박았다. 그리고 열정에 떨리는 목소리로 "용서해 주세요! 용서해 주세요. 부잣집 첩으로 가는…… 당신이 미워하는…… 박……박 주사 아들에게로……" 하고 그는 가늘게 부르짖는데 사내는 아무 말 없이 그를 껴안은 채 다만 멍하니 하늘을 쳐다보았다. 이때에 하늘에서는 유성(流星)이 죽 흘렀다…….

6

그 이튿날 박 주사 집에서는 벼 한 바리하고 돈 쉰 냥을 점순이 집으로 보내었다. 하인의 전갈에는 특별히 돈을 보낸 것은 병인의 약시세를 하란다고, 그런 친절한 분부가 다 있었다 한다.

그런데 점순이는 밤 동안에 아주 딴사람이 되어서 종일 가도 말 한마디 안 하는 음울한 사람이 되었다. 그렇게 생기 있고 상냥하던 그의 표정이 다 어디로 가 버렸다. 김 첨지는 이런 일도 모를 만치 위독해 누웠는데 그는 이상히도 오늘부터 시렁시렁하기 시작하였다. 그는 눈을 뜰 때마다 누구든지 쳐다보일 때는 "저놈이 벼 한 섬에 부잣집 첩으로 딸을 팔아먹은 놈이야!" 하고 손가락질을 하였다.

그래도 모진 것은 목숨이다. 점순이 모친은 그 쌀로 지은 밥을 먹었다. 안 먹는다고—굶어 죽어도 안 먹는다고—울며불며 야단을 치던 점동이도 그 밥을 먹기 시작하였다. 하기는 점순이가 그 벼를 찧어서 얼른 밥을 지어다 놓고 지성으로 모친을 권하고 또한 오빠를 권하였었다. 그날 점동이는 아침도 굶고 산에 가서 나무를 종일 베다가 다 저녁때 집에 돌아와 보니 점순이는 난데없는 하얀 쌀밥을 차려다 준다. 그래 행여나 무슨 수가 있었나 하고 우선 한 숟가락 뜨며 모친에게 물어보다가 그만 그 눈치를 채고는 숟가락을 내동댕이쳤다. 그는 그때 엉엉 울었다. 그때 점순이는 뛰어가서 오빠의 무릎 앞에 엎드러지며 "오빠 용서해 줘요!" 하고 빌며 울었다. 그길로 점동이는 머리를 싸고 드러누웠었다.

다만 모친만은 아무 말 없이 마치 혼망이 가다 빠진 사람처럼 하고 앉아서 그들을 멀거니 쳐다보았다. 그러나 그는 자기마저 어린 딸의 속을 태워서는 안 되겠다 하였다. 그것은 점동이같이 하는 것은 다만 딸의 속을 자질히 태워 줄 것밖에 안 되는 것이라 하였다. 다만 아들 딸 남매를 둔 늙은 내외는 그것들이나 잘 길러서 착실한 데로 장가나 들이고 시집을 보내서 그것들의 사는 재미로나 말년을 보내려 하였더니 아들은 스물이 가깝도록 여태 장가도 못 들이고, 딸마저 이렇게 내주게 될 줄은 참으로 꿈에도 생각지 못한 일이다. 영감의 마음씨로 보든지 자기 집안 식구는 누구나 다 같이 그렇게 악인은 아니건만 웬일인지 아무쪼록 남과 같이 살아 보려고 밤낮으로 애를 써보아도 늘 제턱으로 가난에 허덕허덕하는 것을 생각하면 그는 전생에 무슨 죄를 지은 벌역이나 아닌가 하였다. 그런데 설상가상으로 뜻밖에 일이 생기고 해서 나중에는 이렇게 누명을 입고 딸자식까지 팔아먹게 되었다. 아, 이것이 도무지 무슨 운명인가? 그는 이것을 모두 사람으로는 어찌할 수 없는 천생으로 타고난 사주팔자라 하였다. 그러면 이런 경우에 누구는 어찌하랴. 자기 한몸이 이 당장에 칼을 물고 엎드러져 죽기는 어렵지 않은 일이다. 그러나 병든 늙은 영감하고 어린 자식들을 두고서 자기만 차마 죽을 수가 있는가? 그러면 영감도 죽는 게다! 그것들도 죽는다. 한집안 식구가 몰사를 하고 말 것이다. 아! 참, 아 차마 그것은 못할 일이다. 그래 그 쌀로 지은 밥을 자기가 먼저 먹었다. 그는 이렇게 마음을 도슬러먹고 자기도 먹으며 영감도 먹이었다. 그러나 불현듯 딸에게 못할 노릇을 했다, 그의 어린 가슴에다 못을 박았다는 생각이 날라치면 뼈가 저리고 간이 녹는 듯! 그는 그만 목이 메어서 밥숟갈을 내던졌다. 그러면 점순이는 얼른 달려들어 그를 얼싸안고 모친의 등을 얼싸안고 모친의 등을 탁탁 쳐주며 "어머니, 어머니! 그라시지 말어. 그라면 나도 죽을 테요!……" 하고 마주 울었다.

그러면 밥상을 앞에 놓고 모녀는 서로 얼싸안고 슬피 통곡하였다. 이런 때에 김 첨지가 눈을 떠 볼 때에는 역시 손가락질을 하며 "저놈들이 장리벼 한 섬에 딸 팔아먹은 놈들이여!" 하고 중얼거렸다.

아! 이게 도무지 무슨 일이냐? 그는 곰곰이 생각해 보았으나 차마 병든 영감을 굶겨 죽일 수는 없었다. 죽으면 다시 살지 못할 병든 영감을…….

점동이도 또한 점동이 깐으로 이미 이 지경이 된 바에는 할 수 없다 하였다. 그는 그래도 자기의 힘으로 어떻게 버티어 보려 하였더니 점순이가 설마 그럴 줄은 몰랐다 하였다. 그러나 그는 자기 누이를 탓하지 않았다. 결국은 모든 것이 자기가 못나서 그렇다 하였다. 명색이 사내 코빼기로 생겨서 많지 않은 식구를 못 건져 가고 이 지경이 되게 한 것은 오직 자기의 못생긴 탓이라 하였다. 그러나 아무것도 배우지 못한 그로서는 하루 진종일 가서 나무를 해다가 이십 리나 되는 읍내 가서 판대야 기껏 받아야 오륙십 전에 지나지 못하였다. 하루 진종일 꼬부리고 앉아서 짚신을 삼는대야 역시 사오십 전에 불과하였다. 아! 이것으로 어떻게 한집안 식구를 구할 수 있는가? 그래 부자가 벌어야 간신히 지나던 것을 그만 부친이 저렇게 병나고 보니—더구나 농사진 것도 다 떠나가서 장리벼도 얻어먹을 수 없고—꼼짝 두 수 없이 굶어 죽을 수밖에는 별수가 없다. 여북해서 점순이가 그런 맘을 먹었을까? 철모르는 저로서도 이 밖에 두수가 없음을 알았음이다. 자기가 그 밥을 먹고 사는 것은 참으로 낯이 뜨뜻한 일이다. 그러나 지금의 사정으로는 어찌할 수 없는 일이 아닌가?

그런데 순영이는 그 후 며칠 뒤에 쌀 두 섬을 미리 받아먹은 데로 고만 가마를 타고 갔다. 가던 날 식전에 그는 점순이를 찾아와서 손목을 붙들고 흑흑 울었다. 그는 차마 점동이를 붙들고 울 수는 없어서 점순이를 보고 대신 울었음이다. 점순이도 마주 보고 눈물을 흘렸었다마는 그 후로 점동이는 마치 얼빠진 사람같이 되었다. '서울댁' 또한 확실히 그 전 같아 보이지는 않았다. 그 역시 실심하니 무슨 깊은 근심이 있는 것처럼 보였다. 그러나 그의 침착하고 굳건한 신념이 있어 보이는 모양은 무슨 일을 저지르지나 않을까 하는 생각을 나게 한다. 그렇게 보이도록 그는 무섭게 침통(沈痛)한 얼굴로 변하였다.

물론 점순이 모친도 반실성을 하다시피, 그러나 잠시도 영감의 곁을 떠나지 않고 병구완을 지성으로 하면서 부질없이 한숨과 눈물을 짜내었다. 다만 박 주사 아들만이 홀로 자기의 성공을 기뻐하며 어서 김 첨지의 병이 낫기를 고대하였다. 그것은 병인이 낫기만 하면 점순이를 데려가려 함이었다.

....

그런데 김 첨지의 병은 점점 더하다는 소문이 났다. 그래 그는 만일 그러다가 김 첨지가 죽으면 어찌하나? 하는 겁이 펄쩍 났다. 그것은 잇속만 아는 박 주사 아들도 부모가 죽었다는대야 어찌 차마 그를 바로 데려올 수가 있으랴 하는 마음이었다. 이런 생각이 그에게 있다는 것은 참으로 생각 밖에 고마운 일이다마는 그래도 그는 이런 체면만은 볼 줄 알았다. 그것은 마음으로야 어쨌든지 겉으로는 부모를 위하는 것이 이 세상에서 제일 중대한 일인 줄을 어려서부터 많이 듣고 배운 터이라 남의 부모도 역시 존중한다는 생각이 있게 하였다. 그러면 적어도 몇 달 혹은 반년은 될 터이니 더구나 저편의 핑곗거리가 생겨서 이것으로 구실을 삼아가지고 소상을 치르고 오느니 대상을 치르고 오느니 하면 더욱 큰일이라고. 그래 그는 점순이를 속히 데려오려 하였다.

그러나 또 한 가지 그가 이렇게 속히 점순이를 데려오고 싶은 마음이 나게 한 이유는 새로 얻어 온 첩이 벌써 마땅치 못하게 틈이 벌어진 까닭이었다. 물론 좀 더 그의 사랑을 훑아 보지 않고는 그를 내박차기까지 하기는 아직 좀 이르다마는 이번 첩은 성미가 너무 괄괄하여 어떤 때는 자기를 깔보는 때까지 있단 말이다. 그래 그 분풀이로 점순이를 얼른 데려다가 이것 좀 보아라 하고 그의 기를 꺾어 놓고 싶을 뿐 아니라 저번에 점순이를 보니까 작년보다도 훨씬 큰 것이 아주 처녀의 티가 제법 났다. 그만하면…… 하는 생각이 더구나 그의 아리따운 자태에 그만 욕심이 부쩍 난 것이다. 그래 한편에서는 피려는 꽃봉오리 같은 나긋나긋한 어린 사랑을 맛보고 또 한편으로는 은근하고도 땅속으로 끌어들이는 듯한 큰 첩의 사랑을 받다가 그만 싫증이 나거든 이것저것을 모두 후 불어 세자는 수작이다. 그래 그는 오늘 아침에 가마를 꾸며서 별안간 김 첨지 집으로 보내게 된 것이다.

어느덧 칠월도 다 가고 팔월 초생이 되었다. 점순이 집에서는 지금 막 아침을 치르고 난 판인데 간밤까지도 청명하던 하늘은 어느 틈에 구름이 잔뜩 낀 음랭한 날이 되었다. 이마즉은 더욱 원기가 쇠진하여 미친 소리도 잘 못 하는 김 첨지는 겨우 미음 한 모금을 마시고는 아랫목에서 끙끙하고 누웠는데 그 옆에서 세 식구가 경황없이 아침이라고 치르고 났다. 모친은 오늘 아침에도 그 생각이 나서 밥도 변변히 못 먹고 세 식구가 울기만 실컷 하였는데 점동이는 그래도 나무를 하러 간다고 지금 지게를 지고 나서는 참이다. 그런데 거기에 박 주사 집 하인들이 가마를 메고 싸리문 안으로 대들었다.

이때에 점동이는 그만 얼어붙은 듯이 마치 장승같이 하고 서서 그들을 바라보았다. 모친은 별안간 눈앞이 캄캄하였다. 점순이는 그저 얼떨떨하였다. 그는 잠깐 당황하다가 다시 한 번 부친을 쳐다보던 눈을 모친에게로 옮기며 "어머니……" 하는 한마디 말을 간신히 입 밖으로 내었다. 그리고 그는 아무 말 없이 고개를 숙이고 조용히 가마 앞으로 걸어나갔다. 이때에 별안간 애끓는 소리로 "점순아! 점순아! 점순아! 점순아……" 하고 모친은 한달음에 뛰어나와 딸의 발 앞에 고꾸라졌다.

"앗!" 하고 점동이는 뛰어들어 또 그를 얼싸안았다. 그런데 이마즉은 미친 소리도 못 하고 인사불성으로 드러누웠던 김 첨지가 마치 기적같이 안방문 앞에 일어나 앉아서 바깥을 내다보며 "저놈들이 장리벼 한 섬에 딸을 팔아먹은 놈들이여!" 하고 손가락질을 하며 중얼거리더니 또 히히 웃는다. 이 바람에 점순이는 그와 눈이 마주치며 "아! 아버지……" 하고 다시 가늘게 부르짖으며 두 손으로 얼굴을 가리었다. 점순이가 마지막으로 그들을 휘 둘러보고 막 가마 안으로 들어앉으려 할 때 언뜻 무섭게 빛나는 두 눈동자와 마주쳤다. 그것은 지금 들어오다가 싸리문 앞에서 발이 붙어서 맥놓고 쳐다보는 '서울댁'의 눈이었다. 점순이는 그만 가마 안으로 폭 고꾸라졌다.

그러나 그들의 모든 힘은 벼 두 섬 값만 못하였다. 부친의 실성과 모친의 기절과 오빠의 울음과 또한 '서울댁'의 무서운 눈도 벼 두 섬의 힘만은 못하였다. 부모의 사랑과, 형제의 우애와, '서울댁'의 순결한 사랑의 힘도 벼 두 섬의 힘만은 못하였다. 벼 두 섬은 부친을 미치게 하고 딸의 가슴에 못을 박고 모친을, 오빠를, 영원히 슬프게 하고도 남았다. 그리하여 지금까지 귀엽게 길러 온 부모의 사랑도 동기간의 따뜻한 우애도 또한 인간의 행복아! 어서 오너라 하고 동경(憧憬)하고 바라던 처녀의 꽃다운 희망도, 이 벼 두 섬 앞에서는 아무 힘이 없이 물거품같이 사라지고 말았다. 그리하여 열여섯 살이나 먹도록 곱게곱게 키워 놓은 남의 외동딸을 박 주사 아들은 다만 벼 두 섬으로 빼어갈 수 있었다. 아! 그러나 벼 두 섬 값은 대체 얼마나 되는가? 점순이는 이 벼 두 섬에 팔리어서 지금 박 주사 아들 집으로 가마에 실려 갔다.

씨름

한설야
(1900~?)

한설야(1900~?)는 자신의 만주 체험과 함흥 주변의 노동자, 농민, 도시빈민의 삶을 그린 소설을 발표하여 주목을 받은 작가이다. 1929년에 발표한 「과도기」는 간도로 이민을 갔다가 돌아와 보니, 옛 마을에 공장이 들어서서 궁핍해진 마을 사람들이 땅을 버리고 노동자가 되어 가는 과정을 보고 주인공 창선이도 노동자가 된다는 내용의 소설이다. 마을 사람들이 만주로 집단 이주한 것도 농어촌의 착취와 몰락에서 비롯한 것이고, 다시 돌아온 고향에서 이제는 땅을 버리고 노동력을 팔아 생계를 이어야 하는 노동자로 변신하는 것도 식민지 공업화 과정에서 희생당해야 하는 민중들의 삶을 전형적으로 그린 것이라 할 수 있다.

「씨름」은 작자의 말을 빌리면 「과도기」의 속편이다. 「과도기」가 모델 소설이라는 반성으로 쓰게 되었다고 한다. 이 작품은 씨름대회를 통해서 노동조합의 위세를 선전하고 반대파를 제압하여 노동자들을 하나로 단결시키는 주인공 명호의 모습을 '영웅적'으로 그리고 있다. 명호는 농민회를 소작조합으로 개편하여 부당한 지주의 소작료 요구에 저항하여 승리하고, 노동자의 조직을 광범위하게 만들어 내는 뛰어난 인물로 그려지고 있다. 노동자와 농민의 처지가 비슷하다는 것을, 그리하여 동맹적 관계에 있다는 것을 암시하는 소작조합의 결정과 지주와의 싸움에서의 승리가 명호의 '영웅적인 노력'으로 그려져 있어 조금은 작위적인 노농동맹의 구상과 갈등 없는 해결이라는 인상을 주기도 한다.

명호도 여느 노동자와 마찬가지로 자작농에서 몰락하여 소작을 부치다가 다시 노동자로 전전하게 된 사람으로 노동자의 단결이 필요하다는 것을 깨닫고, 그러기 위해서는 패를 지어 테러까지 일삼는 요시다라는 일본 이름을 가진 십장 일파를 정당하게 끌어들이는 것이 필요했고 씨름이 그 계기가 되어 자신의 영향력이 점점 약해지던 요시다는 마침내 명호와 어울리게 된다는 줄거리이다.

명호가 다분히 영웅적으로 그려져 있어 문제가 되지만 노동자의 조직이 결국은 하나 될 수밖에 없다는 사실을 보여준 소설이라고 하겠다.

1

………사람, 사람, 사람………

다시 씨름이 시작된다는 종소리가 뗑그렁 뗑그렁 사면에 울려퍼지자 설피어졌던 구경꾼의 담은 차차 빽빽하니 메워져 갔다. 국수오리를 입가에 묻힌 사람, 군침을 흘리며 호도엿을 꿀꿀 녹이는 사람, 개장(개고기국밥)국 고춧가루에 입이 빨갛게 물든 사람, 다모토리(소주)에 얼근한 사람, 떼를 지어 몰려다니는 노동자들, 아무것도 먹지 못한 후줄한 사람, 사람, 사람………… 들이 우 몰려와서 혹은 엎치며 덮치고 혹은 발끝을 세우며 목을 늘이고 혹은 틈을 찾아 안으로 기어들어 또다시 겹겹으로 싸인 사람의 재가 되었다. 그리하여 나중은 십 전(오전부터면 십오 전이나 오후부터는 십 전)을 내지 않으면 올라갈 수 없는 덕으로 사람의 여울은 올려쳤다.

"돈 없는 사람은 구경도 못 하나 빌어먹을…………."

"이놈의 덕이 있어서 구경할 자리가 좁아졌는데 자아. 올라들 오게."

이렇게 구경에 달아난 패들은 마치 배고픈 사람이 먹을 것을 찾듯이 덕으로 올려 밀었다. 그러나 그들을 막기에는 너무도 설비가 부족(그리고 완전히 막자면 수입 이상의 비용이 든다)하였다. 덕을 지키는 회초리 쥔 몇 사람으로는 올려 미는 사람의 물결, 노동자의 여울을 가를 수가 없었다. 처음은 단 십오 전이라는 돈에 그렇게 으리으리 지켜지던 덕이 지금은 모든 사람의 것인 것같이 되어 버렸다.

"참 좋구나, 썩 잘 뵌다. 벌써 올라설걸."

"그래도 이 사람, 난 아까 올라섰다 쫓겨내렸네, 독불장군이라고 하는 수 있던가………… 회초리 쥔 녀석들이 바루 서슬이 등등하드니…… 홍……."

"참 그자들이 다 어데 갔나…… 그렇지 있어 봐야 소용이 없으니까."

인제는 염려 없다는 듯이 몰려 서서 좋은 김에 큿소리들을 하는 것이었다. 그중에도 제일 뱃심 좋게 뻗치고 선 것은 노동자들의 떼였다.

'노동자의 거리'라는 특색은 여기서도 찾을 수가 있었다.

2

삼사천 명 군중 속에서 오통에 뽑힌 서른두 명의 통씨름꾼—선수들은 씨름판 한가운데에 설핏설핏 앉아들 있었다. 모두 웃통을 벗어 버리고 짤막한 잠뱅이에 샅바 거는 왼팔에는 수건을 척척 감았다. 거무튀튀한 살점이 툭툭 불거지고 가슴이 쑥 나가고 어깨가 쩍 벌어진 게 한 곳씩은 다 무슨 특징이든지 있어 보였다. 누가 상을 타나 하는 호기심이 있느니 만치 군중들은 씨름꾼을 낯익혀 보고 그 특징을 유심히 찾으려 하였다.

그러나 그중에서도 제일 많이 군중의 눈을 끈 것은 명호라는 사람이었다. 그는 힘과 재간이 빼어난 씨름꾼으로 제일 많이 군중의 아우성 소리를 받았고 제일 많이 보는 사람으로 하여금 손에 땀을 쥐게 하였다. 상대자를 건건이 떼치고 넙적한 뺨에 희쭉 웃음을 띠며 버릇과 같이 쑥 내민 가슴짝 사이에 설피게 돋친 빽빽한 가슴털을 썩썩 긁으면 그 긁히는 소리가 군중에게까지 들리는 것 같았다. 그 완강한 건강의 소리가 사람에게 끔찍하고도 일종 장쾌한 기분을 일으켜 주었다.

"유도두 한대. 저, 서울, 평안도까지 가서 소를 탄 게 모두 서른야들 마린가 된대."

"참, 북간도로 가서 소를 탔을 때 일가들이 모아 잔치를 차렸다지."

"씨름뿐인가………… 좌우간 내호(질소비료공장이 있는 거대한 공장지) 바닥 삼천 명 노동자 중에서는 범이라는구만………… 글쎄 저 사람이 오자 '요시다'(조선인으로 일본 이름을 붙인 노가다 두목)가 팔을 못 핀달밖에……."

"그래도 어제는 비교(결승)에 가서 지지 않았나?"

"건, 일부러 진 거래………… 그, 어제 중상 탄 사람은 예전 창리서 같이 농사짓던 친구고………… 또, 그 사람 ………… 오춘성이란 사람이 저 사람의 힘을 비는 일이 많다니까 ………… 어제도 사정을 했던 게지."

"그럼 작년에 저, 함흥 김 부자네가 창리에 있는 질소회사 땅을 화리(지상권만 사는 것)로 맡아 가지고 소작인들께 비싸게 되넘기자던 것을 못 하도록 하는 사람들께 찔러 준 사람이 바로 저 사람들—…………들이야. 함흥서 사람들(…………)을 불러다 소작조합을 만들게 하고 회사와 김 부자에게 항의를 보내게 한 것이라든지………… 정 안 되는 때는 자기들도 그저 있지 않겠다고 해서 ………… 그럭저럭 무사히 된 거라든지 ………… 하여간 피차 상종이 여간이 아니니까 어제도 그리로 보낸 게지 ………… 그러나 오늘이야 저 사람 쇠지. 뭘.”

군중들은 명호를 두고 이런 얘기를 수군거렸다. 이 고장 사람들은 씨름으로 해서 그를 잘 알게 되고 그를 잘 알게 됨으로 해서 그의 하는 일까지도 얻어들은 쪽이 많았다. 더욱 창리는 그의 고향일 뿐 아니라 소작조합 관계로 해서 내호 노동판에 와 있으면서도 인연이 있지 않았다.

3

명호는 힘으로서도 여러 사람의 우이 될 만하겠지만 그보다도 내호에서는 수천 명 노동자의 꼭지로 이름이 높았다. 그가 한번 눈을 부릅뜨고 소리를 지르면 수다한 노동자들은 어쩔 바를 모르고 쩔쩔매었다.

그는 창리의 과히 간구하지 않은 농가에 태어나 농사도 조금씩 도왔지만 틈틈이 글자나 배우고 함흥 같은 대처에 가서 여러 가지 보고 들은 바도 많았고 그보다도 여러 운동자들과 접촉하여 거기서 얻은 바가 썩 많았다. 그리하여 촌에 돌아와 야학도 설치하고 ‘농민회’도 만들었었다. 그리고 그 후 더욱 선배들께 묻고 배우고 또 실지에서 조금씩 얻고 해서 농촌에서는 ‘일꾼’이니 ‘덜렁이’니 하는 별명까지 들었다. 비웃는 사람도 많았지만 그러나 늘 남보다 하자는 마음과 하는 일이 많았던 것이다. 농민회라는 간판을 걸고 야학 외에는 별것이 없었지만 그래도 농민도 무슨 일이든지 모아서 같이 의논해서 같이 좋도록 하는 것만이라도 다소 선전했던 것은 사실이다. 막연하나마 ‘농민회’라는 전신이 없었더라면 오늘날 그 후신인 창리의 '소작조합'이 그렇게 급히 또는 튼튼히는 되지 못하였을 것이다.

그만치 보람 있던 명호는 그 집이 여러 집과 같이 자작농이 자작 겸 소작농으로 다시 순소작농으로—그리하여 마침내는 소작도 뜻대로 안 되어서 하는 수 없이 내호공장(그때 처음되는 때다)으로 들어오게 되었다. 기운은 장수라는 통칭이 났지만 처음 들어오니만치 경력이 없어서 처음에는 잡인부(雜人夫)로 곡괭이 들고 흙도 파고 밀구루마도 밀곤 하였다. 잡인부는 수효는 제일 많으나 이 일 하다 저 일 하다 예 갔다 제 갔다 하므로 모이는 힘도 적고 따라서 제 일감이 없었다. 그중에서 제일 우쭐하는 것은 목도꾼인데 이것은 기운도 있어야 하려니와 경력이 많아야 한다. 이 바닥 목도패는 한 이백 명 되는데 모두 사오 년 이상의 경력이 있을 뿐 아니라 일이 원체 중요하기 때문에…… 수천 명 중에서 제일 우쭐하였다.

'남포'질을 하여 바위를 뚫어 놓고 석수쟁이가 까 놓으면 목도패가 재빠르게 공장터로 축항하는 데로 방파제로(셋이 제일 중요한 공사) 옮겨야 공사가 빨리 된다. 그들의 발이 조금 떠지면 직접 간접으로 그 밖에 모든 일—집 짓는 데 사닥다리 매기, 잔디 펴기, 철공, 목공, 남포질, 토공(콘크리트 같은 것) 같은 것에 그만치 지장이 생긴다. 이렇게 여러 가지 일 중에 제일 중요하기 때문에 목도패를 가려는 사람이 없었고 또 그들은 모두 일심(一心)을 하는 데에도 다른 군들보다 훨씬 나았다.

명호는 은근히 목도판으로 들어가고 싶었다. 거기 가야 패를 모을 수도 있고 그래야 세력을 잡을 수 있는 까닭이다. 그러다가 마침내 그의 군센 힘이 목도판에 인정되자 그는 그 틈에 낄 수가 있게 되었다.

"시멘트 큰 통을 번쩍번쩍 들어멘다."

소문 중에도 이 소문이 그를 목도판으로 들어가게 하는 데에 제일 유력한 선전이 되었다.

그러나 그가 목도판에 들어와 조금 손을 펼 기회를 얻은 듯한 생각이 나게 된 때에 그의 눈에서 거슬리는 것이 있었다. 그것은 즉 '요시다'라는 십장이 백오륙십 명의 부하를 거느리고 이 노동판에서 안하무인격으로 전횡하는 것이었다. 같은 노동자면서도 함부로 때린다든가 맨 나은 일은 남의 것이라도 빼앗아 버린다든가 거리에 나가서 돈 안 주고 술을 먹고 지랄쟁이같이 주정을 하는 것이 몹시 비위에 거슬렸다. 힘으로 하자면 명호는 한 아귀에 납작하게 만들 수도 있으나 그는 단도와 그보다 수다한 부하를 거느리고 있다.

명호는 두 가지의 필요를 느끼게 되었다. 첫째는 노동자를 굳게 모아서 힘을 짓게 할 것이요, 둘째는 그리하여 아무 생각 없이 그저 횡포와 전횡을 삼는 '요시다' 일파를 억누를 것이다. 이리하여 첫째로 그는 노동판에 흔히 있는 '형제노름'이라는 것을 꾸미게 되었다. 목도, 남포, 칠공, '도비' 토공 사이에서 좀 웬만한 사람 한 백 명을 모아 가지고 형제노름이라는 구두(口頭)모임을 만들어 제일 나이 많은 사람을 장백(長伯)으로 그는 부장백으로 뽑히었다. 그는 부장백일지라도 운전은 대개 그가 하였던 것이다.

그러자 그 후 얼마 아니하여 그 고향인 향리(창리)에 소작문제가 일어남에 그는 함흥에서 선배들을 불러다 그 선후책을 의논하게 되었다. 즉 그 사건인즉 창리에 있는 질소회사 땅 구만여 평을 함흥 한 부자가 화리로 사 가지고 일 년 후 만에는 한 평에 이 전 받던 소작료를 평균 삼 전 오리가량으로 올리게 되어 소작인들은 도저히 부지할 수 없게 되었는데 처음은 소작인 각 개인이 제 좋을 도리로 회사와 김 부자에게 애걸하였으나 완강히 듣지 않으므로 그렇게 해서는 도저히 안 될 것을 안 그들은 소작 전대의 문제로 드러내 놓게 되었다. 그리하여 명호도 알게 되어 여러 선배들과 합의한 후 우선 개인××으로 안 될 것을 점치고 이어 창리 농민회를 소작조합으로 고쳐 가지고 대표 몇 사람을 회사에 보내어 김 부자에게 준 영소작권을 조합으로 도로 달라는 것을 짓궂이 여러 번 요구하는 일방, 김 부자에게 제가 가진 영소작권을 포기하도록…… 하게 되었다. 처음은 김 부자가 듣지 않았으나 마침 조합 총회날 덜미를 잡혀 회장에 끌려 온 김 부자는 영소작권 포기를 언명하지 않으면 안 되게 되었다. 이리하여 창리조합은………… 그것이 기회가 되어 명호와 몇몇 좀 생각이 났다는 사람—대개는 '형제노름'의 웃수질을 하는 사람들이………… 지도하던 '내호 노동회'라는 것을 …………. 처음은 형제놀음에 참가한 사람 외에 한 이백 명 넣어서 약 삼백 명의 회원을 가졌었으나 그것이 명호 등 몇 사람의 애씀으로 말미암아 일 년 안에 천 명에 가깝게 되었다.

이러한 관계로………… 실로 끊을 수 없는 인연이 맺히게 되었다. 그리고 이 지방 노동자가 대개는 이 근방 농민이었던 것도 이들의 관계를 가깝게 하는 데에 유력한 사실이었다. 농민들은 노동자를 옛날 같은 농민이었던 관계로 역시 일종의 농군같이 생각하였고 노동자는 오래 농촌에 목숨을 붙여 살았던 관계로 농촌을 아주 버리고는 살기 어려울 것같이 생각하였다.

"정 안 되면 노동이라도 하지."

"수 틀리면 농군질이라도 머슴질이라도 해먹지."

농군과 노동자의 이런 생각이 그들의 사이를 아주 가르지 못하게 하였다.

4

어저께 중씨름 비교에 창리 사람—더욱이 조합 간부의 한 사람인 춘성이와 맞붙게 되었을 때에 명호는 제가 져주리라는 것을 속으로 작정하고 춘성을 보며 픽 웃었다.

물론 개인간의 우정 관계와 군중심리에 싸여 있는 명호는 제가 이기고 싶은 생각도 없지는 않았으나 그 욕심은 중상을 타면 상상을 못 한다는 생각과 내일 상상을 탈 자신으로써 누를 수가 있었다.

그러나 그는 이 씨름판을 그저 지고 이김으로써 막아 버리고 싶지 않은 호사벽이 나서 여러 가지 생각하던 차에 준결승 조금 앞두고 씨름판에서 임시로 등사해 내는 『각희시보(脚戲時報)』로 그의 선배 E군을 찾아갔다. E는 함흥 창리 소작조합과 내호 노동회를 만들 때에 '올가나이사'의 한 사람이었다.

"여보 이거 무슨 도리가 없소, 그저 헤어지기보담…… 당신도 이런 데 참견하는 무슨 의의를 뵈여야지 않소."

"옳지…… 무슨 생각을 했소? 내가 미리 생각했던 것은 『각희시보』에 대강 써 돌렸는데………… 그도 꺾기운 데가 많지만……."

E군은 북두갈구리 같은 명호의 손을 잡아 흔들며 잉크 묻은 손을 꺼리듯이 소매 끝으로 이마의 땀을 씻었다.

"소는 내가 걸고 가지………… 물론 탈 테니까."

"아니 그렇잖은 사정이 있소. 저 춘성이에게 보내고 싶어."

"춘성이?………… 오—상상이 타구파서?"

"흥 그야 모르지………… 그러나 나와 비교에 붙으면 중상은 춘성에게 밀겠소. 소 판 돈은 전부가 아니라도 조합에 보태 쓴다는 조건을 붙여서……."

"아, 그도 좋지 좋겠소."

"그러고 또…… 할 무슨……."

"……? 물론 좋은데………… 시보에다도 쓰려니와………… 그럼 이럭합시다. 각각 회명(會名)을 쓰고 회원 수와 선수의 이름을 쓰고 몇 가지 '슬로간'이나 붙여서 돌리지. …………이니까 결국……."

"글쎄 무슨 도리든 있겠지………… 한데 우리 회의 것도 돌린다? 지면 모양 사나운데."

"뭘 내일 상상만 타면 그만이지. 자아, 그럭합시다."

이리하여 누가 중상을 타나 씨름판으로 맹렬한 주목이 쏠리는 막판에 백로지(널판에 붙인) 전장에 붉고 검은 글자로 굵게 쓰인 두 '포스터'가 군중의 시선을 더욱 집중시키며 장내로 두서너 번 돌아갔다. 그러자 조금 있다가 물 끓듯 끓어 번지던 소리가 그치고 손에 땀을 쥔 채 하회를 기다리는 비교의 씨름이 열리었다.

"창리가 이기나? 내호가 이기나?"

"창리가 이겼으면."

"내호가 이겼으면."

군중은 더욱 손에 땀을 쥐고 마음과 몸을 한껏 긴장시켰다. 내호공장이 파하는 여섯시가 넘어서부터는 내호 바닥 수천 노동자가 물밀듯 몰려들었다. 그 중에도 제일 거센 목도패는 맨선코를 차고 벌써 장내의 한모퉁이를 점령하여 버렸다. 노동회의 회원은 물론 그 밖의 노동자들까지도 전부 명호가 이기기를 바랐었다.

"내 힘을 재게다 갔다 붙여 주는 수 있었으면—."

"저녁석(축성)아 겁이나 집어먹지…… 실수는 안 하나."

멋모르는 패들은 신이 나서 온 힘을 썼다. 어떤 군은 명호를 지우는 자가 있으면 때려 박을 생각도 하였다. 그리고 무엇을 든든히 감시하듯이 우 떼를 지어 몰려 서서 하회를 기다렸다. 그 얼굴 몸들은 몹시 긴장되었었다. 명호에게 대하여 어찌 얼핏 건드리기만 하면 당장 야단이 날 것 같았다.

그러나 명호는 벌써 몇몇 동무를 불러다 중상을 양보하는 여러 가지 사정을 말해 주었다.

이리하여 중상은 춘성에게로—아니 창리 소작조합으로 돌아갔다. 기왕 양보를 하면 춘성이 개인에게 보낸 게 아니라 조합으로 보내어 그만치…… '센세이션'을 올리자는 것이 명호와 E 그 외 몇몇 사람의 뜻이었다. 조그만 일이지만 계획하고 한 일이요, 계획대로 마친 것이 그들을 퍽 만족하게 하였다.

창리 사람들은 씨름판으로 와 몰려 들어와 꽹쇠도 울리며 노래도 불렀다. 혹은 상소를 타고 임시로 만든 조합기를 들고 기단 자리를 부르며 돌아갔다. 혹은 특상(特賞)에 나간 무명필을 떼어 여러 사람이 갈라 들고 굿거리 춤들을 추었다.

끝으로 '조합만세'를 세 번 부르고 헤어졌다.

5

그런데 오늘 장 씨름에는 어저께 뵈지 않던 생씨름꾼이 많이 왔다. 명절이 되어서 각 군데서 씨름을 하는데 어저께 다른 데에서 중상을 타고 오늘 여기 와서 상상을 타려고 온 군이 있었다. 그리하여 오늘 자웅을 다

툴 오통 군중에는 생낯이 많았다.

바로 통씨름이 시작되기 전에 또다시 어제와 같은 '포스터'가 돌아갔다. 그러나 오늘은 내호의 것 하나뿐이었다.

때는 벌써 여섯시가 넘어서 내호의 바닥 노동자들이 패패 떼를 지어 들었다. 얼른 보아도 눈에 띄일 만치 서북쪽에는 그들만이 몰려섰다. 가끔 그들이 명호를 보고 응원하는 우렁찬 떼소리가 울렸다.

"늬들 세상이구나."

혹 속으로 '흥!' 하고 우습게 생각하는 사람이 없는 것이 아니다. 그러나 그들의 눈에 띄일 만치 내놓은 사람은 하나도 없었다. 그랬다가는 당장 주먹 벼락이 떨어질 것 같기 때문이다.

"말 마라. 깔볼 패들이 아니다" 하는 공포가 더하기 때문이다.

삼 년 전까지 어줍잖게 보아 넘기던 노동자들을 지금 이렇게 무서워할 쯤해서는 내년, 후년, 후후년쯤에는 어찌 될는지를 알 수 없는 것이다. 여기 모인 사람들은 누구나 이 거리가 그들의 거리인 것과 그들의 등살에 건드릴 수 없는 것을 생각지 않을 수가 없었다.

씨름은 시작되었다. 서른둘이 열여섯이 되고 열여섯이 여덟이 되었다. 승부가 날 때마다 군중은 저도 모르게 힘을 주는 "야!" 하는 소리를 내었다. 더욱 명호가 샅바를 꿰자 상대자가 몸에도 붙지 못하게 껑충 추켜 열십 자로 떠치는 때마다 통쾌한 부르짖음이 사람 사람의 뱃속에서 저절로 튀어나왔다. 승부가 끝나면 사이다를 떼어 그의 얼굴에 끼얹어 주고 먹여 주는 사람도 있었다.

그리고 가끔 '포스터'와 『각희시보』가 장내로 돌아갔다. 그럴 때마다 명호를 모르는 사람도 그를 아는 체하고 회원이 아닌 사람도 그와 같은 회원인 체 그와 노동회에 대하여 뭐라고 왈왈거리기도 하였다. 그리고 일개의 홀몸으로는 염도 할 수 없는 대우를 명호가 회원으로서 받는 것을 볼 때에 순박한 농민들까지…… 개인보다 훨씬 이상인 것을 희미하게나마 생각지 않을 수가 없었다. 그만치 부러운 무엇이 가슴에 떨어지는 것 같았다.

그러나 이들(통씨름꾼)이 넷이 되는 때에 뜻하지 않은 조그만 불상사가 '요시다' 일파의 손에서 장내에 일어나게 되었다. 그것은 그들의 패중에서 단 하나 뽑혔던 선수가 북간도에서 일부러 왔다는 백 장군이라는 상대자에게 볼 것 없이 참패를 당한 데에서부터 시작되었다. '요시다'는 보이지는 않았으나 그 부하 수십 명이 장내에 꾸지르고 들어와 심판이 글렀느니 샅바를 꿰지 않은 것을 메어쳤느니 하여 가지고 생지번질을 하였다. 그때에 첫째로 이것을 제지하여 그들의 앞에 막아선 사람은 명호였었다. 그러자 뒤미처 명호네 일파가 장내를 어지럽게 하는 그들을 구경림에까지 밀어내었다. 그러나 같은 노동자로서 그들의 감정을 상하지 않을—말리는 사람으로서의 정당한 태도를 잃지는 않았다. 조금이라도 훈련된 노동자의 힘과 특색은 거기에서도 찾을 수가 있었던 것이다. 아무 이로움이 없는 공연한 트집—그것이 아무리 순간의 것이요 조그만 것이라도 그 때문에 온 군중의 미움을 받을 것을 그들은 생각지 않을 수 없었고 또 비록 '요시다' 일파가 한 일이라도 그것이 다른 노동자들에게 나쁜 평판을 주게 될 것을 알고 있었다. 그리고 그들의 야료를 자기들이 아니 말릴 수 없는 것과 또 마땅히 그런 것을 제지해야 될 것을 알고 있었다. 그리하여 마땅한 일에 마땅한 힘을 쓰는 노동회와 공연한 일에 공연히 우락부락하는 그들의 빛깔은 여기서도 갈리게 되었다. 그리고 마땅한 힘은 마땅찮은 트집을 이길 수까지 있었다. 장내는 정돈되었다.

씨름은 시작되었다. 넷이 둘로 되었다. 명호와 백 장군이 비교에 붙게 되었다. 두 사람은 걸상을 마주하고 앉아 최후의 승부를 다툴 얼마 사이의 휴식을 얻고 있었다. 색주가 둘이 각각 두 사람 앞에 나서 맥주 한 잔씩을 권하고 부채질을 슬슬 해 주었다.

해는 넘어가서 날은 점점 어두워 왔다. 그래도 주최자들은 씨름 붙일 염을 안 하고 무슨 여흥을 키우자는 상의였다. 이것은 될 수 있는 대로 씨름을 늦게 떼어서 이 거리에 자는 사람을 많게 하여 한 푼이라도 더 울궈내자는 씨름판에 항용 있는 장사치의 버릇이다. 주최자가 대개 그런 사람들이었으니만치 씨름판은 늦어 터질 상이다.

"자아 여흥은 후에 하고 씨름부터 합시다."

명호는 떠들썩하는 노동자들을 한 손으로 제지하고 샅바 거는 왼팔의 수건을 다시 죄어 매며 일어섰다. 샅바를 끼고 땅에 떨어진 붉은 끈을 잡아다 머리에 매며 백 장군을 흘끔히 건너다보았다.

"옳다. 얼른 앵겨라."

노동자들을 선두로 고함이 터졌다. 백 장군도 일어섰다. 적수에게 기세를 눌리지 않으려고 일어나자 푸른 끈을 머리에 동이며 벗지르고 섰다.

그때는 좀 어두워서 수다한 횃불을 든 사람이 씨름판 주위에 빙 돌아섰다. 두 사람의 모양이 횃불에 비쳐 붉게 보였다. 장내는 잠자코 긴장되었다.

두 사람은 마주 섰다. 구 척 같은 백 장군의 키는 명호보다 한 자나 커 보였다. 씨름은 붙었다. 그러나 어찌 된 셈인지 붙자마자 명호는 스르르 왼팔을 짚고 앉아 버렸다.

"샅바를 안 꼈다. 물시다."

"그놈 죽여라."

이런 소리가 터졌다. 아닌게아니라 명호는 샅바를 완전히 끼지 않았다. 그러나 손을 건 것만은 사실이었다. 워낙 나이 먹은 백 장군은 명호의 비호 같은 재간을 무서워하였던 탓으로 불빛에 땅에 비치는 그림자를 보고 명호의 손을 샅바에 대이기 무섭게 들어친 것이다. 명호는 들어치는 힘을 피하여 재빠르게 모로 빠지다가 땅을 짚어 버린 것이다.

"상관없어. 끝까지 봐야 알지."

명호는 총대같이 손을 내밀며 격앙한 군중—노동자들을 제지하였다.

"내가 실수했어 ………… 적어도 노동회의 선수다. 당당하게 ………… 제군에게 맹세한다. 앞으로 네 판이 남았으니 염려 마라."

명호도 아닌게아니라 홍분이 되었다. 그러나 어쨌든 자기의 실수다. 그는 땅을 굴러 다리에 힘을 주고 자신이 있으니만치 숨 쉴 사이 없이 달라붙었다. 맞붙자 잽싸게 떠서 배지를 차려 하였으나 워낙 힘이 세고 키가 커서 쉽사리 넘어가지 않았다. 그러나 "와—" 하는 노동자의 고함 소리에 재차 떠서 왼배지기로 넘기다가 들낙수거리를 걸어 죽어라 하고 들이쳤다. "얏!" 하는 군중의 툭 끊어지는 소리와 같이 백 장군은 두꺼비처럼 그의 몸에 깔려 버렸다.

"요. 명호 군."

명호가 일어나기가 무섭게 이렇게 소리를 외치며 달려들어 손을 잡아 흔드는 사람은 그의 눈을 놀람으로 두 번 거듭 뜨지 않을 수 없게 하였다.

'요시다가? 요시다가?'

이런 생각이 번개같이 가슴을 울리고 배에 반향하였다.

"오! 이게 화춘(요시다의 본이름) 군이 아닌가" 하고 명호도 부지중에 외쳤다.

딴 패를 지어 가지고 일일이 방해하던 그, 그러나 어떻게 해서라도 동화를 시키려던 그, 손만 맞잡으면 큰 힘이 되리라던 그, 그러나 좀체 나오지 않던 그—화춘이가 자기 왼손을 잡고 달려드는 것이 이상하고도 감격에 넘치는 일이었다. 그는 무슨 못된 의식의 뿌리가 깊어서 일일이 엇간 것이 아닌 줄은 잘 안다. 다만 패가 많음을 믿고 그 세력을 언제까지든지 부지하려고 패를 지어 가지고 심하면 '테러' 행동까지 가리지 않는 그다. 그러나 노동회가 차차 커가고 힘차 갈수록 그는 은근히 이 편에 대하여 삼가는 폭이 늘어갔다.

'그도 그지만 그가 거느린 수백 명 노동자가 문제다. 모두 끌어넣어야 한다.'

명호의 머리에 다시 이런 생각이 번쩍 할 때에 그는 씨름이 한 의미 있는 '모멘트'가 된 것을 무엇보다 기쁘게 생각지 않을 수 없었다.

"화춘이 소는 자네가 타고 가세."

"뭘, 내가 한턱 함세."

이런 말을 마쳤을 때야 백 장군은 툭툭 털며 일어났다. 그러나 세 번째 맞붙는 그는 벌써 명호의 적수가 아니었다. 세 번 거듭 명호의 어깨 위로 그의 길다란 다리가 휘적 하고 넘어가자 오판 삼승으로 결승은 끝났다. 노동자들은 고함을 치며 우아 몰려들었다. 화춘의 소리는 더욱 높았다. 술이 얼큰한 불긋불긋한 얼굴에 고함을 칠 때마다 목줄 시퍼런 살진 지렁이같이 펄떡펄떡 일어섰다.

그리고 그들의 뭇손이 삼림과 같이 하늘에 비칠 때마다 고함 소리와 함께 그 손 위에 가로누운 명호의 몸이 군중의 눈에 똑똑히 보였다.

"×××××××" 소리가 무거운 저녁 하늘을 울렸다. 잇달아 명호의 소리를 선두로 "×××××××" ××××× 간이 우박같이 쏟아졌다.

"어쨌든 유쾌했어. 아마 씨름판으로는 첫 시험일걸."

명호는 만족하였다. 숨이 질 듯이 좋아라 날뛰는 화춘이의 어느새 목이 꽉 쉬어진 그 열끓는 목소리를 들을 때에…… 움직이는 재같이 에워싼 노동자의 분류(奔流)를 볼 때에 그는 더할 수 없이 기뻤다.

"새 법을 내왔으니 자꾸 펴지겠지."

"참, 장수야, 인저 오야가다(두목)로 모심세."

화춘은 명호의 하는 말을 잘 알아듣지 못하고 그저 감격에 넘쳐 있었다.

"암, 그래야 하는 거야. 그저 의미 없이 헤어진다면 아무것도 아니니까."

길다맣게 늘어서서 돌아오며 화춘은 명호와 여러 사람에게 말하였다.

"이번은 명호 군한테 많이 배웠는데………… 몸소 그 일을 해 보는 사람이라야 그 일에 대한 참된 생각을 한단 말이 꼭 옳아. 난 씨름꾼이 아니니까 그런 생각을 먼저 못 했거든……."

"하………… 고이찮았지? 남들이 위선 인정이라도 해야 하는 거니까."

"선전은 잘 되었어………… 지금 생각하니 그 많은 사람을 그저 돌려보낸다는 것이 우리로서 너무 무책임한 일이야."

"위선 존재부터 알게 되어야………… 뒷일이 쉬우니까."

명호는 다시금 화춘을 쳐다보았다. 이때 이상하면서도 만족한 생각이 차차 넘쳤다.

"여보게 화춘 군! 마지막 세 치는 자네 응원바람에 이겼네. 자네 쇠일세."

"소를 잡고………… 술은 내가 냄세."

"아니 그런 게 아니야, 술은 자네가 내게, 찬성일세. 그러나 쇠는 ………… 이렇게 하세. 원산으로 보내세. 팔아 ………… 알 주고 나중에 닭 먹는 격으로 그게 곧 우리의 살 일일세."

그날 밤 명호와 그 외 몇몇 사람이 화춘의 집에 모여 간담을 헤치고 술을 나누었다. 꼬물꼬물한 선비들과 달라서 그들은 싸움하듯이 뚝딱 말을 주고받고 하는 사이에 소격하였던 감정이 봄 어름같이 풀려 버렸다. 물론 감정이 풀리고 따라서 합할 수 있는 조건이 피차에 있었던 것은 사실이다.

6

그 후 얼마 아니하야 ………… 위원의 한 사람으로 화춘이도 뽑히게 되었다. 따라서 이때까지 그와 같이 테 밖에서 돌던, 근 이백 명 부하들도 전부 입회………… 해 버렸다.

그러나 화춘이가 이렇게 된 동기는 결코 우연한 데 있지 않다. 씨름이 그 죄라면 죄였겠지만 그 전에 벌써 화춘은 노동회로 동화되지 않으면 안 될 여러 가지 사정이 있었다.

노동계가 조직된 후 그것이 점점 더 위 잡혀서 낱낱이 헤어져 있을 때처럼 훌훌이 보아 넘기지 못하게 된 때에 ……… 이때까지 제일 무섭게 알던 화춘의 일파 이상으로 시끄러운 천여 명의 뭉치(………………)가 귀감을 볼 때에 화춘에게 대한 회사의 전망과 기대는 점점 엷어져 갔다. 노동회 조직 당시에 화춘을 보내 놓고 여전히 베개를 높이 하고 자던 기름진 사람들은 헛물을 켜고 돌아온 화춘에게 몇 푼의 인사에다 보다 더한 냉소를 붙여 주었다. 그리하여 차차 노동회에 대한 감시가 커지고 화춘에게 대한 배념(配念)이 줄어들지 않을 수 없었다. 화춘은 추위의 나라로 밀려가는 한란계의 수은같이 점점 내려눌림을 깨달았다.

요전 내호공장과 자매관계 있는 신흥회사에 불이 붙어서 거기 종사하던 사오백 명의 노동자가 졸지에 벌이를 잃게 되었을 때의 일이다. 명호와 몇 사람은 그 실업군을 어떻게 해서든지 도와주지 않으면 안 되리라고 하였다.

그때 마침 이러한 사정이 있었다. 내호공장이 이리로 들어설 때 본래 그 자리에 있던 한 동리가 온 동리를 떠메고 거기서 오 리나 되는 해변가인 구룡리로 옮겨 가지 않으면 안 되었다. 물론 옮아 가는 데에는 몇 가지 조건이 있었다. 구룡리에다 내호만 한 항구를 쌓아 주고 시장을 만들어 주고 함흥 방면으로 가는 큰길을 내어 고기수레, 짐수레가 맘대로 다닐 수 있게 해 준다는 외에도 무슨 학교니 무슨 우편소니 하였다. 그러나 삼 년이 되어도 하나 시원히 된 것이라고는 없었다. 구룡리 앞 포구에다 쉰 아무 발 되는 방축 두 개를 쌓아 주었을 뿐이다. 그러나 그 사이에 배를 매면 방축과 얕은 여울에 배 밑이 긁혀 못 쓰게 되고 풍랑이 심한 때는 매었던 배가 끊어져 나가거나 뒤집혀지거나 해서 옮겨 올 때의 배(船) 마흔다섯 척에서 아홉 척이나 부서지고 사람이 셋이나 죽고 싣고 왔던 명태와 도루메기를 몇 배나 엎질렀는지 모른다.

이리해서 백성들이 밤낮 회사에 몰려와 울며불며 곡달을 하나 들어줄 생각도 안 내는 상이었다.

"도청에서 그렇게 설계(設計)했기에 우리는 그렇게 축항했을 뿐이다."

이러한 말로 차 버렸다. 그리하여 대표들은 도청에 가서도 말해 보고 그때 "제이 인천이 된다"고 풍을 치고 나서 홍정을 붙이던 소위 유지들에게도 악을 써보았으나 뜻대로 되지 않았다. 다른 것은 다 그만두어도 항구만 만들어달라 하였으나—그리고 그것만은 그럼직 하다고 도청과 경찰측에서도 회사에 말해 보았으나 회사는 관청 같은 것도 아주 우습게 알고 코로 겪어 내떨이는 모양이었다. 그리하여 이천 명 백성은 각각으로 생활의 위협을 받게 되었다. 되나 안 되나 대표들은 끊일 사이 없이 회사와 관변으로 쏘다니었다.

"설계를 잘못한 탓이다. 거기 가서 고치도록 해야 한다."

명호와 몇 사람은 구룡리 대표를 만나 이런 말을 했다. 그리고 대표고 뭐고 할 것 없이 계집 사나이 어른 아이 모조리 며칠이든지 ………… 보는 것이 좋다. 그리하여 이천 명 백성이 두 번이나 도청에 쇄도하였다. 이런 의견이 들어맞았던지 도청에서 나서서 설계를 다시 하고 다시 축항하게 되었다.

그리하여 내호공장에서는 노동자를 더 쓰지 않으면 안 되게 되었다. 따라서 이것이 신흥회사 노동자의 실직을 구하는 길이 되었다. 그때도 '요시다'가 우도궁이라는 일인 청부업자를 끼고 그것을 청부하려다 그만 밀려 버렸다.

회로서 회사에다 "자매관계에 있던 노동자요 또다시 건축하고 공사를 시작하면 아무래도 써야 한다"는 것을 요구하여 회사에서도 그것이 온당하다는 의미로 그리하였던 것이다. 청부는 누구에게 주든지 노동자만은 그 사람들을 쓰기로 되었다. 단시일에 도거리로 돈을 벌어 볼까 하던 '요시다'는 그 부하들을 축항에 붙일 수가 없게 되었다. 그리하여 밖으로 세력이 눌렸을 뿐 아니라 안으로는 부하들한테도 신임을 잃게 되었다. 그러나 반면에서 노동회는 사백 명의 신회원을 잡았고 그만치 힘과 범위가 커졌던 것이다.

"그 일은 예사로운 일과는 다르다. 적어도 없는 사람을—없는 사람—이 천의 백성을 구하는 일이다. 성심성의로 빨리 완성하지 않으면 안 된다."

이것은 대회석상에서의 명호의 부르짖음이었다. 그리고 그 축항에 대한 대개의 전말을 일일이 말하였다. 따라서 노동회는 날로 이 근방 민중의 ………… 수 있었다. ××××가 일어났을 때에는 노동회에서는 ………… 아무리 유혹이 많고 돈을 많이 준대도 가지는 말 것과 될 수 있는 대로 널리 가는 사람이 없도록 선전할 것과 만일 여기에 대한 '스캡'이 생기는 때는 적극적으로 부수자는 것과 돈을 보낼 것을 결의한 때에도 화춘 일패는 물론 끈 떨어진 드벵이처럼 테 밖에 따돌리었다. 아니 따돌렸다느니보다 위협의 선사가 갔다.

"가면 맞아 죽는다."

"거기에는 예보다 ………… 되어서 가도 발붙일 곳이 없다 ……… 몟은 벌써 사등이가 부러졌다드라."

"요전에 간 노동자는 징역살이하는 심이래—가도오도 꼼짝 못 하고."

이런 소리만이 그들의 귀에 굴러 들어왔다. 협의가 아니라 위협밖에 생기지 않는 돌리운 그들이었다.

그뿐이 아니다.—회로서 노동자를 모조리 끌어넣어 가지고 그리를 거쳐서만 일자리를 붙게 하자는 것이며 그리해야 삯전이고 시간이고 드나가는 것이고 모두 조절하는 세력을 짓자는 이것이 회에 들지 않고는 앞으로 벌이가 맘대로 안 되리라는 것과 벌이를 한대도 맨 헐값으로 헐궂게 지내지 않으면 안 되리라는 것을 들으매 화춘이도 심사가 편할 수는 없었다. 차차 되어가는 품을 보아도 그런 소문이 거짓말 같지는 않았다. 또 그 회는 다만 혼자가 아니라 여러 곳 위의 단체는 물론 다른 여러 단체며 신문지국 같은 것과도 서로 기맥을 통하여 두루두루 버틸 배경이 풍부한 것을 들으매 제가 설 곳이 점점 쪼그라드는 것 같았고 제게 생길 부분이 시시로 말라가는 것 같았다.

그리하여 술을 양껏 먹고 주정질을 해 보아도 그렇다고 시원한 금세가 나는 것도 아니었다. 울며 겨자 먹기로 노동회에 가까워 볼 생각이 가끔 나지 않는 것이 아니나 일곱 살부터 삼십의 고개가 넘도록 대판 신호 등 노동판에서 불리운 강직한 마음은 훌훌이 남에게 머리를 숙이지 못하게 하였다.

그리고 더욱 그의 마음을 괴롭게 한 것은 전과 같이 그 부하를 비교적 쉽고 삯이 많은 일터에 척척 붙여 줄 수도 없고 그만치 부하의 믿음과 바람도 엷어져 가는 것이었다. 그것이 제일 괴로웠다. 발붙이는 곳이 무너질 것 같았고 올라선 배의 밑에 물이 괴는 것 같았다. 이십 년 동안 쌓이고 쌓인 죽음도 끔찍하지 않다는 굳은 노동자의 배짱도 이 불안의 칼날에는 한 점씩 도려지는 것 같았다. 그러니만치 그 반면에서 회의 명령에 오지오지 신종하는 패들을 볼 때에 자기도 그런 회의 간부가 되어 보았으면 하는 욕심도 났다. 우습게 생각던 회가 이렇게 자기를 누르고 자기의 마음을 끌어당길 줄은 꿈에도 몰랐던 것이다.

그러던 그는 홧김에 술이 얼근해 가지고 시름판에 뛰어들었다가 명호의 쇠 같은 몸이 비호같이 날숫는 것을 보고는 배 밑에서부터 감격이 끓어올랐던 것이다. 웅변보다는 글보다도 미인보다는 재간보다도 노동자의 마음을 끓게 하는 데에도 힘이 으뜸이었다. 백 마디 말보다도 씨름 한 판이 대번에 화춘의 마음을 끓게 하였던 것이다. 백 장군이 꽝 하고 나자빠지자 화춘은 부지중 뛰어들었다.

그리하여 그날 밤 그들은 간담을 헤치고 새로운 출발—동행의 길을 찾아갈 수가 있었던 것이다. 이렇게 되게 한 원인은 물론 씨름에만 있지 않았지만 그들의 숨은 감정의 두께를 열어젖뜨린 것은 씨름이었던 것이다.

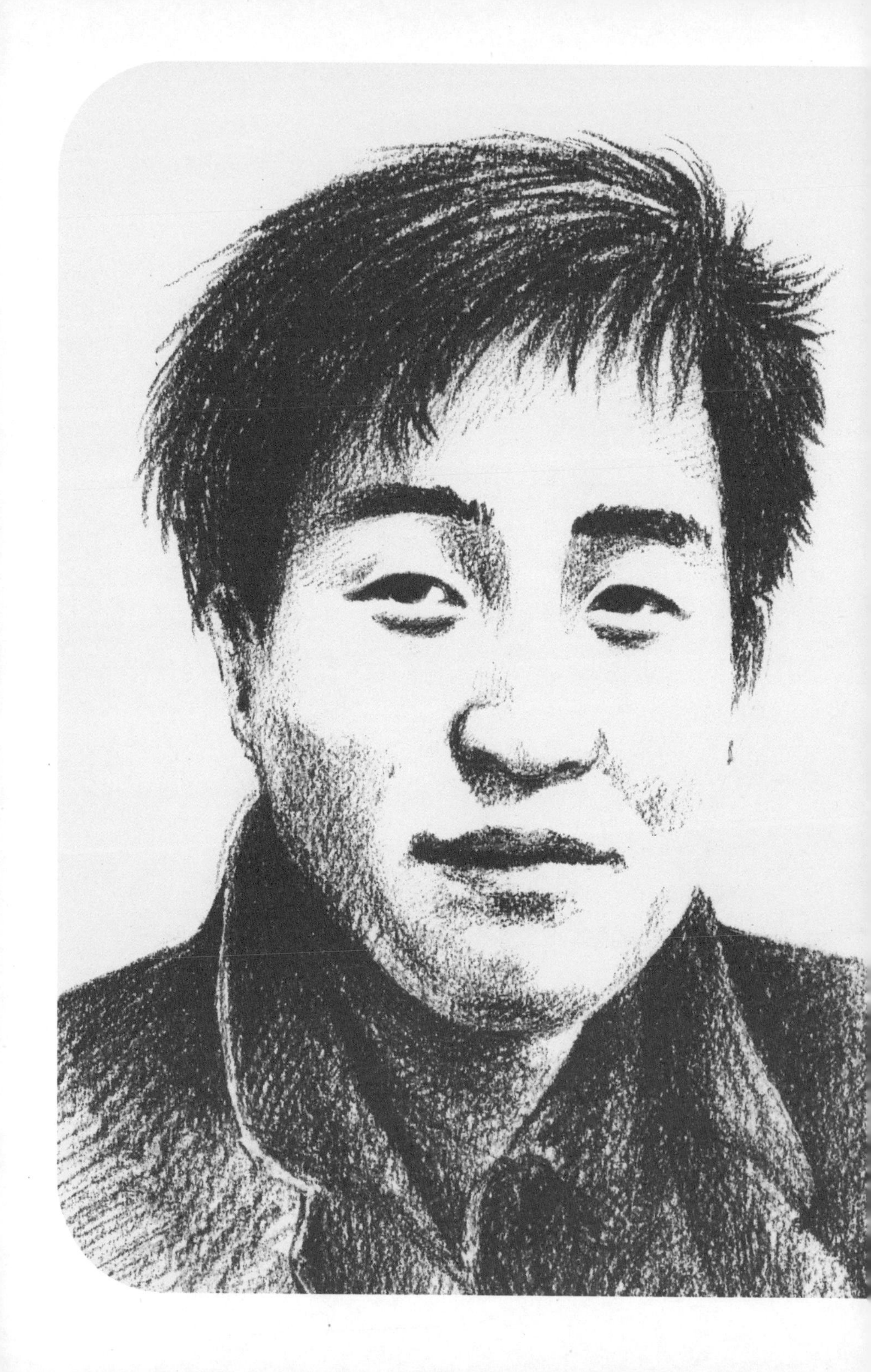

서울 1964년 겨울

김승옥
(1941~)

김승옥(1941~)은 1962년 『한국일보』 신춘문예에 「생명연습」이 당선되어 등단했다. 1960년대의 문학을 이야기할 때 대표적인 작가로 뽑히는 그의 작품으로는 「무진기행」, 「서울 1964년 겨울」, 「내가 훔친 여름」, 「60년대식」 등이 있다.

그의 작품들이 갖는 큰 의미는 한국전쟁이 가져다 준 1950년대의 전후적 상황에서 새로운 시대로 접어드는 출발점이 되었다는 점이다. 다시 말해 김승옥의 작품은 우리 문학이 빠져 있던 전쟁의 참상, 그리고 그에 따른 의식의 혼돈 등에서 벗어나 새로운 삶의 모습을 찾으려 하고 있다는 점에서 평가를 받는다. 그것은 새로운 인간형의 모색이라 할 수 있는 것으로 엄청난 상황 속에 던져진 무기력하고 체념적인 인간에서 자기 현실을 바로 보고 자신의 문제를 확인하려는 진지한 인간으로 소설의 주인공이 바뀌어 간다는 사실이다. 「60년대식」이나 「내가 훔친 여름」 등에서 우리는 우리 사회의 모습을 객관적인 위치에서 새롭게 설정하려는 작가의 호기심과 노력을 잘 볼 수 있다.

「서울 1964년 겨울」은 1965년 『사상계』에 발표되어 동인문학상을 받은 작품이다. 특별한 사건이 없는 작품으로 우연히 만난 세 사람이 하룻밤 사이에 겪는 일들을 세밀하고 감각적으로 그리고 있다. 꿈틀거리는 것들에 대한 이야기나 자기만이 알고 있는 이야기들, 어찌 보면 무의미한 대화들 속에서 그들은 단절되고 고립된 개인임을 확인한다. 어떤 개인에게는 죽음에 이를 만큼 큰 사건도 그 사람만의 문제일 뿐이다. 개인 대 개인의 관계가 상실된, 곧 우리라는 연대감을 잃어버린 세대가 의식의 흐름 속에 전개되고 있다. 그러나 이들이 느끼는 막연한 두려움 속에서 우리는 작가의 암중모색을 느낄 수 있다.

1964년 겨울을 서울에서 지냈던 사람이라면 누구나 알 수 있겠지만, 밤이 되면 거리에 나타나는 선술집—오뎅과 군참새와 세 가지 종류의 술 등을 팔고 있고, 얼어붙은 거리를 휩쓸며 부는 차가운 바람이 펄럭거리게 하는 포장을 들치고 안으로 들어서게 되어 있고, 그 안에 들어서면 카바이트 불의 길쭉한 불꽃이 바람에 흔들리고 있고, 염색한 군용 점퍼를 입고 있는 중년사내가 술을 따르고 안주를 구워 주고 있는 그러한 선술집에서, 그날 밤, 우리 세 사람은 우연히 만났다. 우리 세 사람이란 나와 도수 높은 안경을 쓴 안(安)이라는 대학원 학생과 정체는 알 수 없지만 요컨대 가난뱅이라는 것만은 분명하여 그의 정체를 꼭 알고 싶다는 생각은 조금도 나지 않는 서른대여섯 살짜리 사내를 말한다. 먼저 말을 주고받게 된 것은 나와 대학원생이었는데, 뭐 그렇고 그런 자기소개가 끝났을 때는 나는 그가 안씨라는 성을 가진 스물다섯 살짜리 대한민국 청년, 대학 구경을 해 보지 못한 나로서는 상상이 되지 않는 전공(專攻)을 가진 대학원생, 부잣집 장남이라는 걸 알았고, 그는 내가 스물다섯 살짜리 시골 출신, 고등학교는 나오고 육

군사관학교를 지원했다가 실패하고 나서 군대에 갔다가 임질에 한 번 걸려 본 적이 있고 지금은 구청 병사계(兵事係)에서 일하고 있다는 것을 아마 알았을 것이다.

자기소개들은 끝났지만 그러고 나서는 서로 할 얘기가 없었다. 잠시 동안은 조용히 술만 마셨는데 나는 새카맣게 구워진 군참새를 집을 때 할 말이 생겼기 때문에 마음속으로 군참새에게 감사하고 나서 얘기를 시작했다.

"안 형, 파리를 사랑하십니까?"

"아니요. 아직까진……."

그가 말했다.

"김 형은 파리를 사랑하세요?"

"예"라고 나는 대답했다.

"날 수 있으니까요. 아닙니다. 날 수 있는 것으로서 동시에 내 손에 붙잡힐 수 있는 것이니까요. 날 수 있는 것으로서 손 안에 잡아 본 적이 있으세요?"

"가만 계셔 보세요."

그는 안경 속에서 나를 멀거니 바라보며 잠시 동안 표정을 꼼지락거리고 있었다. 그리고 말했다.

"없어요. 나도 파리밖에는……."

낮엔 이상스럽게도 날씨가 따뜻했기 때문에 길은 얼음이 녹아서 흙물로 가득했었는데 밤이 되면서부터 다시 기온이 내려가고 흙물은 우리의 발밑에서 다시 얼어붙기 시작했다. 소가죽으로 지어진 내 검정 구두는 얼고 있는 땅바닥에서 올라오고 있는 찬 기운을 충분히 막아내지 못하고 있었다. 사실 이런 술집이란, 집으로 돌아가는 길에 잠깐 한잔하고 싶은 생각이 든 사람이나 들어올 데지, 마시면서 곁에 선 사람과 무슨 얘기를 주고받을 만한 데는 되지 못하는 곳이다. 그런 생각이 문득 들었지만 그 안경잽이가 때마침 나에게 기특한 질문을 했기 때문에 나는 '이놈 그럴 듯하다'고 생각되어 추위 때문에 저려드는 내 발바닥에게 조금만 참으라고 부탁했다.

"김 형, 꿈틀거리는 것을 사랑하십니까?" 하고 그가 내게 물었던 것이다.

"사랑하구말구요."

나는 갑자기 의기양양해져서 대답했다. 추억이란 그것이 슬픈 것이든지 기쁜 것이든지 그것을 생각하는 사람을 의기양양하게 한다. 슬픈 추억일 때는 고즈넉이 의기양양해지고 기쁜 추억일 때는 소란스럽게 의기양양해진다.

"사관학교 시험에서 미역국을 먹고 나서도 얼마 동안, 나는 나처럼 대학 입학시험에 실패한 친구 하나와 미아리에서 하숙하고 있었습니다. 서울엔 그때가 처음이었죠. 장교가 된다는 꿈이 깨어져서 나는 퍽 실의에 빠져 있었습니다. 그때 영영 실의해 버린 느낌입니다. 아시겠지만 꿈이 크면 클수록 실패가 주는 절망감도 대단한 힘을 발휘하더군요. 그 무렵 재미를 붙인 게 아침의 만원된 버스칸이었습니다. 함께 있는 친구와 나는 하숙집의 아침 밥상을 밀어 놓기가 바쁘게 미아리고개 위에 있는 버스 정류장으로 달려갑니다. 개처럼 숨을 헐떡거리면서 말입니다. 시골에서 처음으로 서울에 올라온 청년들의 눈에 가장 부럽고 신기하게 비추이는 게 무언지 아십니까? 부러운 건, 뭐니 뭐니 해도, 밤이 되면 빌딩들의 창에 켜지는 불빛 아니 그 불빛 속에서 이리저리 움직이고 있는 사람들이고 신기한 건 버스칸 속에서 일 센티미터도 안 되는 간격을 두고 자기 곁에 이쁜 아가씨가 서 있다는 사실입니다. 때로는 아가씨들과 팔목의 살을 대고 있기도 하고 허벅다리를 비비고 서 있을 수도 있어서 그것 때문에 나는 하루 종일을 시내버스를 이것저것 갈아타면서 보낸 적도 있습니다. 물론 그날 밤엔 너무 피로해서 토했습니다만……."

"잠깐, 무슨 얘기를 하시자는 겁니까?"

"꿈틀거리는 것을 사랑한다는 얘기를 하려던 참이었습니다. 들어 보세요. 그 친구와 나는 출근시간의 만원버스 속을 쓰리꾼들처럼 안으로 비집고 들어갑니다. 그리고 자리를 잡고 앉아 있는 젊은 여자 앞에 섭니다. 나는 한 손으로 손잡이를 잡고 나서, 달려오느라고 좀 멍해진 머리를 올리고 있는 손에 기댑니다. 그리고 내 앞에 앉아 있는 여자의 아랫배 쪽으로 천천히 시선을 보냅니다. 그러면 처음엔 얼른 눈에 뜨이지 않지만 시간이 조금 가고 내 시선이 투명해지면서부터는 나는 그 여자의 아랫배가 조용히 오르내리는 것을 볼 수 있습니다……."

"오르내린다는 건…… 호흡 때문에 그러는 것이겠죠?"

"물론입니다. 시체의 아랫배는 꿈쩍도 하지 않으니까요. 하여튼…… 나는 그 아침의 만원버스 칸 속에서 보는 젊은 여자 아랫배의 조용한 움직임을 보고 있으면 왜 그렇게 마음이 편안해지고 맑아지는지 모르겠습니다. 나는 그 움직임을 지독하게 사랑합니다."

"퍽 음탕한 얘기군요"라고 안은 기묘한 음성으로 말했다. 나는 화가 났다. 그 얘기는, 내가 만일 라디오의 박사게임 같은 데에 나가게 돼서 '세상에서 가장 신선한 것은?'이라는 질문을 받게 되었을 때, 남들은 상추니 오월의 새벽이니 천사의 이마니 하고 대답하겠지만 나는 그 움직임이 가장 신선한 것이라고 대답하려니 하고 일부러 기억해 두었던 것이었다.

"아니, 음탕한 얘기가 아닙니다."

나는 강경한 태도로 말했다.

"그 얘기는 정말입니다."

"음탕하지 않다는 것과 정말이라는 것 사이엔 어떤 관계가 있죠?"

"모르겠습니다. 관계 같은 것은 난 모릅니다. 요컨대……."

"그렇지만 그 동작은 '오르내린다'는 것이지 꿈틀거린다는 것은 아니군요. 김 형은 아직 꿈틀거리는 것을 사랑하지 않으시구먼."

우리는 다시 침묵 속으로 떨어져서 술잔만 만지작거리고 있었다. 개새끼, 그게 꿈틀거리는 게 아니라고 해도 괜찮다, 하고 나는 생각하고 있었다. 그런데 잠시 후에 그가 말했다.

"난 방금 생각해 봤는데 김 형의 그 오르내림도 역시 꿈틀거림의 일종이라는 결론을 얻었습니다."

"그렇죠?"

나는 즐거워졌다.

"그것은 틀림없이 꿈틀거림입니다. 난 여자의 아랫배를 가장 사랑합니다. 안 형은 어떤 꿈틀거림을 사랑합니까?"

"어떤 꿈틀거림이 아닙니다. 그냥 꿈틀거리는 거죠. 그냥 말입니다. 예를 들면…… 데모도……."

"데모가? 데모를? 그러니까 데모……."

"서울은 모든 욕망의 집결지입니다. 아시겠습니까?"

"모르겠습니다"라고 나는 할 수 있는 한 깨끗한 음성을 지어서 대답했다.

그때 우리의 대화는 또 끊어졌다. 이번엔 침묵이 오래 계속되었다. 나는 술잔을 입으로 가져갔다. 내가 잔을 비우고 났을 때 그도 잔을 입에 대고 눈을 감고 마시고 있는 게 보였다. 나는 이젠 자리를 떠나야 할 때가 되었다고 다소 서글픈 기분으로 생각했다. 결국 그렇고 그렇다. 또 한 번 확인된 것에 지나지 않다고 생각하면서 '자, 그럼 다음에 또……'라고 말할까 '재미있었습니다'라고 말할까, 궁리하고 있는데 술잔을 비운 안이 갑자기 한 손으로 내 한쪽 손을 살그머니 잡으면서 말했다.

"우리가 거짓말을 하고 있었다고 생각하지 않으십니까?"

"아니요."

나는 좀 귀찮은 생각이 들었다.

"안 형은 거짓말을 했는지 모르지만 내가 한 얘기는 정말이었습니다."

"난 우리가 거짓말을 하고 있었던 것 같은 느낌이 듭니다."

그는 붉어진 눈두덩을 안경 속에서 두어 번 꿈벅거리고 나서 말했다.

"난 우리 또래의 친구를 새로 알게 되면 꼭 꿈틀거림에 대한 얘기를 하고 싶어집니다. 그래서 얘기를 합니다. 그렇지만 얘기는 오 분도 안 돼서 끝나 버립니다."

나는 그가 무슨 얘기를 하고 있는지 알듯하기도 했고 모를 것 같기도 했다.

"우리 다른 얘기 합시다" 하고 그가 다시 말했다.

나는 심각한 얘기를 좋아하는 이 친구를 곯려 주기 위해서 그리고 한편으로는 자기의 음성을 자기가 들을 수 있는 취한 사람의 특권을 맛보고 싶어서 얘기를 시작했다.

"평화시장 앞에 줄지어 선 가로등들 중에서 동쪽으로부터 여덟 번째 등은 불이 켜 있지 않습니다……."

나는 그가 좀 어리둥절해 하는 것을 보자 더욱 신이 나서 얘기를 계속했다.

"……그리고 화신백화점 육층의 창들 중에서는 그중 세 개에서만 불빛이 나오고 있었습니다……."

그러자 이번엔 내가 어리둥절해질 사태가 벌어졌다. 안의 얼굴에 놀라운 기쁨이 빛나기 시작했기 때문이다. 그가 빠른 말씨로 얘기하기 시작했다.

"서대문 버스 정거장에는 사람이 서른두 명 있는데 그중 여자가 열일곱 명이었고, 어린애는 다섯 명 젊은이는 스물한 명 노인이 여섯 명입니다."

"그건 언제 일이지요?"

"오늘 저녁 일곱시 십오분 현재입니다."

"아" 하고 나는 잠깐 절망적인 기분이었다가 그 반작용인 듯 굉장히 기분이 좋아져서 털어놓기 시작했다.

"단성사 옆골목의 첫 번째 쓰레기통에는 초콜릿 포장지가 두 장 있습니다."

"그건 언제?"

"지난 십사일 저녁 아홉시 현재입니다."

"적십자병원 정문 앞에 있는 호도나무의 가지 하나는 부러져 있습니다."

"을지로3가에 있는 간판 없는 한 술집에는 미자라는 이름을 가진 색시가 다섯 명 있는데 그 집에 들어온 순서대로 큰미자, 둘째미자, 셋째미자, 넷째미자, 막내미자라고들 합니다."

"그렇지만 그건 다른 사람들도 알고 있겠군요. 그 술집에 들어가 본 사람은 꼭 김 형 하나뿐이 아닐 테니까요."

"아 참, 그렇군요. 난 미처 그걸 생각하지 못했는데, 난 그중에서 큰미자와 하루 저녁 같이 잤는데 그 여자는 다음 날 아침, 일수(日收)로 물건을 파는 여자가 왔을 때 내게 빤쯔 하나를 사주었습니다. 그런데 그 여자가 저금통으로 사용하고 있는 한 되들이 빈 술병에는 돈이 백십 원 들어 있었습니다."

"그건 얘기가 됩니다. 그 사실은 완전히 김 형의 소유입니다."

우리의 말투는 점점 서로를 존중해 가고 있었다.

"나는……" 하고 우리는 동시에 말을 시작하기도 했다. 그럴 때는 번갈아서 서로 양보했다.

"나는……."

이번에는 그가 말할 차례였다.

"서대문 근처에서 서울역 쪽으로 가는 전차의 도로리가 내 시야 속에서 꼭 다섯 번 파란 불꽃을 튀기는 것을 보았습니다. 그건 오늘 밤 일곱 시 이십오분에 거길 지나가는 전차였습니다."

"안 형은 오늘 저녁엔 서대문 근처에서 살고 있었군요."

"예, 서대문 근처에서 살고 있었군요."

"난 종로2가 쪽입니다. 영보빌딩 안에 있는 변소문의 손잡이 조금 밑에는 약 이 센티미터가량의 손톱자국이 있습니다."

하하하하 하고 그는 소리내어 웃었다.

"그건 김 형이 만들어 놓은 자국이겠지요?"

나는 무안했지만 고개를 끄덕이지 않을 수 없었다. 그건 사실이었다.

"어떻게 아세요?" 하고 나는 그에게 물었다.

"나도 그런 경험이 있으니까요."

그가 대답했다.

"그렇지만 별로 기분 좋은 기억이 못 되더군요. 역시 우리는 그냥 바라보고 발견하고 비밀히 간직해 두는 편이 좋겠어요. 그런 짓을 하고 나서는 뒷맛이 좋지 않더군요."

"난 그런 짓을 많이 했습니다만 오히려 기분이 좋았……."

좋았다고 말하려고 했는데, 갑자기 내가 했던 모든 그것에 대한 혐오감이 치밀어서 나는 말을 그치고 그의 의견에 동의하는 고갯짓을 해 버렸다. 그러자 그때 나는 이상스럽다는 생각이 들었다. 내가 약 삼십 분 전에 들은 말이 틀림없다면 지금 내 옆에서 안경을 번쩍이고 앉아 있는 친구는 틀림없는 부잣집 아들이고, 높은 공부를 한 청년이다. 그런데 왜 그가 이래야만 되는가?

"안 형이 부잣집 아들이라는 것은 사실이겠지요? 그리구 대학원생이라는 것도……."

내가 물었다.

"부동산만 해도 대략 삼천만 원쯤 되면 부자가 아닐까요? 물론 내 아버지의 재산이지만 말입니다. 그리고 대학원생이란 건 여기 학생증이 있으니까……."

그러면서 그는 호주머니를 뒤적거려서 지갑을 꺼냈다.

"학생증까진 필요 없습니다. 실은 좀 의심스러운 게 있어서요. 안 형 같은 사람이 추운 밤에 싸구려 선술집에 앉아서 나 같은 친구나 간직할 만한 일에 대해서 얘기하고 있다는 것이 이상스럽다는 생각이 방금 들었습니다."

"그건…… 그건……."

그는 좀 열띤 음성으로 말했다.

"그건……. 그렇지만 먼저 물어보고 싶은 게 있는데요. 김 형이 추운 밤에 밤거리를 쏘다니는 이유는 무엇입니까?"

"습관은 아닙니다. 나 같은 가난뱅이는 호주머니에 돈이 좀 생겨야 밤거리에 나올 수 있으니까요."

"글쎄, 밤거리에 나오는 이유는 뭡니까?"

"하숙방에 들어앉아서 벽이나 쳐다보고 있는 것보다는 나으니까요."

"밤거리에 나오면 뭔가 좀 풍부해지는 느낌이 들지 않습니까?"

"뭐가요?"

"그 뭔가가. 그러니까 생(生)이라고 해도 좋겠지요. 난 김 형이 왜 그런 질문을 하는지 그 이유를 조금은 알 것 같습니다. 내 대답은 이렇습니다. 밤이 됩니다. 난 집에서 거리로 나옵니다. 난 모든 것에서 해방된 것을 느낍니다. 아니, 실제로는 그렇지 않을는지 모르지만 그렇게 느낀다는 말입니다. 김 형은 그렇게 안 느낍니까?"

"글쎄요."

"나는 사물의 틈에 끼여서가 아니라 사물을 멀리 두고 바라보게 됩니다. 안 그렇습니까?"

"글쎄요. 좀……."

"아니, 어렵다고 말하지 마세요. 이를테면 낮엔 그저 스쳐 지나가던 모든 것이 밤이 되면 내 시선 앞에서 자기들의 벌거벗은 몸을 송두리째 드러내 놓고 쩔쩔맨단 말입니다. 그런데 그게 의미가 없는 일일까요? 그런, 사물을 바라보며 즐거워한다는 일이 말입니다."

"의미요? 그게 무슨 의미가 있습니까? 난 무슨 의미가 있기 때문에 종로2가에 있는 빌딩들의 벽돌 수를 헤아리는 일을 하는 게 아닙니다. 그냥……."

"그렇죠? 무의미한 겁니다. 아니 사실은 의미가 있는지도 모르지만 난 아직 그걸 모릅니다. 김 형도 아직 모르는 모양인데 우리 한번 함께 그거나 찾아볼까요. 일부러 만들어 붙이지는 말고요."

"좀 어리둥절하군요. 그게 안 형의 대답입니까? 난 좀 어리둥절한데요. 갑자기 의미라는 말이 나오니까."

"아, 참 미안합니다. 내 대답은 아마 이렇게 될 것 같군요. 그냥 뭔가 뿌듯해지는 느낌이 들기 때문에 밤거리로 나온다고."

그는 이번엔 목소리를 낮추어서 말했다.

"김 형과 나는 서로 다른 길을 걸어서 같은 지점에 온 것 같습니다. 만일 이 지점이 잘못된 지점이라고 해도 우리 탓은 아닐 거예요."

그는 이번엔 쾌활한 음성으로 말했다.

"자, 여기서 이럴 게 아니라 우리 따뜻한 데 가서 정식으로 한잔씩 하고 헤어집시다. 난 한 바퀴 돌고 여관으로 갑니다. 가끔 이렇게 밤거리를 쏘다니는 밤엔 난 꼭 여관에서 자고 갑니다. 여관엘 찾아든다는 프로가 내게는 최고죠."

우리는 각기 계산하기 위해서 호주머니에 손을 넣었다. 그때 한 사내가 우리에게 말을 걸어 왔다. 우리 곁에서 술잔을 받아 놓고 연탄불에 손을 쬐고 있던 사내였는데, 술을 마시기 위해서 거기에 들어온 것이 아니라 불을 쬐고 싶어서 잠깐 들렀다는 꼴을 하고 있었다. 제법 깨끗한 코트를 입고 있었고 머리엔 기름도 얌전하게 발라서 카바이트 등의 불꽃이 너풀댈 때마다 머리 위의 하이라이트가 이리저리 움직이고 있었다. 그러나 어디선지는 분명하지는 않았지만 가난뱅이 냄새가 나는 서른대여섯 살짜리 사내였다. 아마 빈약하게 생긴 턱 때문이었을까, 아니면 유난히 새빨간 눈시울 때문이었을까. 그 사내가 나나 안 중의 어느 누구에게라고 할 것 없이 그냥 우리 쪽을 향하여 말을 걸어온 것이었다.

"미안하지만 제가 함께 가도 괜찮을까요? 제게 돈은 얼마 있습니다만……" 이라고 그 사내는 힘없는 음성으로 말했다.

그 힘없는 음성으로 봐서는 꼭 끼워 달라는 건 아니라는 것 같았지만 한편으로는 우리와 함께 가고 싶은 생각이 간절하다는 것 같기도 했다. 나와 안은 잠깐 얼굴을 마주 보고 나서 "아저씨 술값만 있다면……" 이라고 내가 말했다. "함께 가시죠"라고 안도 내 말을 이었다. "고맙습니다"라고 그 사내는 여전히 힘없는 음성으로 말하면서 우리를 따라왔다.

안은 일이 좀 이상하게 되었다는 얼굴을 하고 있었고, 나 역시 유쾌한 예감이 들지는 않았다. 술좌석에서 알게 된 사람끼리는 의외로 재미있게 놀게 되는 것을 몇 번의 경험으로 알고 있었지만, 대개의 경우, 이렇게 힘없는 목소리로 끼여드는 양반은 없었다. 즐거움이 넘치고 넘친다는 얼굴로 요란스럽게 끼여들어야만 일이 되는 것이었다. 우리는 갑자기 목적지를 잊은 사람들처럼 사방을 두리번거리면서 느릿느릿 걸어갔다. 전봇대에 붙은 약 광고판 속에서는 예쁜 여자가 '춥지만 할 수 있느냐'는 듯한 쓸쓸한 미소를 띠우고 우리를 내려다보고 있었고, 어떤 빌딩의 옥상에서는 소주 광고의 네온사인이 열심히 명멸하고 있었고, 소주 광고 곁에서는 약 광고의 네온사인이 하마터면 잊어버릴 뻔했다는 듯이 황급히 꺼졌다간 다시 켜져서 오랫동안 빛나고 있었고, 이젠 완전히 얼어붙은 길 위에는 거지가 돌덩이처럼 여기저기 엎드려 있었고, 그 돌덩이 앞을 사람들은 힘껏 웅크리고 빠르게 지나가고 있었다. 그 종이조각은 내 발밑에 떨어졌다. 나는 그 종이조각을 집어들었는데 그것은 '미희(美姬) 서비스, 특별염가(特別廉價)'라는 것을 강조한 어느 비어홀의 광고지였다.

"지금 몇 시쯤 되었습니까?" 하고 힘없는 아저씨가 안에게 물었다.

"아홉시 십분 전입니다"라고 잠시 후에 안이 대답했다.

"저녁들은 하셨습니까? 난 아직 저녁을 안 했는데, 제가 살 테니까 같이 가시겠어요?"

힘없는 아저씨가 이번엔 나와 안을 번갈아보며 말했다.

"먹었습니다" 하고 나와 안은 동시에 대답했다.

"혼자서 하시죠"라고 내가 말했다.

"감사합니다. 그럼……."

우리는 근처의 중국요리집으로 들어갔다. 방으로 들어가서 앉았을 때 아저씨는 또 한 번 간곡하게 우리가 뭘 좀 들 것을 권했다. 우리는 또 한 번 사양했다. 그는 또 권했다.

"아주 비싼 걸 시켜도 괜찮겠습니까?"라고 나는 그의 권유를 철회시키기 위해서 말했다.

"네, 사양 마시고."

그가 처음으로 힘있는 목소리로 말했다.

"돈을 써 버리기로 결심했으니까요."

나는 그 사내에게 어떤 꿍꿍이속이 있는 것만 같은 느낌이 들어서 좀 불안했지만, 통닭과 술을 시켜 달라고 했다. 그는 자기가 주문한 것 외에 내가 말한 것도 사환에게 청했다. 안은 어처구니없는 얼굴로 나를 보았다. 나는 그때 마침 옆방에서 들려 오고 있는 여자의 불그레한 신음 소리를 듣고만 있었다.

"이 형도 뭘 좀 드시죠"라고 아저씨가 안에서 말했다.

"아니 전……."

안은 술이 다 깬다는 듯이 펄쩍 뛰고 사양했다.

우리는 조용히 옆방의 다급해져 가는 신음 소리에 귀를 기울이고 있었다. 전차의 끽끽거리는 소리와 홍수난 강물 소리 같은 자동차들의 달리는 소리도 희미하게 들려 오고 있었고, 가까운 곳에서는 이따금 초인종 울리는 소리도 들렸다. 우리의 방은 어색한 침묵에 싸여 있었다.

"말씀드리고 싶은 게 있는데요."

마음씨 좋은 아저씨가 말하기 시작했다.

"들어 주셨으면 고맙겠습니다……. 오늘 낮에 제 아내가 죽었습니다. 세브란스 병원에 입원하고 있었는데……."

그는 이젠 슬프지도 않다는 얼굴로 우리를 빤히 쳐다보며 말하고 있었다.

"네에에."

"그거 안되셨군요"라고 안과 나는 각각 조의를 표했다.

"아내와 나는 참 재미있게 살았습니다. 아내가 어린애를 낳지 못하기 때문에 시간은 몽땅 우리 두 사람의 것이었습니다. 돈은 넉넉하지 못했습니다만 그래도 돈이 생기면 우리는 어디든지 같이 다니면서 재미있게 지냈습니다. 딸기철엔 수원에도 가고, 포도철엔 안양에도 가고, 여름이면 대천에도 가고, 가을엔 경주에도 가 보고, 밤엔 함께 영화구경, 쇼구경 하러 열심히 극장에 쫓아다니기도 했습니다……."

"무슨 병환이셨던가요?" 하고 안이 조심스럽게 물었다.

"급성 뇌막염이라고 의사가 그랬습니다. 아내는 옛날에 급성 맹장염 수술을 받은 적도 있고, 급성 폐렴을 앓은 적도 있다고 했습니다만 모두 괜찮았었는데 이번의 급성엔 결국 죽고 말았습니다…… 죽고 말았습니다"

사내는 고개를 떨구고 한참 동안 무언지 입을 우물거리고 있었다. 안이 손가락으로 내 무릎을 찌르며 우리는 꺼지는 게 어떻겠느냐는 눈짓을 보냈다. 나 역시 동감이었지만 그때 사내가 다시 고개를 들고 말을 계속

했기 때문에 우리는 눌러앉아 있을 수밖에 없었다.

"아내와는 재작년에 결혼했습니다. 우연히 알게 됐습니다. 친정이 대구 근처에 있다는 얘기만 했지 한 번도 친정과는 내왕이 없었습니다. 난 처갓집이 어딘지도 모릅니다. 그래서 할 수 없었어요."

그는 다시 고개를 떨구고 입을 우물거렸다.

"뭘 할 수 없었다는 말입니까?"

내가 물었다.

그는 내 말을 못 들은 것 같았다. 그러나 한참 후에 다시 고개를 들고 마치 애원하는 듯한 눈빛으로 말을 이었다.

"아내의 시체를 병원에 팔았습니다. 할 수 없었습니다. 난 서적 월부 판매 외교원에 지나지 않습니다. 할 수 없었습니다. 돈 사천 원을 주더군요. 난 두 분을 만나기 얼마 전까지도 세브란스 병원 울타리 곁에 서 있었습니다. 아내가 누워 있을 시체실이 있는 건물을 알아보려고 했습니다만 어딘지 알 수 없었습니다. 그냥 울타리 곁에 앉아서 병원의 큰 굴뚝에서 나오는 희끄무레한 연기만 바라보고 있었습니다. 아내는 어떻게 될까요? 학생들이 해부 실습을 하느라고 톱으로 머리를 가르고 칼로 배를 찢고 한다는데 정말 그러겠지요?"

우리는 입을 다물고 있을 수밖에 없었다. 사환이 다꾸앙과 파가 담긴 접시를 갖다 놓고 나갔다.

"기분 나쁜 얘길 해서 미안합니다. 다만 누구에게라도 얘기하지 않고서는 견딜 수 없었습니다. 한 가지만 의논해 보고 싶은데, 이 돈을 어떻게 하면 좋을까요? 저는 오늘 저녁에 다 써 버리고 싶은데요."

"쓰십시오."

안이 얼른 대답했다.

"이 돈이 다 없어질 때까지 함께 있어 주시겠어요?"

사내가 말했다. 우리는 얼른 대답하지 못했다.

"함께 있어 주십시오."

사내가 말했다. 우리는 승낙했다.

"멋있게 한번 써봅시다"라고 사내는 우리와 만난 후 처음으로 웃으면서 그러나 여전히 힘없는 음성으로 말했다.

중국집에서 거리로 나왔을 때는 우리는 모두 취해 있었고, 돈은 천 원이 없어졌고 사내는 한쪽 눈으로는 울고 다른쪽 눈으로는 웃고 있었고, 안은 도망갈 궁리를 하기에도 지쳐 버렸다고 내게 말하고 있었고, 나는 "액센트 찍는 문제를 모두 틀려 버렸단 말야, 액센트 말야"라고 중얼거리고 있었고, 거리는 영화에서 본 식민지의 거리처럼 춥고 한산했고, 그러나 여전히 소주 광고는 부지런히, 약 광고는 게으름을 피우며 반짝이고 있었고, 전봇대의 아가씨는 '그저 그래요'라고 웃고 있었다.

"이제 어디로 갈까?" 하고 아저씨가 말했다.

"어디로 갈까?" 안이 말하고,

"어디로 갈까?"라고 나도 그들의 말을 흉내 냈다.

아무 데도 갈 데가 없었다. 방금 우리가 나온 중국집 곁에 양품점의 쇼윈도가 있었다. 사내가 그쪽을 가리키며 우리를 끌어당겼다. 우리는 양품점 안으로 들어갔다.

"넥타이를 골라 가져. 내 아내가 사 주는 거야."

사내가 호통을 쳤다. 우리는 알록달록한 넥타이를 하나씩 들었고, 돈은 육백 원이 없어져 버렸다. 우리는 양품점에서 나왔다.

"어디로 갈까?"라고 사내가 말했다. 갈 데는 계속해서 없었다. 양품점의 앞에는 귤장수가 있었다.

"아내는 귤을 좋아했다"고 외치며 사내는 귤을 벌여 놓은 수레 앞으로 돌진했다. 삼백 원이 없어졌다. 우리는 이빨로 귤껍질을 벗기면서 그 부근에서 서성거렸다.

"택시!"

사내가 고함쳤다.

택시가 우리 앞에 멎었다. 우리가 차에 오르자마자 사내는 "세브란스로!"라고 말했다.

"안 됩니다. 소용없습니다."

안이 재빠르게 외쳤다.

"안 될까?"

사내가 중얼거렸다.

"그럼 어디로?"

아무도 대답하지 않았다.

"어디로 가시는 겁니까?"라고 운전수가 짜증난 음성으로 말했다.

"갈 데가 없으면 빨리 내리쇼."

우리는 차에서 내렸다. 결국 우리는 중국집에서 스무 발자국도 더 벗어나지 못하고 있었다.

거리의 저쪽 끝에서 요란한 사이렌 소리가 나타나서 점점 가깝게 달려들었다. 소방차 두 대가 우리 앞을 빠르고 시끄럽게 지나쳐 갔다.

"택시!"

사내가 고함쳤다. 택시가 우리 앞에 멎었다. 우리가 차에 오르자마자 사내는 "저 소방차 뒤를 따라 갑시다"라고 말했다. 나는 귤껍질을 세 개째 벗기고 있었다.

"지금 불구경하러 가고 있는 겁니까?"라고 안이 아저씨에게 말했다.

"안 됩니다. 시간이 없습니다. 벌써 열시 반인데요. 좀 더 재미있게 지내야죠. 돈은 이제 얼마 남았습니까?"

아저씨는 호주머니를 뒤져서 돈을 모두 털어냈다. 그리고 그것을 안에게 건네줬다. 안과 나는 헤아려 봤다. 천구백 원하고 동전이 몇 개, 십 원짜리가 몇 장이 있었다.

"됐습니다."

안은 돈을 다시 돌려 주면서 말했다.

"세상엔 다행히 여자의 특징만 중점적으로 내보이는 여자들이 있습니다."

"내 아내 얘깁니까?"라고 사내가 슬픈 음성으로 물었다.

"내 아내의 특징은 너무 잘 웃는다는 것이었습니다."

"아닙니다. 종삼(鍾三)으로 가자는 얘기였습니다."

안이 말했다. 사내는 안을 경멸하는 듯한 웃음을 띠우며 고개를 돌려 버렸다. 그러는 사이에 우리는 화재가 난 곳에 도착했다. 삼십 원이 없어졌다. 화재가 난 곳은 아래층인 페인트 상점이었는데 지금은 미용학원인 이층에서 불길이 창으로부터 뿜어 나오고 있다. 경찰들의 호각 소리, 소방차들의 사이렌 소리, 불길 속에서 나는 탁탁 소리, 물줄기가 건물의 벽에 부딪혀서 나는 소리. 그러나 사람들의 소리는 아무것도 나지 않았다. 사람들은 불빛에 비쳐 무안당한 사람처럼 붉은 얼굴로, 정물처럼 서 있었다.

우리는 발밑에 굴러 있는 페인트 든 통을 하나씩 궁둥이 밑에 깔고 웅크리고 앉아서 불구경을 했다. 나는 불이 좀 더 오래 타기를 바랐다. 미용학원이라는 간판에 불이 붙고 있었다. '원'자에 불이 붙기 시작했다.

"김 형, 우린 우리 얘기나 합시다" 하고 안이 말했다.

"화재 같은 건 아무것도 아닙니다. 내일 아침 신문에서 볼 것을 오늘 밤에 미리 봤다는 차이밖에 없습니다. 저 화재는 김 형의 것도 아니고 내 것도 아니고 이 아저씨 것도 아닙니다. 우리 모두의 것이 돼 버립니다. 그러나 화재는 항상 계속해서 나고 있는 건 아닙니다. 그러기 때문에 난 화재엔 흥미가 없습니다. 김 형은 어떻게 생각하십니까?"

"동감입니다."

나는 아무렇게나 대답하며 이젠 '학'자에 불이 붙고 있는 것을 보았다.

"아니 난 방금 말을 잘못했습니다. 화재는 우리 모두의 것이 아니라 화재는 오로지 화재 자신의 것입니다. 화재에 대해서 우리는 아무것도 아닙니다. 그러기 때문에 난 화재에 흥미가 없습니다. 김 형은 어떻게 생각하십니까?"

"동감입니다."

물줄기 하나가 불타고 있는 '학'으로 달려들고 있었다. 물이 닿은 곳에서는 회색 연기가 피어올랐다. 힘없는 아저씨가 갑자기 힘차게 깡통으로부터 일어섰다.

"내 아냅니다" 하고 사내는 환한 불길 속을 손가락질하며 눈을 크게 뜨고 소리쳤다.

"내 아내가 머리를 막 흔들고 있습니다 골치가 깨질 듯이 아프다고 머리를 막 흔들고 있습니다. 여보……."

"골치가 깨질 듯이 아픈 게 뇌막염의 증세입니다. 그렇지만 저건 바람에 휘날리는 불길입니다. 앉으세요. 불 속에 아주머님이 계실 리가 있습니까?"라고 안이 아저씨를 끌어 앉히며 말했다. 그러고 나서 안은 나에게 나지막하게 속삭였다.

"이 양반, 우릴 웃기는데요."

나는 꺼졌다고 생각하고 있던 '학'에 다시 불이 붙고 있는 것을 보았다. 물줄기가 다시 그곳으로 뻗어가고 있었다. 그러나 물줄기는 겨냥을 잘 잡지 못하고 이리저리 흔들리고 있었다. 불은 날쌔게 '용'을 핥고 있었다. 나는 '미'까지 어서 불붙기를 바라고 있었고 그리고 그 간판에 불이 붙는 과정을 그 많은 불구경꾼들 중에서 나 혼자만 알고 있기를 바랐다. 그러나 그때 문득 나는 불이 생명을 가진 것처럼 생각되어서, 내가 조금 전에 바라고 있던 것을 취소해 버렸다.

무언가 하얀 것이 우리가 웅크리고 앉아 있는 곳에서 불타고 있는 건물 쪽으로 날아가는 것이 보였다. 그 비둘기는 불 속으로 떨어졌다.

"무엇이 불 속으로 날아 들어갔지요?"

내가 안을 돌아다보며 물었다.

"예, 뭐가 날아갔습니다."

안은 나에게 대답하고 나서 이번엔 아저씨를 돌아다보며 "보셨어요?" 하고 그에게 물었다. 아저씨는 잠자코 앉아 있었다. 그때 순경 한 사람이 우리 쪽으로 달려왔다.

"당신이다"라고 순경은 아저씨를 한 손으로 붙잡으면서 말했다.

"방금 무얼 불 속에 던졌소?"

"아무것도 안 던졌습니다."

"뭐라구요?"

순경은 때릴 듯한 시늉을 하며 아저씨에게 소리쳤다.

"내가 던지는 걸 봤단 말요. 무얼 불 속에 던졌소?"

"돈입니다."

"돈?"

"돈과 돌을 손수건에 싸서 던졌습니다."

"정말이오?"

순경은 우리에게 물었다.

"예, 돈이었습니다. 이 아저씨는 불난 곳에 돈을 던지면 장사가 잘된다는 이상한 믿음을 가졌답니다. 말하자면 좀 돌았다고 할 수 있는 사람이지만 나쁜 것은 결코 하지 않는 장사꾼입니다."

안이 대답했다.

"돈은 얼마였소?"

"일 원짜리 동전 한 개였습니다."

안이 다시 대답했다.

순경이 가고 났을 때 안이 사내에게 물었다.

"정말 돈을 던졌습니까?"

"예."

"모두?"

"예."

우리는 꽤 오랫동안 불꽃이 튀는 탁탁 소리에 귀를 기울이고 있었다. 한참 후에 안이 사내에게 말했다.

"결국 그 돈은 다 쓴 셈이군요…… 자, 이젠 그럼 약속이 끝났으니 우린 가겠습니다."

"안녕히 계십시오."라고 나도 아저씨에게 작별인사를 했다.

안과 나는 돌아서서 걷기 시작했다. 사내가 우리를 쫓아와서 안과 나의 팔을 한쪽씩 붙잡았다.

"나 혼자 있기가 무섭습니다."

그는 벌벌 떨며 말했다.

"곧 통행금지 시간이 됩니다. 난 여관으로 가서 잘 작정입니다."

안이 말했다.

"난 집으로 갈 겁니다."

내가 말했다.

"함께 갈 수 없겠습니까? 오늘 밤만 같이 지내 주십시오. 부탁합니다. 잠깐만 저를 따라와 주십시오."

사내는 말하고 나서 나를 붙잡고 있는 자기의 팔을 부채질하듯이 흔들었다. 아마 안의 팔에 대해서도 그렇게 했으리라.

"어디로 가자는 겁니까?"

나는 아저씨에게 물었다.

"여관비를 구하러 잠깐 이 근처에 들렀다가 모두 함께 여관으로 갔으면 하는데요."

"여관에요?"

나는 내 호주머니 속에 든 돈을 손가락으로 계산해 보며 말했다.

"여관비라면 내가 모두 내겠으니 그럼 함께 가시지요."

안이 나와 사내에게 말했다.

"아닙니다. 폐를 끼쳐 드리고 싶지 않습니다. 잠깐만 절 따라와 주십시오."

"돈을 빌리러 가는 겁니까?"

"아닙니다. 받아야 할 돈이 있습니다."

"이 근처에요?"

"예, 여기가 남영동이라면."

"아마 틀림없는 남영동인 것 같군요."

내가 말했다. 사내가 앞장을 서고 안과 내가 그 뒤를 쫓아서 우리는 화재로부터 멀어져 갔다.

"빚 받으러 가기에는 시간이 너무 늦었습니다."

안이 사내에게 말했다.

"그렇지만 저는 받아야 합니다."

우리는 어느 어두운 골목길로 들어섰다. 골목의 모퉁이를 몇 개인가 돌고 난 뒤에 사내는 대문 앞에 전등이 켜져 있는 집 앞에서 멈췄다. 나와 안은 사내로부터 열 발자국쯤 떨어진 곳에서 멈췄다. 사내가 벨을 눌렀다. 잠시 후에 대문이 열리고, 사내가 대문 안에 선 사람과 말하는 소리가 들렸다.

"주인 아저씨를 뵙고 싶은데요."

"주무시는데요."

"그럼 주인 아주머니는……."

"주무시는데요."

"꼭 뵈어야겠는데요."

"기다려 보세요."

대문이 다시 닫혔다. 안이 달려가서 사내의 팔을 잡아끌었다.

"그냥 가시죠?"

"괜찮습니다. 받아야 할 돈이니까요."

안이 다시 먼저 서 있던 곳으로 걸어왔다. 대문이 열렸다.

"밤늦게 죄송합니다."

사내가 대문을 향해서 고개를 숙이며 말했다.

"누구시죠?"

대문은 잠에 취한 여자의 음성을 냈다.

"죄송합니다. 이렇게 너무 늦게 찾아와서. 실은……."

"누구시죠? 술 취하신 것 같은데……."

"월부책 값 받으러 온 사람입니다" 하고 사내는 갑자기 비명 같은 높은 소리로 외쳤다.

"월부책 값 받으러 온 사람입니다."

이번엔 사내는 문 기둥에 두 손을 짚고 앞으로 뻗은 자기 팔 위에 얼굴을 파묻으며 울음을 터뜨렸다.

"월부책 값 받으러 온 사람입니다. 월부책 값……."

사내는 계속해서 흐느꼈다.

"내일 낮에 오세요."

대문이 탁 닫혔다. 사내는 계속해서 울고 있었다. 사내는 가끔 '여보'라고 중얼거리고 오랫동안 울고 있었다. 우리는 여전히 열 발자국쯤 떨어진 곳에서 그가 울음을 그치기를 기다리고 있었다. 한참 후에 그가 우리 앞으로 비틀비틀 걸어왔다. 우리는 모두 고개를 숙이고 어두운 골목길을 걸어서 거리로 나왔다. 적막한 거리에는 찬바람이 세차게 불고 있었다.

"몹시 춥군요"라고 사내는 우리를 염려한다는 음성으로 말했다.

"추운데요. 빨리 여관으로 갑시다."

안이 말했다.

"방을 한 사람씩 따로 잡을까요?"

여관에 들어갔을 때 안이 우리에게 말했다.

"그게 좋겠지요?"

"모두 한 방에 드는 게 좋겠지요?"라고 나는 아저씨를 생각해서 말했다.

아저씨는 그저 우리 처분만 바란다는 듯한 태도로 또는 지금 자기가 서 있는 곳이 어딘지도 모른다는 태도로 멍하니 서 있었다. 여관에 들어서자 우리는 모든 프로가 끝나 버린 극장에서 나오는 때처럼 어찌할 바를 모르고 거북스럽기만 했다. 여관에 비한다면 거리가 우리에게는 더 좁았던 셈이었다. 벽으로 나뉘어진 방들, 그것이 우리가 들어가야 할 곳이었다.

"모두 같은 방에 들기로 하는 것이 어떻겠어요?"

내가 다시 말했다.

"난 지금 아주 피곤합니다."

안이 말했다.

"방은 각각 하나씩 차지하고 자기로 하지요."

"혼자 있기가 싫습니다"라고 아저씨가 중얼거렸다.

"혼자 주무시는 게 편하실 거예요."

안이 말했다. 우리는 복도에서 헤어져서 사환이 지적해 준, 나란히 붙은 방 세 개에 각각 한 사람씩 들어갔다.

"화투라도 사다가 놉시다."

헤어지기 전에 내가 말했지만, "난 아주 피곤합니다. 하시고 싶으면 두 분이나 하세요"라고 안은 말하고 나서 자기의 방으로 들어가 버렸다.

"나도 피곤해 죽겠습니다. 안녕히 주무세요"라고 나는 아저씨에게 말하고 나서 내 방으로 들어갔다. 숙박계엔 거짓 이름, 거짓 주소, 거짓 나이, 거짓 직업을 쓰고 나서 사환이 가져다 놓은 자리끼를 마시고 나는 이불을 뒤집어썼다. 나는 꿈도 안 꾸고 잘 잤다.

다음 날 아침 일찍이 안이 나를 깨웠다.

"그 양반, 역시 죽어 버렸습니다."

안이 내 귀에 입을 대고 그렇게 속삭였다.

"예?"

나는 잠이 깨끗이 깨어 버렸다.

"방금 그 방에 들어가 보았는데 역시 죽어 버렸습니다."

"역시."

나는 말했다.

"사람들이 알고 있습니까?"

"아직까진 아무도 모르는 것 같습니다. 우린 빨리 도망해 버리는 게 시끄럽지 않을 것 같습니다."

"자살이지요?"

"물론 그것이겠죠."

나는 급하게 옷을 주워 입었다. 개미 한 마리가 방바닥을 내 발이 있는 쪽으로 기어오고 있었다. 그 개미가 내 발을 붙잡으려고 하는 것 같은 느낌이 들어서 나는 얼른 자리를 옮겨 디디었다. 밖의 이른 아침에는 싸락눈이 내리고 있었다. 우리는 할 수 있는 한 빠른 걸음으로 여관에서 떨어져 갔다.

"난 그 사람이 죽으리라는 걸 알고 있었습니다."

안이 말했다.

"난 짐작도 못 했습니다"라고 나는 사실대로 얘기했다.

"난 짐작하고 있었습니다."

그는 코트의 깃을 세우며 말했다.

"그렇지만 어떻게 합니까?"

"그렇지요. 할 수 없지요. 난 짐작도 못 했는데……."

내가 말했다.

"짐작했다고 하면 어떻게 하겠어요?"

그가 내게 물었다.

"씨팔 것, 어떻게 합니까? 그 양반 우리더러 어떡하라는 건지……."

"그러게 말입니다. 혼자 놓아두면 죽지 않을 줄 알았습니다. 그게 내가 생각해 본 최선의 그리고 유일한 방법이었습니다."

"난 그 양반이 죽으리라고는 짐작도 못 했다니까요. 씨팔 것, 약을 호주머니에 넣고 다녔던 모양이군요."

안이 눈을 맞고 있는 어느 앙상한 가로수 밑에서 멈췄다. 나도 그를 따라서 멈췄다. 그가 이상하다는 얼굴로 나에게 물었다.

"김 형, 우리는 분명히 스물다섯 살짜리죠?"

"난 분명히 그렇습니다."

"나두 그건 분명합니다."

그는 고개를 한 번 기웃했다.

"두려워집니다."

"뭐가요?"

내가 물었다.

"그 뭔가가, 그러니까……."

그가 한숨 같은 음성으로 말했다.

"우리가 너무 늙어 버린 것 같지 않습니까?"

"우린 이제 겨우 스물다섯 살입니다."

나는 말했다.

"하여튼……" 하고 그는 내게 손을 내밀며 말했다.

"자, 여기서 헤어집시다. 재미 많이 보세요" 하고 나도 그의 손을 잡으며 말했다.

우리는 헤어졌다. 나는 마침 버스가 막 도착한 길 건너편의 버스 정류장으로 달려갔다. 버스에 올라서 창으로 내어다보니 안은 앙상한 나뭇가지 사이로 내리는 눈을 맞으며 무언지 곰곰이 생각하고 서 있었다.

병신과 머저리

이청준

(1939~2008)

이청준(1939~2008)은 1965년 「퇴원」이 『사상계』 신인상에 당선되어 등단한다. 1960년대 후반기에 왕성한 작품 활동으로 작가의 위치를 뚜렷이 하였고 이후 꾸준히 작품을 발표하였다. 주요 작품으로는 「퇴원」, 「병신과 머저리」, 「별을 보여드립니다」, 「소문의 벽」, 『당신들의 천국』, 『이어도』 등이 있다.

이청준의 소설은 대개가 독자들의 지적 추리를 요구한다. 잘 절제된 감정과 침착한 묘사가 그의 특기이다. 서두에 작가는 하나의 의문을 던져 놓는다. 그러고는 시간을 거슬러 올라가는 격자소설의 형식을 통해, 곧 이야기 속의 이야기를 통해 작가는 그의 논리를 전개한다. 어떤 면에서 그의 소설은 소설이면서 동시에 그가 글을 쓰는 이유에 대한 해명, 즉 소설론이기도 하다. 소설가로서, 또는 지식인으로서의 사회적 관계 설정을 그는 늘 고심하는 작가였다.

「병신과 머저리」에서도 이 같은 구도를 볼 수 있다. 의사인 형과, 화가인 동생은 모두 지식인으로 두 사람은 일종의 정신적인 병을 앓고 있다. 그런데 형의 방황은 전쟁의 상처라는 원인이 있지만 동생인 나의 고민과 혼란은 환부다운 환부를 갖고 있지 않다. 자기 병의 원인을 전쟁에서 찾을 수 있는 형과 그 책임을 어디에서도 물을 수 없는 동생의 대비에서 1950년대와 1960년대의 차이를 볼 수 있다. 그것은 또 1960년대 문학이 찾아야 할 방향이며, 감당해야 할 몫이자 어려움이기도 하다.

'병신과 머저리'라는 제목은 1960년대의 상황에 대한 작가 스스로의 자조적 표현이겠지만 그 상황에 매몰될 수 없다는 작가의 의지이기도 하다.

화폭은 이 며칠 동안 조금도 메워지지 못한 채 넓게 나를 압도하고 있었다. 학생들이 돌아가 버린 화실은 조용해져 있었다. 나는 새 담배에 불을 붙였다.

형이 소설을 쓴다는 기이한 일은, 달포 전 그의 칼 끝이 열 살배기 소녀의 육신으로부터 그 영혼을 후벼내 버린 사건과 깊이 관계가 되고 있는 듯했다. 그러나 그 수술의 실패가 꼭 형의 실수라고만은 할 수 없었다. 피해자 쪽이 그렇게 생각했고, 근 십 년 동안 구경만 해 오면서도 그 쪽에 전혀 무지하지만은 않은 나의 생각이 그랬다. 형 자신도 그것은 시인했다. 소녀는 수술을 받지 않았어도 잠시 후에는 비슷한 길을 갔을 것이고, 수술은 처음부터 절반도 성공의 가능성이 없었던 것이었다. 무엇보다 그런 사건은 형에게서뿐 아니라 수술중엔 어느 병원에서나 일어날 수 있는 종류의 것이었다. 그러나 어쨌든 그 일이 형에게는 하나의 사건이었다. 그 일이 있은 후로 형은 차츰 병원 일에 등한해지기 시작했다. 처음에는 가끔씩 밤에 시내로 가서 취해 돌아오는 일이 생기더니 나중에는 아주 병원문을 닫고 들어앉아 버리는 것이었다. 그러고는 아주머니까지 곁에 오지 못하게 하고 진종일 방에만 들어박혀 있다가, 밤이 되면 시내로 가서 호흡이 다 답답해지도록 취해 돌아오곤 하는 것이었다.

방에 들어박혀 있는 동안 형은 소설을 쓴다는 것이었다. 처음에 나는 형의 그 소설이란 것에 대해서 별반 관심을 갖지 않았었다. 다만 열 살배기 소녀의 사망이 형에게 그만한 사건일 수 있을까, 그렇다면 형은 그 사건을 어떤 식으로 받아들였기에 소설까지 쓴다는 법석을 부리는 것인가 하는 정도였다. 그러다가 어느 날 밤 우연히 그 몇 장을 들추어 보다 나는 깜짝 놀라고 말았던 것이다. 놀랐다고 하는 것은 그것이 소설이기 때문이거나 의사라는 형의 직업 때문은 아니었다. 언어 예술로서의 소설이라는 것은 나 따위 화실이나 내고 있는 졸때기 미술학도가 알 턱이 없다. 그것은 나를 크게 실망시키지도 않는다. 그러니까 내가 지금 형의 소설에 대해 말하고 있는 것은 문학적 관심과는 거리가 먼 것일 수밖에 없다. 형의 소설이 문학작품으로는 이야깃거리가 못 된다는 것이 아니라, 나는 그것에 대해서 잘 알고 있질 못하다는 말이다. 그런데 내가 놀랐다고 한 것은 형이 그 소설에서 그토록 입을 다물고만 있던 십 년 전의 패잔(敗殘)과 탈출에 관한 이야기를 쓰고 있었다는 것이다.

형은 자신의 말대로 외과의사로서 째고 자르고 따내고 꿰매며 이십 년 동안을 조용하게만 살아온 사람이었다. 생(生)에 대한 회의도, 직업에 대한 염증도, 그리고 지나가 버린 생활에 대한 기억도 없는 사람처럼 끊임없이, 그리고 부지런히 환자들을 돌보아 왔다. 어찌 보면 아무리 많은 환자들이 자기의 칼 끝에서 재생의 기쁨을 얻어 돌아가도 형으로서는 아직 만족할 수 없는, 그래서 아직도 훨씬 더 많은 생명을 구해 내도록 무슨 계시를 받은 사람처럼 자기의 칼 끝으로 몰려드는 생명들을 기다리고 있었다. 그런 형의 솜씨는 또한 신중하고 정확해서 적어도 그 소녀의 사건이 있기 전까지는 단 한 번의 실수도 없었다. 그 밖에 형에 대해서 내가 확실하게 알고 있는 것은 거의 아무것도 없는 셈이었다. 다만 지금 아주머니에 관해서는 좀 더 이야기를 할 수 있을 것 같다. 아주머니에게는 미안한 말이지만, 결혼 전 형은 귀와 눈이 다 깊지 못하고 입술이 얇은 그 여자를 사이에 두고 그 여자의 다른 남자와 길고 긴 싸움을 벌였었다. 그런데 어떻게 된 셈인지 내가 별반 승점(勝點)을 주지도 않았고, 질긴 신념도 없으리라 여겼던 형이 마침내는 그 여자와 결혼까지 하게 되었던 것이다. 결혼을 하고 나서도 녹록지 않은 아주머니와 깊이 가라앉은 형의 성격 사이에는 별로 대단한 말썽을 일으킨 일이 없었다. 풍파가 조금 있었다면 그것은 성격 탓이 아니라 어느 편의 결함인지 모르나 그들 사이에는 아직 아이를 갖지 못하고 있다는 것이 언제나 그 근원이었다. 그러나 그것은 누구에게나 당연한 일로 여겨지는 그런 것이었다. 어떻든 형이 그렇게 지낼 수 있는 것은 형의 인내와 모든 인간성에 대한 긍정적인 사고의 덕이 아닌가 생각되기도 했으나, 그것 역시 자신 있게 말할 수 있는 것은 아니었다. 형에 대하여 알고 있다는 것은 그것뿐이었다. 그러고는 확실하지 못한 대신 형에게는 내가 언제나 궁금하게 여기고 있던 일이 한 가지 더 있었다. 그것은 형이 6·25사변 때 강계(江界) 근방에서 패잔병으로 낙오된 적이 있었다는 사실과, 나중에는 거기서 같이 낙오되었던 동료를(몇이었는지는 정확지 않지만) 죽이고 그때는 이미 38선 부근에서 격전을 벌이고 있는 우군진지까지 무려 천 리 가까운 길을 탈출해 나온 일이 있었다는 사실에 대해서였다. 그러나 형은 그때 낙오의 경위가 어떠했으며, 어떤 동료를, 그리고 왜 어떻게 죽이고 탈출해 왔던가, 또는 그 천리길의 탈출 경위가 어떠했었는가 하는 이야기들은 한 번도 털어놓은 일이 없었다. 어느 땐가 딱 한 번, 형은 술걸레가 되어 돌아와서 자기가 그 천 리 길을 살아 도망나올 수 있었던 것은 그 동료를 죽였기 때문이라고 한 적이 있었을 뿐이었다. 이상한 이야기였다. 나는 그 말을 이해할 수도 없었으려니와 다음부터는 형이 그런 자기의 말까지도 전혀 모른 체해 버렸기 때문에 나는 그런 일이 있었던 것이 사실이었는지조차도 확인할 수가 없는 형편이었던 것이다. 그런데 형은 요즘 쓰고 있다는 소설에서 바로 그 이야기를 시작했던 것이다. 나의 화폭이 갑자기 고통스러운 넓이로 변하면서 손을 긴장시켜 버린 것은 분명 그 형의 이야기를 읽기 시작하면서부터였다. 더욱이 요즘 형은 내가 가장 궁금하게 여기는 곳에 와서 이야기를 딱 멈추고 있는 것이다. 문제는 형이 이야기를 멈추고 있는 동안 나는 나의 일을 할 수가 없는 것이었다. 이야기의 결말을 생각하는 동안 나의 화폭은 며칠이고 선(線) 하나 더해지지 못하고 고통스러운 넓이로 나를 괴롭히고만 있었다. 이야기의 끝이 맺어질 때까지 정말 나는 아무것도 할 수가 없는 것이다.

창으로 흘러든 어둠이 화실을 채우고 네모 반듯한 나의 화폭만을 희게 남겨 두었을 때 나는 자리에서 일어섰다. 그때 그림자처럼 혜인이 문에 들어서 있는 것을 알았다. 나는 불을 켰다. 그녀는 꽤 오래 그러고 서서 기다렸던 듯 움직이지 않은 어깨가 피곤해 보였다. 불을 켜자 그녀는 불빛을 피해 머리를 좀 숙여서 얼굴에 그늘을 만들었다.

"나가실까요?"

나는 다시 불을 껐다. 왜 왔을까. 이 여자에게는 아직도 정리되지 않은 감정이 남아 있었던가. 그녀가 별반 이유도 없이 나의 화실을 나오지 않게 되었을 때 나는 얼마나 황급히 나의 감정을 정리해 버렸던가.

혜인은 형 친구의 소개로 나의 화실에 나오게 된 학사 아마추어였다.

학생들이 유난히 일찍 화실을 비워 주던 날, 내가 석고상 앞에 혼자 서 있는 그녀의 뒤로 가서 귀밑에다 콧김을 뿜었을 때 그녀는 내게 입술을 주고 나서 그것은 내가 그림을 그리는 사람이기 때문이라고 했다. 그리고 어느 날 그녀는 이제 화실을 나오지 않겠으며, 나로부터도 아주 떠나가는 것이라고 했다. 이유는 단지 내가 그림을 그리는 사람이기 때문이라면서 그 꽃잎같이 고운 입술을 작게 다물어 버렸던 것이다. 나는 혜인에게 아무것도 주장하지 못했다. 아무것도 주장할 수 없으며 떠나보내는 슬픔을 견디는 것이 더 쉽고 나중에는 보다 홀가분해지리라는 것을 알고 있는 자신이 화가 났지만, 결국 나는 그녀의 말대로 그림을 그리는 사람 이상일 수는 없었던 것이다.

"청첩장 드리러 왔어요."

다방에서 마주 앉아 혜인은 흰 사각봉투를 꺼내 놓으며 말했다.

나는 실없이 웃었다.

혜인은 그 후로도 한 번 화실을 찾아온 일이 있었다. 그때 혜인을 다방으로 안내하고 마주 앉아서 아무렇지도 않은 자신을 발견하고, 나는 그녀가 정말로 나로부터 떠나가 버린 것을 알았던 것이다. 혜인 역시 그런 나에게 아무렇지도 않게, 자기는 어떤 개업의사와 쉬 결혼을 하리라고 했었다. 그것은 화실을 그만두기 전부터 작정한 일이었노라고.

"모렌데 오시겠어요?"

아예 혼자인 것처럼 멀거니 앉아 있는 나에게 혜인이 사각봉투를 만지작거리며 물었다. 목소리가 까마득하게 멀었다.

그날 밤, 아주머니에게 그런 말을 했을 때 아주머니는 갑자기 목소리에 희열을 담으며 말했었다.

"도련님, 그럼 그 아가씨 결혼식엔 가 보실래요?"

아주머니도 물론 혜인을 알고 있었다. 아주머니는 아마 실수한 배우에게 박수를 치며 좋아할 여자임에 틀림이 없을 것이다. 나는 그런 박수를 받은 배우처럼 난처했다. 그때 나는 뭐라고 했던가, 인부(人夫)를 한 사람 사서 보내리라고, 아마 그 사람으로도 혜인의 결혼에 대한 내 축원의 뜻을 충분히 전할 수 있을 것이라고. 그것은 치사한 질투가 아니었다. 사실 지금도 나는 혜인과의 화실 시절과 청첩장을 만지작거리고 있는 지금 그녀의 이야기와 또 그녀의 결혼, 모든 것에 관심이 가지 않았다.

"화가 나지 않는 게 이상하군요."

나는 하품처럼 대답했다.

"그러고 보니 도련님은 성질이 퍽 칙칙한 데가 있으시군요."

그날 밤, 아주머니는 그렇게 말했었다. 아주머니는 다른 사람의 일을 이야기하기 좋아했다. 그렇다고 그녀의 관심이 다른 사람에게 머무르고 있는 것은 아니었다.

"아주머닌 처녀 시절 형님과는 약간 밑진다는 생각으로 결혼을 하셨을 줄 아는데, 형에게 무슨 꼬임수라도 있었습니까?"

나는 혜인의 일과 형의 일에 관심을 반반해서 물었다.

"어딘지 좀 악착같은 데가 있었던 것이지요. 단순하다는 이야기가 될지도 모르겠네요. 머리가 복잡한 사람은 한 가지 일에 악착같은 수가 없거든요. 여자는 복잡한 것은 싫어해요. 말하자면 좀 마음을 놓고 의지할 수 있으리라는 생각이 들었더란 말이에요. 나이 든 여자는 화려한 꿈은 꾸지 않는 법이니까 당연한 생각 아녜요?"

형에 대해서 아주머니는 완전히 정확하지는 못했다. 그러나 그런 생각이 여자의 일반 통념이라는 그녀의 비약을 탓하고 싶지는 않았었다.

"전 또 일이 있습니다."

나는 갑자기 형의 소설이 생각나서 훌쩍 커피를 마시고 일어섰다. 나의 화폭이 고통스러운 넓이로 눈앞을 지나갔다.

혜인은 말없이 따라 일어섰다.

"아무 말씀도 해 주시지 않는군요."

문 앞에서 혜인은 나의 말을 한마디라도 듣지 않고는 돌아가지 않겠다는 듯이 딱 멈추어 섰다.

"그 아가씬 잊으세요. 여자가 그런 덴 오히려 표독한 편이니까요."

그날 밤 딱 한 번 근심스러운 얼굴로 말하던 아주머니의 단정은 결코 혜인에게 적용될 수 있는 것은 아닌 것 같았다. 그렇지 않다면 혜인은 여자가 좋아한다는 연극을 하고 있을 것이었다.

나는 돌아서 버렸다. 예상대로 집에는 형이 돌아와 있지 않았다.

—진창에 앉은 듯 취해 있겠지.

나는 저녁을 끝마친 대로 곧장 형의 방으로 가서 서랍을 뒤졌다. 소설은 언제나 같은 곳에 있었다. 형은 아주머니나 나를 경계하는 것 같지 않았다.

"형님을 갑자기 문호로 아시는군요."

아주머니는 관심이 없었다. 소리를 귀로 흘리며 나는 성급하게 원고 뭉치의 뒤쪽을 펼쳤다. 그러나 이야기는 전날 그대로 한 장도 더 나아가지 못하고 있었다. 휴지통에 파지를 내놓은 것이나 하루 종일 책상에 매달려 있었다는 아주머니의 말을 들으면 형은 무척 애를 쓰기는 했던가 보았다. 망설이는 것이었다. 이야기의 결말에 대해서, 아니 하나의 살인에 대해서 형은 무던히도 망설이고 있는 것이었다. 그것은 마치 그 답답하도록 넓은 화폭 앞에 초조히 앉아 있기만 하다가 집으로 돌아와 버리곤 하는 나를 일부러 형이 곯리고 있는 것 같기도 했다. 나는 다시 서랍을 정리해 두고 나의 방으로 돌아왔다. 일찌감치 자리를 깔고 누웠으나 눈이 감기지 않았다. 눈을 감으면 곧 잠이 들던 편리한 습관은 고등학교 때까지뿐이었다. 나대로 소설의 결말을 얻어 보려고 몇 밤을 새웠던 상념이 뇌수로 번져 나왔다.

소설의 서두는 이미지가 선명한 하나의 서장(序章)으로 시작되고 있었다. 그것은 형의 소년 시절의 한 회상이었다. 〈나〉(얼마나 형이 객관화되고 있는지는 모르지만 이것은 그 소설 속의 주인공이다. 이하 〈 〉표는 소설문의 직접 인용)는 어렸을 때 노루사냥을 따라간 일이 있었다. 그즈음 〈나〉의 고향마을에는 가을부터 이듬해 초봄까지 꼭꼭 사냥꾼이 찾아 들었다. 그들은 가을에는 멧돼지를, 겨울과 초봄으로는 노루사냥을 했다. 특히 겨울이면 그들은 마을 사람 가운데 날품 몰이꾼을 몇 사람씩 데리고 산으로 가는 것이었다. 양솥을 산으로 메고 가서 사냥한 것을 끓여 먹었다. 겨울철 할 일이 없는 사람들은 몰이꾼을 자원했고, 사냥꾼이 뜸해지면 그들은 사냥꾼이 마을에 들어오기를 기다리는 것이었다.

눈이 산들을 하얗게 덮은 어느 겨울날, 방학을 맞아 고향마을로 돌아와 있던 〈내〉가 그 몰이꾼들에 끼여 사냥을 따라 나섰던 것이다. 그런데 그날은 이상하게도 한낮이 기울 때까지 아무것도 걸리는 것이 없었다. 〈나〉는 다른 어른 한 사람과 함께 어느 능선 부근 바위 틈에서 언 밥으로 시장기를 쫓고 있었다. 그때 능선 너머에서 갑자기 한 발의 총소리가 울려 왔다. 그 총소리에 대해서 형은 이렇게 쓰고 있었다.

〈나는 총소리를 듣자 목구멍으로 넘어가던 것이 갑자기 멈춰 버린 것 같았다. 싸늘한 음향—분명한 살의와 비정이 담긴 그 음향이 넓은 설원을 메아리쳐 올 때, 나는 부질없는 호기심에 끌려 사냥을 따라 나선 일을 후회하기 시작했다.〉

그러나 총알은 노루를 맞히지 못했다. 상처를 입은 노루는 설원에 피를 뿌리며 도망쳤다. 사냥꾼과 몰이꾼은 눈 위에 방울방울 번진 핏자국을 따라 노루를 좇았다. 핏자국을 따라가면 어디엔가 노루는 피를 쏟고 쓰러져 있으리라는 것이었다. 〈나〉는 흰 눈을 선연하게 물들이고 있는 핏빛에 가슴을 섬뜩거리며 마지못해 일행을 좇고 있었다. 총소리를 처음 들었을 때와 같은 후회가 가슴에서 끝없이 피어 올랐다. 〈나〉는 차라리 노루가 쓰러져 있는 것을 보기 전에 산을 내려가 버리고 싶었다. 그러나 〈나〉는 망설이기만 할 뿐 가슴을 두근거리며 해가 저물 때까지도 일행에서 벗어나지 못하고 있었다. 핏자국은 끝나지 않았고, 〈나〉는 어스름이 내릴 때에야 일행에서 떨어져 집으로 되돌아 왔다. 그리고 〈나〉는 곧 굉장히 앓아 누웠기 때문에, 다음 날 그들이 산을 세 개나 더 넘어가서 결국 그 노루를 찾아냈다는 이야기는 자리에서 소문만 들었으나 몇 번이고 끔찍스러운 몸서리를 치곤 했던 것이다.

서장은 대략 그런 이야기였다. 물론 내가 처음에 이 서장을 읽은 것은 아니었다. 어느 중간을 읽다간 문득 긴장하여 처음부터 이야기를 다시 읽게 된 것이었지만, 여기에서도 나는 노루의 핏자국이라든지 총소리라든지 눈 같은 것들이 묘하게 조화되어 긴장한 분위기를 이루고 있는 것을 느꼈다. 사실 여기서 암시하고 있듯이 형의 소설은 전반에 걸쳐서 무거운 긴장과 비정이 흐르고 있었다.

형의 내력에 대한 관심도 문제였지만, 형의 소설이 더욱 나를 초조하게 하는 것은 그것이 이상하게 나의 그림과 관계되고 있는 것 같은 생각이 들기 때문인 것이다. 그것은 사실일 수도 있었다. 혜인과 헤어지고 나서 나는 갑자기 사람의 얼굴이 그리고 싶어졌다. 사실 내가 모든 사물에 앞서 사람의 얼굴을 한번 그리고 싶다는 생각은 막연하게나마 퍽 오래 지니고 있던 것이었다. 그러니까 혜인과 헤어지게 된 것이 그 모든 동기라고 할 수는 없지만 어쨌든 그 무렵 그런 충동이 새로워진 것은 사실이었다.

나의 그림에 대해서는 더 이야기하고 싶지 않다. 그것은 견딜 수 없이 괴로운 일이다. 그리고 나는 내가 그것에 대해서 생각하고 화필과 물감을 통해서 의미를 부여하고자 하는 것의 십 분의 일도 설명할 수가 없을 것이다. 다만 나는 인간의 근원에 대해서 좀 더 생각을 깊이 하지 않으면 안 된다는 것, 그래서 에덴의 동산으로부터 그 이후로는 아벨이라든지 카인, 또 그 인간들이 지니고 의미하는 속성들을 논리 없이 생각해 보았다. 그러나 어느 것도 전부를 긍정할 수는 없었다. 단세포 동물처럼 아무 사고도 찾아볼 수 없는 에덴의 두 인간과 창세기적 아벨의 선개념, 또 신으로부터 영원한 악으로 단죄받은 카인의 질투—그것은 참으로 인간의 향상 의지로서 신을 두렵게 했을는지도 모른다—그 이후로 나타난 수많은 분화, 선과 악의 무한정한 배합 비율…… 그러나 감격으로 나의 화필이 떨리게 하는 얼굴은 없었다. 실상 나는 그 많은 얼굴들 사이를 방황하고 있었는지도 모른다. 하지만 안타까운 것은 혜인 이후 나는 벌써 어떤 얼굴을 강하게 예감하고 있다는 것이었다. 아직 나는 그것과 만날 수가 없었을 뿐인 것이다. 둥그스름한, 그러나 튀어나갈 듯이 긴장한 선으로 외곽선을 떠 놓고(그것은 나에게 있어 참 이상한 방법이었다) 나는 며칠 동안 고심만 했다.

그러던 어느 날, 그 소설이라는 것이 시작되기 바로 전날이었을 것이다. 형이 불쑥 나의 화실에 나타났다. 그날 낮부터 취해 있었다. 숫제 나의 일은 젖혀 놓고 학생들에게 매달려 있는 나에게 형은 시비조로 말하는 것이었다.

"흠! 선생님이 그리는 그림은 외롭구나. 교합작용이 이루어지는 기관은 하나도 용납하지 않았으니……."

얼굴의 윤곽만 떠 놓은 나의 화폭을 완성된 것에서처럼 형은 무엇을 찾아내려는 듯 요리조리 뜯어보고 있었다. 나는 물끄러미 형을 바라보았다.

"그건 아직 시작인 걸요."

"뭐, 보기에 따라서는 다 된 그림일 수도 있는 걸…… 하나님의 가장 진실한 아들일지도 몰라. 보지 않고 듣지 않고 오직 하나님의 마음만으로 살아가는. 하지만, 눈과 입과 코…… 귀를 주면…… 달라질 테지—한데, 선생님은 어느 편이지?"

형은 그림과 나를 번갈아 쳐다보았다. 그 눈은 무엇을 열심히 찾고 있는 것이었다. 그러나 그것은 이미 밖에서 찾을 것이 아무것도 없는 줄 알아 버린 눈이었다. 나는 어리둥절해 있기만 했다.

"흥, 나를 무시하는군. 사람 논리로만 구명될 수 있는 것이 아니라는 건 예술가도 이 의사에게 동의해 줄 테지. 그런다면 내 얘기도 조금은 맞은 데가 있을는지 몰라. 어때, 말해 볼까?"

형은 도시 종잡을 수 없는 말을 했다. 무엇인가 열심이라는, 열심히 말하고 싶어한다는 것만은 알 수 있었다.

"그 새로 탄생할 인간의 눈은, 그리고 입은 좀 더 독이 흐르는 쪽이어야 할 것 같은데…… 희망은— 이건 순전히 나의 생각이지만, 선(線)이 긴장을 하고 있다는 것이야."

이상하게도 형은 나의 그림에 대해서 이야기를 하고 있었다.

그날 저녁, 모처럼 술을 사겠다는 형을 따라 화실을 나와서 화실 근처를 지나고 있을 때였다. 우산을 써도 좋고 안 써도 좋을 만큼씩 비가 내리고 있었다. 부지런한 사람은 우산을 썼지만 우리는 물론 쓰지 않고 걸었다.

〈ㅈ〉은행 신축공사장 앞에는 늘 거지아이 하나가 꿇어 엎드려 있었다. 열 살쯤 나 보이는 그 소녀 거지는 머리를 어깨 아래로 박고 두 팔을 앞으로 내밀어서 손을 벌리고 있었다. 그 손에는 언제나 흑갈색 동전이 두세 닢 놓여 있었다. 한데 우리가 그 앞을 지날 때였다. 앞서 걷던 형의 구둣발이 소녀의 그 내어민 손을 무심한 듯 밟고 지나가는 것이 아닌가. 놀란 것은 거지아이보다 내 쪽이었다. 형의 발걸음은 유연했다. 발바닥이 손을 깔아 뭉개는 감촉을 느끼지 못한 것 같았다. 더욱 이상한 것은 그때 깜짝 놀라 머리를 들었던 소녀가 벌써 저만큼 멀어져 가고 있는 형의 뒤를 노려볼 뿐 소리도 지르지 않는 것이었다. 나는 소녀의 손을 내려다보았다. 아무렇지도 않았다. 소녀는 다시 자세를 잡았다. 나는 울컥 형이 미워졌으나 잠잠히 뒤를 따르고만 있었다. 분명 형은 스스로에게 무엇인가를 확인하고 있는 것 같은, 그리고 화실에서 지껄이던 말들이 결코 우연한 이야기들만이 아니었던 것 같은 생각이 들었다. 그것은 그 며칠 전에 형이 저지른 실수 그것 때문일 거라고 나는 혼자 추리를 해 보았다. 하지만 그것은 형의 실수는 아니었다. 그러나 중요한 것은 형의 칼끝이 그 소녀의 몸에 닿은 후에 소녀의 숨이 끊어진 것이었다.

건널목에 이르러 신호등이 막히자 형은 비로소 나를 돌아다보았다. 형의 눈은 무엇인가 나에게 묻고 있는 것 같았다. 절대로 대답을 할 수 없으리라고 믿는 그런 것을 자랑스럽게 묻고 있는 눈이었다.

"아까 형님은 부러 그러신 것 같았어요."

형이 자주 드나들었던 듯한 어떤 홀로 들어가서 자리를 정하자 나는 극도로 관심을 아끼는 목소리로 말했다.

"뭘?"

형은 시치미를 뗐다.

"거지아이의 손을 밟아 버린 거 말입니다."

나는 오히려 귀찮아하는 목소리로 말했다. 형은 잠시 당황하는 얼굴을 했다. 아무 생각도 없이 그저 그렇게 해야 한다는 생각 때문에 당황해 보이는.

"하지만 별수 없더군요, 형님도. 발이 말을 잘 듣지 않았던 모양이죠. 아이가 별로 아파해 하지 않는 것 같았어요. 형님은 나 때문에 뒤를 돌아보지 못해서 모르실 테지만."

형은 그다음 날부터 소설을 쓰기 시작했고, 그러자 나는 그림에 손을 댈 수 없게 되어 버렸던 것이다.

형의 이야기의 본 줄거리는 대강 다음과 같은 것이었다. 그것은 6·25 사변 전의 국군부대 진중에서부터 시작되었다.

진중 생활에서 형은 두 사람에 대해서 초점을 맞추고 있었다. 한 사람은 오관모라고 하는 이등중사(당시 계급)였는데, 그는 언제나 대검(帶劍)을 한 손에 들고 영내를 돌아다니는 습관이 있었다. 키가 작고 입술이 푸르며 화가 나면 눈이 세모로 일그러지는 배암 같은 인상의 사내였다. 그는 부대에 신병이 들어오기만 하면 다짜고짜 세모 눈을 해 가지고 대검을 코밑에다 꼬나 대며 〈내게 배를 내미는 놈을 한 칼에 갈라 놓는다〉고 부술 듯이 위협을 하여 기를 꺾어 놓는 것이었다. 그리고 그날 밤으로 가엾은 신병들은 관모가 낮에 배를 내밀지 말라던 말의 뜻을 괴상한 방법으로 이해하게 되는 것이었다. 관모에게 배를 내미는 사람은 한 사람도 없었는지 어쨌는지 모르지만, 관모가 정말로 〈배를 갈라 놓는〉 일은 한 번도 없었다. 그러던 어느 날, 관모네 중대에 또 한 사람의 신병이 왔다. 그가 바로 형의 이야기에서 초점이 맞추어지고 있는 다른 한 사람인데 그는 김 일병이라고만 불리고 있었다. 얼굴의 선이 여자처럼 곱고 살이 두꺼운 편이었는데, 〈콧대가 좀 고집스럽게 높았다〉는 점을 제외하면 김 일병은 관모가 세모눈을 지을 필요도 없을 만큼 유순한 얼굴을 하고 있었다. 그런데 어떻게 된 셈인지 바로 다음 날부터 관모는 꼬리 밟힌 독사처럼 약이 바짝 올라서 김 일병을 두들겨 패기 시작했다. 〈나〉는 김 일병의 코가 제값을 하나 보다고 생각했으나 그런 장난스런 생각은 잠깐뿐이었다.

〈내가 뒷산에서 의무대의 들것 조립에 쓸 통나무를 베어 들고 관모네 중대의 변소 뒤를 돌아오고 있을 때였다. 관모가 김 일병을 엎드려 놓고 빗자루를 거꾸로 쥐고 서투른 백정 개 잡듯 정신없이 매질을 하고 있었다. 관모는 나를 보자 빗자루를 버리고 대뜸 나에게서 통나무를 나꿔 갔다. 미처 어찌할 사이도 없이 관모의 세찬 숨소리와 함께 김 일병의 엉덩이 살을 파고드는 통나무의 둔중한 타격음이 산골을 퍼져 나갔다. 그러나 김 일병은 무서울 정도로 가지런한 자세로 관모의 매를 맞고 있었다. 김 일병이 관모의 매질에 한 번도 굴복한 일이 없다는 소문이 있었고, 그것이 더욱 관모를 약오르게 한다고 했으나, 나는 당장 눈앞에 숙연해 있는 김 일병의 자세를 믿을 수가 없었다. 김 일병의 자세는 절대로 흐트러지지 않았다. 관모는 괴상한 울음 소리 같은 것을 입에 물며 땀을 뻘뻘 흘리고 있었다. 끔찍스러운 광경이었다. 그것은 마치 김 일병이 그만 굴복해 주기를 관모가 애원하고 있는 형국이었다. 그러나 나는 정말 이상한 것을 보고 말았다. 내가 관모와 김 일병 사이로 끼여들어 내내 그 기이한 싸움의 구경꾼이 되어 버린 동기는, 아마 내가 그것을 보게 된 데 있었던 것 같다. 언제까지나 자세를 허물어뜨리지 않을 것 같은 김 일병이 마침내 천천히 머리를 들어 나를 올려다보았는데, 그때 나는 갑자기 호흡이 멈추어 버린 것처럼 긴장을 하고 말았던 것이다.〉

그때 〈내〉가 김 일병에게 보았던 것은 김 일병의 눈빛이었다. 허리 아래에서 타격이 있을 때마다 김 일병의 눈에서는 〈파란 불꽃〉 같은 것이 반짝이고 지나갔다는 것이었다. 여기서 형은 그 눈빛에 관해서 상당히 길게 설명을 하고 있었다. 그러고도 미심했던지 형은 원고지를 두 장이나 여분으로 남기고 지나갔다. 혹은 그 눈빛에 관해서 좀 더 설득력 있게 이야기를 바꾸어 보려는 것이었는지도 모른다. 어떻든지 형은 그 순간에 적어도 그 파란 눈빛의 환각에 빠졌을 만큼 강렬한 경험을 견디고 있었던 것만은 사실인 것 같았다. 형의 소설적 상상력은 절대로 그런 것을 상정해 낼 수 있을 정도는 아니기 때문이다.

〈그러나 김 일병은 그 눈을 무섭게 까뒤집으며 으으으 하는 신음과 함께 몸을 비틀어 버렸다. 관모가 울상이 되어 김 일병에게 달려들어 그 꿈틀거리는 육신을 타고 앉아서 미친 듯이 굴러댔다.〉

〈나〉는 다음에도 여러 번 그 기이한 싸움을 구경했다. 그때마다 〈나〉는 김 일병의 〈파란빛〉이 지나가는 눈을 지키면서 속으로 관모의 매질에 힘을 주고 있었다. 그런 때 〈나〉는 그 눈빛을 보면서 이상한 흥분과 초조감에 몸을 떨면서 더 세게, 더 세게 하고 관모의 매질을 재촉하는 것이었다.

〈이상한 일이었다. 나는 왜 그렇게 초조하고 흥분했었는지, 또 나는 누구를 편들고 있었는지, 그런 것을 하나도 모른 채, 그리고 그 기이한 싸움은 끝이 나지 않은 채 6 · 25사변이 터지고 말았다.〉

이야기는 거기서 한 단이 끝났다. 그러나 아직 이야기의 초점은 드러나지 않고 있었다. 이야기의 초점이란 형이 패잔 때 죽였노라고 했던, 그를 죽였기 때문에 그 먼 탈출에 성공할 수 있었노라던 일에 관해서 말이다. 하지만 나중까지 가 보면 형은 이야기를 위해서 사건을 상당히 생략하고 초점을 향해 치밀하게 이야기를 집중시켜 가고 있음을 알 수 있다.

다음에서 형은 곧 그 패잔에 관해서 이야기하기 시작했다. 강계 어느 산골에 있는 동굴로 장소를 옮겨 갔다. 동굴 바깥은 〈지금〉 눈이 내리고 있고 〈나〉는 굴 어귀에 드러누워 머리를 반쯤 밖으로 내놓고 눈을 맞고 있다. 그 안쪽에 오관모 이등중사가 아직 차림이 멀쩡한 군복으로 앉아 있고, 굴의 가장 안쪽 벽 아래에는 김 일병이 가랑잎에 싸여 누워 있다. 그들은 패잔병이었다. 동굴 안에는 무거운 긴장이 흐르고 있다. 〈나〉는 그러고 엎드려서 한창 눈에 덮이고 있는 골짜기를 내려다보면서도 신경은 줄곧 관모에게 가 있고, 관모 역시 입가에 허연 침이 몰리도록 갈대를 씹어 뱉곤 했으나, 낮게 뜬 눈은 〈나〉의 등에 고정되어 있다. 그런 긴장을 형은 〈지금 눈이, 첫눈이 내리고 있기 때문〉이라고만 간단히 말하고 지나갔다. 그런 간단한 비약이 〈나〉를 훨씬 긴장시켰다. 김 일병은 오른 팔이 하나 잘려서 (이것은 꽤 나중에 밝혀지고 있지만, 이야기를 쉽게 하기 위해서 먼저 밝히는 것이 좋을 것 같다) 다른 두 사람을 잊어버린 듯 의식이 깊이 숨어 버린 눈을 하고 있다.

〈어느 곳인지도 모른다. 강계 북쪽, 하루나 이틀 뒤면 우리는 압록강 물을 볼 수 있으리라는 것이었다. 그러나 그날 새벽 우리는 갑자기 전쟁 개입설이 돌던 중공군의 기습을 받았다. 별로 전투다운 전투를 겪지 않고 여기까지 온 우리는 처음으로 같은 장소에서 꼬박 하루 동안을 총소리와 포성 속에서 지냈다. 어느 쪽이나 촌보의 양보도 없이 버티었다. 다음 날 새벽 부상병을 나르던 내가 오른쪽 팔이 겨드랑 부근에서 동강나 간 김 일병을 발견하고 바위 밑으로 끌고 가서 응급지혈을 하고 있을 때였다. 별안간 총소리가 남으로 이동하기 시작했다. 아직 정신을 돌리지 못한 김 일병 때문이기도 했지만, 총소리는 미처 내가 어떻게 할 사이도 없이 갑자기 남쪽으로 내려가 버렸고 중공군이 이내 수런수런 산을 누비고 지나갔다. 금방 날이 밝았다. 그러나 그때는 이미 골짜기가 중공군의 훨씬 후방이 되어 있었다. 나는 바위 밑에서 옴지락도 못 하고 한나절을 보냈다. 포성이 남쪽으로 남쪽으로 사라져 가고 중공군도 뜸해졌다. 그 날 해가 질 무렵에야 김 일병은 정신을 조금 돌렸다. 다음 날은 뜸하던 포성마저 깜박 사라져 버리고 중공군도 발길이 딱 끊어졌다. 전쟁이 늘 그러듯이, 대충만 훑고 지나가면 뒤에 남은 것은 제풀에 소멸해 버리거나 이미 전쟁과는 상관없을 만큼 힘을 잃어버리고 만다. 중공군은 골짜기를 버리고 갔다. 혹시 부상당한 적의 패잔병 따위가 남아 있는 것을 눈치챘었다 해도 그들은 그냥 지나가 버렸을 것이다. 하여, 이제 골짜기는 정적과 가을 햇볕으로 가득할 뿐이었다. 하지만 나는 불안했다. 싸움터에 흩어진 건빵 봉지와 깡통 몇 개를 모아 가지고 김 일병을 부축하며 좀 더 깊고 안전한 곳으로 은신처를 찾아나섰다. 김 일병의 상처는 경과가 좋은 편이었지만, 포성마저 사라져 버린 지금 국군은 찾아 떠나기는 불가능한 일이었다—포성이 곧 되돌아오겠지—안전한 곳에서 기다려 보자.

골짜기를 타고 올라와서 잣나무 숲을 빠져나오니 산정까지 이어진 초원이 나섰다. 거기서 관목을 타고 올라오다 나는 동굴을 하나 발견했다. 내가 그 동굴 앞에서 김 일병을 부축한 채 안을 기웃거리고 있을 때였다.

"어떤 놈들이 주인 허락도 없이 남의 집을 기웃거리고 있어!"

소스라쳐 돌아보니 건너편 숲에서 우리 쪽에다 총을 겨눈 채 웃고 있는 사람이 있었다. 관모였다.

"고기가 먹고 싶던 참이라 마침 방아쇨 당길 뻔했다."

관모는 총을 거두고 훌쩍 뛰어왔다. 그러고는 내가 부축하고 있는 김 일병의 팔을 들춰 보더니, "이런! 넌 별로 쓸모가 없겠군" 하며 혀를 차는 것이었다.

그리고 나의 어깨를 툭 쳤다.

"하지만 고맙지 뭐냐. 적정을 살피러 가래 놓고 다급해지니까 저희들만 싹 꽁무니를 빼 버린 줄 알았더니 너희들이 날 기다려 줬으니."〉

거기까지 이야기한 다음 소설은 다시 눈이 오고 있는 동굴로 돌아왔다.

오관모는 질겅질겅 씹고 있던 갈대를 뱉어 버리고 구석에 세워 둔 카빈 총을 짊어지고 동굴을 나갔다. 그는 〈장소〉와 인적을 탐색하러 간 것이었다. 관모는 〈이〉 골짜기에서 총소리를 내도 좋은가를 미리 탐색할 만큼은 지략이 있었다. 이제 동굴에는 〈나〉와 김 일병뿐이었다.

〈우리는 우선 전투지역에 흩어진 식량거리를 한데 모아 놓고 동굴로 날랐다. 많은 것은 아니었으나 우리는 그것을 하루 분이나 이틀 분씩만 가볍게 날라 올렸기 때문에 며칠을 두고 산을 내려가지 않으면 안 되었다. 그것은 우리가 아직도 군인이라는 유일한 행동이기도 했다. 김 일병을 남겨 놓고 둘이는 매일 한 차례씩 산을 내려갔다. 그러나 사실을 말하자면 그런 모든 행동의 결정은 관모가 내렸고, 관모는 그렇게 함으로써 김 일병을 제외한 둘이만의 시간을 가지려는 눈치를 여러 번 보였던 것이다. 동굴에서의 관모는 언제나 이야기의 주변만 돌고 있는 것 같았다. 그래서 그에게는 틀림없이 따로 하고 싶어하는 이야기가 있는 것 같은 눈치가 느껴지곤 했었다. 그러나 막상 둘이 되었을 때도 관모는 어떤 이야기의 주변만 맴돌 뿐 불쑥 말을 꺼내지는 못했다.

그러던 어느 날, 그날로 산 아래의 것을 마지막 메어 오던 날이었다.

산을 앞장서 오르던 관모가 발을 멈추고 돌아보며 불쑥 묻는 것이었다.

"포성은 인제 안 오려나 보지?"

"겨울을 나면서 천천히 기다려야지."

나는 숨을 몰아쉬며 무심결에 대답했다. 그때 관모가 조금 웃었다.

"요걸로 얼마나 지낼까?"

관모는 자기의 어깨에 멘 쌀자루를 툭툭 쳐 보였다. 그러는 관모의 표정이 변했다.

"입을 줄이는 수밖에 없지."

말하고 나서 관모는 휙 몸을 돌려 다시 산을 오르기 시작했다. 나는 얼핏 그의 말뜻을 알아들을 수가 없었다. 대꾸를 못 하고 아직 그 말을 씹으며 뒤를 따르고 있으니까 관모는 다시 발을 멈추고 돌아서서는, "다 내게 맡기고 너 같은 참새 가슴은 구경만 하면 돼. 위생병은 그런 일에는 적당치 않으니까. 한데…… 언제가 좋을까?" 하고 그는 찬찬히 나의 얼굴을 들여다보았다.

그리고 그는 모든 것을 이미 정해 놓았던 듯 별로 생각해 보지도 않고 잘라 말했다.

"첫눈이 오는 날이 좋겠어. 그사이에 포성이 오면 또 생각을 달리해도 될 테니까."

관모는 금방 눈이 떨어지기라도 할 것처럼 하늘을 쳐다보는 것이었다.

그날 밤 관모는 또 나에게로 왔다. 그러나 나는 다른 어느 때보다 불쾌한 듯 그를 쫓았다. 사실로 그것은 불쾌한 일이었다. 우리가 이 동굴로 온 첫날 밤, 막 잠이 든 뒤였다. 동굴의 어둠 속에서 나는 몸이 거북해서 다시 눈을 뜨고 말았다. 정신이 들고 보니 엉덩이 아래에 뭉툭한 것이 뿌듯이 치받고 있었다. 귀 밑에서 후끈거리는 숨결을 의식하자 나는 울컥 기분이 역해져서 몸을 비틀었다. 그러나 놈은 가슴으로 나의 등을 굳게 싸고 있었다.

"가만있어……."

관모가 귀 밑에서 황급히, 그러나 낮게 속삭였다. 나는 견딜 수가 없었다. 구렁이처럼 감겨드는 놈을 매섭게 밀쳐 버리고 바닥에 등을 꽉 붙이고 누웠다. 그는 한동안 숨을 죽이고 있더니 할 수 없었는지 가랑잎을 부스럭거리며 안쪽으로 굴러갔다. 나는 눈을 감았다. 그리고 희한하게도 관모가 김 일병에게서 낮에 말했던 〈쓸모〉를 찾아낸 소리를 듣고 있었다.

아마 그것은 김 일병이 관모에게 뒤를 맡긴 최초의 일이었을 것이다.

다음 날, 김 일병의 표정은 별로 달라지질 않고 있었다. 오히려 명랑해진 쪽이었다. 그사이 김 일병에게서 의식하지 못했던 그 눈빛마저 되살아난 것 같았다. 포성의 이야기, 곧 포성이 되돌아오게 될 거라는 이야기를 해 주었을 때 김 일병은 잠깐 그런 눈을 했다. 관모도 김 일병을 별로 괴롭히지 않았다. 김 일병의 상처는 더 나빠지지는 않았으나 결코 위생병 옆에서는 좋아질 수도 없을 만큼 큰 것이었다. 그렇게 며칠을 지나던 어느 날 밤 관모가 다시 나에게로 와서 더운 입김을 뿜어댔다. 김 일병에게서는 냄새가 난다는 것이었다. 나는 관모를 다시 김 일병에게로 쫓아버렸다. 그러나 그 며칠 뒤부터 관모는 절대로 다시 김 일병에게로는 가지 않았다. 그러다가 첫눈에 관한 이야기를 했던 것이다. 사실 김 일병의 상처에서는 견딜 수 없을 만큼 냄새가 났다. 그날 밤도 관모는 김 일병에게 가지 않았다. 관모는 밤마다 나의 귀 밑에서 더운 입김만 뿜다가 떨어져 자버리곤 했다. 내가 할 수 있는 것은 등을 바닥에서 떼지 않는 것뿐이었다. 초겨울로 접어들었는데도 눈은 무척 더디었다. 이제 김 일병에게서는 아무리 포성의 이야기를 해도 그 기이한 눈빛을 하지 않았고, 나중에는 하루 한 번씩 내가 소독약을 발라주는 것조차 거절해 버리고 있었다. 건빵 가루로 쑤어준 미움을 꿀꺽꿀꺽 맛있게 받아먹던 것을 거절한 지가 사흘, 포성에 대한 희망은 까마득한 채 드디어 첫눈이 내리게 된 것이다.〉

여기서 첫눈에 관한 비약은 완전히 해명된 셈이었다.

〈어둠이 차오르기 시작한 골짜기 아래서 가물가물 관모가 올라오고 있었다. 관모는 조금 오르고는 한참씩 멈춰서서 동굴을 쳐다보곤 했다. 긴장 때문에 사지가 마비되어 오는 것 같았다. 나는 후닥닥 김 일병 쪽으로 가서 그의 눈을 들여다보았다. 그 눈동자는 천장의 어느 한 점에 고정되어 있었으나 시신경은 작용을 멈춰 버린 것 같았다. 그 눈은 시신경의 활동보다 먼저 그의 안이 텅 비어 버린 것을 말해 주는 것이었다. 가끔씩 눈꺼풀이 내려와서 그 눈알을 씻고 올라가는 것이 그가 아직 살아 있다는 유일한 증거였다.

"눈이 오고 있다. 김 일병."

나는 부드러운 목소리로 아무렇지 않게 말하고 나서 김 일병의 눈을 들여다보았다. 그 눈에는 아무런 표정도 스치지 않았다.

"김 일병, 눈이 오고 있어."

나는 좀 더 큰 소리로 말했으나 김 일병의 표정이 여전히 변하지 않는 것을 보고는 문득 손을 놀려 김 일병의 상처에 처맨 천을 풀었다. 말라붙은 피고름에 헝겊이 빳빳하게 엉겨 있었다. 그것을 풀어내자 나는 흠칫 놀라 숨을 들이쉬었다. 상처벽이 흙벼랑처럼 무너져 가고 있었다. 나는 다시 김 일병의 눈을 보았다. 아 그런데, 김 일병은 나의 말을 알아들은 것일까. 아니면 아까 분위기가 말해 준 모든 것을 이미 알아차리고 자기의 가장 깊은 곳으로 들어가서 마지막 생명의 소리에 귀를 기울여 보고 있었던 것일까. 뜻밖에도 그 눈에는 맑은 액체가 가득히 차올라 있었다. 그리고 그것을 밀어내지 않으려는 듯이 눈꺼풀은 동작을 오래 그치고 있었다. 그러나 눈물을 다시 삼켜 버린 듯 그 눈은 다시 건조해졌다. 뜻없이 눈동자가 천장의 한 점을 계속해서 응시했다.

그때 김 일병이 죽어도 좋다고 생각했다.〉

이야기는 거기까지였다. 그러니까 형이 죽였다고 한 것은 김 일병이었을 것이지만, 그것이 누구의 행위일지는 아직 확실하지 않았다. 확실치 않은 것은 관모에 대해서도 마찬가지였지만, 어쨌든 거기에서 형이 천 리 길을 탈출할 힘을 얻을 수 있었다면 그것은 가해자가 누구냐인가는 문제가 아닐 것 같았다. 형은 이미 살인을 저지른 것이었다. 그리고 형은 지금 그 이야기를 함으로써 관념 속에서 살인을 되풀이하려는 것이었다. 그러나 망설이고 있었다. 그것은 마치 소설의 서장으로 쓰인 눈과 사냥의 이야기에서, 그리고 관모와 김 일병의 눈빛 사이에서 아무것도 하지 못하고 초조하게 망설이고 있는 〈나〉를 연상케 했다. 수술에 실패한 소녀에 관해서만 생각지 않는다면 형은 무슨 이유로 지금 그 살인의 이야기를 하고 살인의 기억을 자기에게서 확인하고 싶어졌는지 모르지만, 그는 지금도 끝없이 망설이고 있는 것이었다.

매일 저녁 나는 그 형의 소설을 뒤져 보고 어서 끝이 나기를 기다렸지만, 관모는 항상 아직 골짜기 아래서 가물거리고 있었고, 김 일병은 형의 결정을 기다리고만 있는 것이었다. 무엇보다도 나는 형이 그러고 있는 동안 화실에서 나의 일을 할 수가 없었다.

다음 날 내가 아침을 먹고 집을 나올 때까지 형은 얼굴을 내밀지 않았다. 나는 낮 동안은 될수록 형의 소설을 생각지 말고 나의 작업에만 전념해 보리라 마음을 다지고 일찍 화실로 나갔다. 그러나 나는 화가 앞에 앉을 마음의 준비가 없이는 아무것도 되지 않는다는 것을 알고 있었다. 나는 유리창 앞으로 가서 담배를 물었다. 화실로 학생들이 나오는 시간은 오후부터였다. 현기증이 나도록 넓은 화폭 앞에서 나는 결국 형의 소설만을 생각했다. 그 이야기 가운데 누가 나의 화폭에서 재생되기라도 할 듯 그것의 결말을 보지 않고는, 형이 김 일병을 죽이기 전에는, 나의 일을 할 수가 없었다. 결말은 명백히 유추될 수 있었다. 형은 언젠가 자기가 동료를 죽였다고 말했지만, 형의 약한 신경은 관모의 행위에 대한 자기의 살인 행위로 받아들인 것인지도 모를 일이었다. 그렇다면 형은 가엾은 사람이었다. 그리고 미웠다. 언제나 망설이기만 하고 한 번도 스스로 행동하지 못하고 남의 행동의 결과나 주워 모아다 자기 고민거리로 삼는 기막힌 인텔리였다. 자기의 실수만도 아닌 소녀의 사망사건을 자기 것으로 고민함으로써 역설적으로 양심을 확인했다. 그리고 관념화한 하나의 사건을 순전히 자기 것으로 만들어 되씹음으로써 자신을 확인하는 이상한 방법으로 힘을 얻으려는 것이었다.

그러나 요즘 형은 그 관념 속의 행위마저도 마지막에는 주저하고 있었다. 악질인 체했을 뿐 지극히 비루하고 겁 많은 사람이었다. 영악한 양심이 그것을 용납치 않는 모양이었다.

나는 화실 학생들의 등 뒤에서 그들의 화폭만을 기웃거리다가 어스름 전에 집으로 돌아오고 말았다. 역시 형은 나가고 없었다. 나는 우선 형의 방으로 가서 원고부터 조사했다. 어제나 마찬가지였다. 원고를 다시 집어 넣어 두고 방을 나왔다. 몸을 씻고 저녁을 먹고 아주머니와 몇 마디 농담을 주고받는 동안 나는 줄곧 화가 나서 견딜 수가 없었다. "도대체 형이란 자는……"으로부터 시작해서 생각해 낼 수 있는 욕설은 모조리 쏟아 놓고 싶었다. 그러나 그것은 꼭 형을 두고 하는 생각만은 아닌 것 같았다. 그저 욕설을 하고 싶다는 것, 욕할 생각이라도 하고 있지 않으면 한순간도 견뎌 배길 수 없을 듯한 노여움 같은 것이 속에서 부글거렸다. 아주머니가 오랜만에 바람 좀 쐬고 오겠다고 집을 나간 다음, 나는 다시 형의 방으로 가서 쓰다 둔 소설과 원고지를 들고 나의 방으로 갔다. 기다릴 수가 없었다. 나는 화풀이라도 하는 마음으로 표범 토끼 잡듯 김 일병을 잡았다. 김 일병의 살해범이 누구인지 확실치도 않은 것을 〈나〉로 만들어 버렸다. 그러니까 〈내〉(여기서는 형이라고 해야 좋겠다)가 관모가 오기 전에 김 일병을 끌고 동굴을 나와서 쏘아 버리는 것으로 일단 끝을 맺었다. 형은 다음에 탈출 이야기를 이을 것인지 모르지만 그것은 아무래도 좋았다. 관모의 말처럼 망설이고 두려워하기만 하는 형(〈나〉)의 참새 가슴이 벌떡거리는 것을 그리다 나는 새벽녘에야 조금 눈을 붙였다.

다음 날, 나는 화폭에 약간 손을 댔다. 그러고 나서 한동안 나는 묘한 흥분에서 헤어나지를 못하고 있었다. 혜인의 결혼식을 무의식중에나마 의식하고 있었던 때문이었는지도 모른다. 실상 나는 혜인의 결혼식을 가 보는 게 옳을는지 모른다는 생각이 잠깐 들기도 했지만, 오랜만에 손이 풀리는 것 같아서 화폭에 매달리느라고 그런 생각은 금방 잊어버리고 있었던 것이다. 그런데 점심을 먹고 들어와서 막 아이들을 기다리고 있는 참에 뜻밖에 그때쯤 식장에 서 있을 혜인에게서 속달이 왔다. 하루가 지난 뒤에 뜯어 보든지 아주 잊어버려지기를 바라면서 봉투를 서랍 속에다 깊숙이 넣어 버렸다. 그러고는 아직 좀 이른 시간이었으나 아이들을 기다렸다. 그것들이 옆에 있어 주는 것이 좋을 것 같았다. 그러나 그때 문을 벌컥 열고 들어선 것은 벌겋게 충혈된 형이었다. 사실 나는 어젯밤 형의 이야기에 손을 대 놓고 형이 아주 모른 체하리라고는 생각지 않았었다. 그러나 나는 모처럼 화폭에 손을 댈 수 있었고, 막연하게나마 혜인의 결혼이 머리에 젖어 있어서 미처 형이 그렇게 나타나리라고는 생각지를 못했던 것이다.

형은 문에 기대어 서서 문을 잘못 들어선 사람처럼 방 안을 한번 휘둘러보고 나서야 천천히 나의 곁으로 다가왔다.

"혜인인가…… 그 아가씨 결혼식엔 안 가니?"

형은 물끄러미 나의 화폭을 바라보면서 말했다. 예사스런 목소리와는 다르게 화폭에 닿은 식지가 파르르 떨리고 있었다. 혜인은 원래 형 친구의 소개로 나의 화실에 나왔던 터이니까 형도 그건 알고 있을 것이었다. 그렇다면 형은 혜인에 대해서, 그리고 그 여자의 남자에 대해서도 퍽 자세히 알고 있을 법한 일이었다. 하지만 그게 무슨 상관이란 말인가.

"형님의 관심은 그런 데 있는 게 아닐 텐데요."

나는 도사리는 소리를 했다.

"아가씨를 뺏긴 것 외에는 넌 썩 현명한 편이다."

형은 웃었다. 그러자 나는 갑자기 초조해졌다.

"제게 감사하러 오신 것 같지는 않군요."

"그럼, 더욱이 그런 오해를 하고 있을까 봐서" 하면서 형은 손가락으로 화폭을 꾹 눌러서 구멍을 내버렸다.

나는 반사적으로 자리에서 일어섰다. 형이 한 손으로 계속 그 구멍을 넓히면서 다른 한 손을 저어서 앉으라는 시늉을 했다.

"좀 똑똑한 아우를 두고 싶을 뿐이야. 화를 내지 말았으면 해. 난 너의 기분 나쁜 쌍통을 상대하기에는 지금 너무 기분이 좋아 있어. 다만 이 그림은 틀렸어. 난 잘 모르지만. 틀림없이 넌 뭔가 잘못 알고 있으니까. 곧 알게 될 거야. 늦었을지 모르지만 난 이제 결혼식에 가 봐야겠어. 신랑도 아는 처지라 말이다."

그리고 형은 나가 버렸다. 어깨가 퍽 자신 있게 흔들리고 있었다. 나는 한동안 형이 사라진 문을 멍하니 바라보고만 있었다. 눈을 돌렸을 때 폭풍에 시달린 돛폭처럼 나의 화폭은 흉하게 너덜거리고 있었다. 나는 갑자기 생각이 난 듯 서랍에서 혜인의 편지를 꺼내어 잠시 손가락 사이에서 부피감을 느껴 보다가 봉투를 뜯었다.

인제 갑니다. 새삼스럽다구요? 하지만 그젯밤 선생님은 제가 이제 정말로 떠나간다는 인사를 하게 해 주지도 않으셨지요. 그건 선생님께서 너무 연극기를 싫어하기 때문이라시겠죠. 저를 위해 축복해 주시라고는 하지 않습니다. 다만 안녕히 계시라고 분명한 목소리로 말을 했어야 했고, 그걸 못 했기 때문에 다시 이런 연극을 하는 거예요. 결혼식을 하루 앞둔 신부의 편지라고 겁내실 필요는 없습니다. 어떤 일도 선생님은 책임을 지려고 하지 않으셨고, 저는 선생님에게 책임을 지워 보려는 모든 노력에서 한 번도 이긴 적이 없으니까요. 결국 선생님은 책임을 질 수 있는 일이 아무것도 없음을 알았어요. 혹은 처음부터 책임을 지지 않도록 하는 일이 이미 책임 있는 행위라고 생각하고 계실지 모르겠어요. 감정의 문제까지도 수식을 풀고 해답을 얻어내는 그런 방법이 사용될 수 있으리라고 생각하시는지 모르지만, 그것도 결국 선생님은 아무것도 책임질 능력이 없다는 증거지요. 왜냐하면 선생님의 해답은 언제나 모든 것이 자신의 안으로 돌아가는 것뿐이었으니까요.

선생님을 언제나 그렇게 만든 것은 선생님이 지니고 계신 이상한 환부(患部)였을 것입니다. 내일 저와 식을 올릴 분은 선생님의 형님 되시는 분을 6 · 25 전상자라고 하더군요. 처음에 저는 그 말을 알아들을 수가 없었지만 요즘의 병원 일과 소설을 쓰신다는 일, 술(놀라시겠지만 그분은 선생님의 형님과 친구랍니다)에 관한 모든 이야기를 듣고는 어느 정도 납득이 갔어요. 그렇지만 정말로 저는 선생님에 대해서는 알 수가 없었어요. 6 · 25의 전상이 자취를 감췄다고 생각하면 오해라고, 선생님의 형님은 아직도 그 상처를 앓고 있다고 하시는 그분의 말을 듣고 저는 선생님을 생각했어요. 그렇다면 이유를 알 수 없는 환부를 지닌, 어쩌면 처음부터 환부다운 환부가 없는 선생님은 도대체 무슨 환자일까고요. 더욱이 그 증상은 더 심한 것 같았어요. 그 환부가 어디에 위치해 있는지, 그것이 무슨 병인지조차 알 수 없다는 점에서 선생님의 병은 더 위험한 거예요. 선생님의 형님은 그 에너지가 어디에 근원했든 자기를 주장해 왔고, 자기의 여자를 위해서 뭔가 싸워 왔어요.

몇 번의 키스와 손길을 허락한 대가로 말씀드리는 것은 아닙니다. 제가 치료를 해 드릴 수 있었으면 하고 생각했었지만, 그것은 결국 선생님 자신의 힘으로밖에 치료될 수 없는 것이라는 것을 알게 되었습니다. 그렇게 되기를 빌 뿐입니다.

그리고 이제 저는 어떻든 행복해지고 싶으며, 그러기 위해서 분명히 떠나간다고 스스로 긍정하는 감정으로 말씀을 드리고 이 글을 끝맺겠어요.

영영 문을 열지 않을 성주(城主)에게

혜인 올림

"도련님, 오늘은 이 집에 무슨 못 불 바람이 불었나 보죠?"

가까스로 아이들을 돌보고 집으로 돌아오자, 아주머니는 전에 없이 웃는 얼굴이었다.

"바람이라뇨?"

나는 말하면서 힐끗 형의 방을 들여다보았다. 형은 역시 없었다.

"도련님 얼굴이 다른 날과 달라요."

그것은 정말일는지 모른다. 아주머니 자신의 표정이 다른 날과는 다르기 때문이다.

"무슨 일이 있었나요?"

"형님이 내일부터 병원 일을 시작하시겠대요."

아주머니는 어서 누구에게라도 그 말을 하려고 기다리고 있었던 듯 더 이상 참지 못하고 웃음의 비밀을 털어놓았다.

나는 형의 방으로 뛰어들어 가서 서랍을 열고 원고뭉치를 꺼냈다. 잠시 나의 뇌수는 어떤 감정의 유발도 중지하고 있었다. 소설의 끝부분을 펼쳤다. 그러고는 거기 선 채로 나의 시선은 원고지를 좇기 시작했다. 나의 감정은 다시 한 번 진공 속으로 빠져들어 갔다. 등을 보이고 쫓기던 사람이 갑자기 돌아섰을 때처럼 나는 긴장했다. 형의 소설은 끝이 달라져 있었다. 형은 내가 쓴 부분을 잘라내고 자신이 끝을 맺어 놓은 것이었다. 형의 경험은 이 소설 속에서 얼마만큼 사실성을 유지하고 있는지는 모른다. 혹은 적어도 이 끝부분만은 형의 완전한 픽션인지도 모른다. 형은 나의 추리를 완전히 거부해 버린 것이었다.

〈나〉는 관모가 나타날 때까지 동굴을 들락 날락 하고만 있다. 드디어 관모는 동굴까지 올라왔다 그 얼굴이 어둠 속에서 땀에 번들거렸다. 그는 대뜸 〈동강나간 팔 핑계를 하고 드러누워 처먹고만 있을 테냐〉고 하며, 〈오늘은 네놈도 같이 겨울 준비를 해야겠다〉면서 김 일병을 일으켜 끌고 동굴을 나간다. 〈나〉를 쏘아본다. 〈나〉는 아무 말도 못 하고 고개를 떨어뜨린다. 〈넌 구경이나 하고 있어……〉 타이르듯 낮게 말하고 관모는 김 일병을 앞세우며 산을 내려간다. 말끝에서 나는 〈이 참새 가슴아〉 하고 말하고 싶어하는 관모의 소리를 들은 것 같았다. 뜻밖에 기동을 해서 발걸음이 침착하게 걷고 있는 김 일병은 단 한 번 길을 내려가면서 〈나〉를 돌아본다. 그런, 그 눈에는 아무것도 찾아볼 수가 없다. 둘은 눈길에 검은 발자국을 내며 골짜기로 내려갔다. 그리고 그들이 골짜기의 잣나무 숲으로 아물아물 숨어 들어가 버릴 때까지 〈나〉는 거기에 못 박힌 듯 붙어서 있기만 했다. 어느덧 눈은 그치고 눈 위를 스쳐 온 바람이 관목 사이로 기분 나쁜 소리를 내며 빠져 나갔다. 드문드문 뚫린 구름장 사이로는 바쁜 별들이 서쪽으로 흐르고 있었다. 조금 뒤에 골짜기에서는 한 발의 총소리가 정막을 깼다. 그 소리는 골짜기를 한 바퀴 돌고 난 다음 남쪽 산등성이로 긴 꼬리를 끌며 사라졌다. 〈나〉는 비로소 잠에서 깨어난 듯 깜짝 놀란다.

〈그 총소리는 나의 가슴속 깊이 어느 구석엔가 숨어서 그 전쟁터의 수많은 총소리에도 지워지지 않고 남아 있었던 선명한 기억 속의 것이었다. 어린 시절, 노루 사냥을 갔을 때에 설원에 메아리치던 그 비정과 살의를 담은 싸늘한 음향이었다.〉

그러자 〈나〉의 눈앞에는 그 설원에 끝없이 번져 가는 핏자국이 떠올랐다. 그때 또 한 발의 총소리가 울렸다. 〈나〉는 몸을 부르르 떨고 나서 동굴 구석에 남은 한 자루의 총을 걸어메고 그 〈핏자국〉을 따라 산을 내려갔다. 〈오늘은 그 노루를 보고 말겠다. 피를 토하고 쓰러진 노루를〉 〈날더러는 구경만 하라고?〉 〈그렇지. 잔치는 언제나 너희들뿐이었지〉 이런 말들이 〈내〉가 그 〈핏자국〉을 따라가는 동안에 수없이 되풀이되고 있었다.

〈그 핏자국은 끝날 것 같지 않았다. 끝없이 눈 위로 계속되었다. 나는 뛰었다. 그 핏자국은 관모들이 눈을 헤치고 간 발자국이었다는 것을 안 것은 내가 가시나무에 이마를 할퀴고 정신을 다시 차렸을 때였다. 이마에 섬뜩한 촉감을 느끼고 발을 멈추어 섰을 때 나의 뒤에서는 가시나무가 배를 움켜쥐며 웃고 있는 것처럼 커다란 키를 흔들고 있었다. 나는 잣나무 숲 속으로 들어서 있었다. 이마에 손을 대어 보니 미끄럽고 검은 것이 묻어났다. 손가락을 뿌리고 다시 발자국을 따라 몸을 움직이려고 했을 때였다.

"어딜 가는 거야."

송곳 같은 소리가 귀에 와 들이박혔다. 나는 흠칫 놀라 발을 멈추고 그 주위를 둘러보았다. 발자국이 사라진 쪽과는 반대편 언덕 아래서 관모가 총을 내 쪽으로 받쳐들고 서 있었다. 어둠 속에 허연 이를 드러내 놓고 있었다. 웃고 있는 것 같았다. 내가 발을 멈추자 그는 총을 내리고 나에게로 다가왔다.

"너 같은 참새 가슴은 보지 않는 게 좋아. 모른 체하고 있으래지 않았나."

관모는 쓰다듬어 줄 듯이 목소리가 낮았다.

—하지만 나는 오늘 밤, 노루를 보고 말겠다. 피를 토하고 쓰러진 노루를, 나는 관모를 무시하고 천천히 몸을 돌렸다.

"가지 마라!"

이상하게 가라앉은 목소리가 나를 쫓아왔다. 노리쇠가 한 번 후퇴했다. 전진하는 금속성이 뒤로부터 나의 뇌수를 쪼았다. 뇌수가 아팠다. 나는 등 뒤로 독사 눈깔처럼 까맣게 나를 노리고 있을 총구를 의식했다.

—또 뒤를 주고 섰구나, 뒤를.

"포성이 다시 올 희망은 없다. 먹을 게 없어지면 우리가 찾아가야 한다. 난 아직 네가 필요하다. 그것은 너도 마찬가지다."

"……."

"돌아서라."

—그렇지, 돌아서야지. 이렇게 뒤를 주고서야 어디. 나는 돌아섰다.

관모는 그제야 안심한 듯 내게 향했던 총을 내리고 나에게로 걸어왔다. 어깨라도 짚어 줄 것 같은 태도였다. 그 순간이었다. 나의 총은 다급한 금속성을 퉁기고 몸은 납작 땅바닥 위로 엎드렸다. 관모의 몸도 따라 땅 위로 낮아지고 거의 동시에 두 발의 총소리가 또 한 번 골짜기의 정적을 깼다. 그 모든 것은 거의 한순간에 일어난 일이었다.

총소리가 사라지자 골짜기에는 다시 무거운 고요가 차올랐다. 나는 머리를 조금 들고 관모 쪽을 응시했다. 흰 눈 위에 관모는 검게 늘어진 채 미동도 없었다. 나는 엎드린 채 몸을 움직여 보았다. 이상한 데가 없었다. 당황한 관모의 총알은 조준이 되지 않았을 것이다.

다시 관모 쪽을 살폈다. 가슴께서부터 눈 위로 검은 반점이 스멀스멀 번져 나오고 있었다. 나는 거기에서 눈을 떼지 않은 채 상체부터 조금씩 일으켰다. 그러고는 총을 비껴 쥐고 조심조심 관모 쪽으로 다가갔다. 가슴께서 쏟아진 피가 빠른 속도로 눈을 물들이고 있었다. 금세 나의 발을 핥고 들 기세였다. 나무들은 높고 산골은 소름 끼치는 고요가 짓누르고 있었다. 이상스런 외로움이 뼛속으로 배어 들었다. 그때 갑자기 관모가 몸을 꿈틀했다. 그러고는 계속해서 조금씩 꿈틀거렸다. 그것은 모래성에서 모래가 조금씩 흘러내리는 것처럼 작고 신경에 닿는 것이었다.

나는 겁이 나기 시작했다. 어느새 핏자국은 눈을 타고 나의 발등을 덮었다. 나는 한참 동안 두려운 눈으로 관모의 움직임을 지켜보고 있었다. 입으로 짠 것이 흘러들었다. 손으로 이마를 짚었다. 생채기에서 볼로 미끈한 것이 흐르고 있었다. 관모의 움직임은 더 커가는 것 같았다. 금방 팔을 짚고 일어나 앉을 것 같은 생각이 들었다. 짠 것이 계속해서 입으로 흘러들어 왔다. 나는 천천히 총대를 받쳐들고 관모를 겨누었다.

탕!

총소리는 산골의 고요를 멀리까지 쫓아 버리려는 듯 골짜기를 샅샅이 훑고 나서 등성이 너머로 사라졌다. 그 소리의 여운을 타고 그리움 같은 것이 가슴으로 젖어 들었다. 문득 수면에 어리는 그림자처럼 희미한 얼굴이 떠올랐다. 그것은 웃고 있는 것 같았다. 그리고 좀더 확실해지기만 하면 나는 그 얼굴을 알아볼 수도 있을 것 같았다. 오래전부터 나와 익숙했던 어쩌면 어머니의 뱃속에도 있기 이전부터 이미 알고 있었던 것 같은 그리운 얼굴이었다. 그러나 생각이 나지 않았다. 안타까웠다. 생각이 나기 전에 그 수면 위의 그림자처럼 희미하던 얼굴은 점점 사라져 갔다. 나는 눈을 감았다. 그리고 계속해서 방아쇠를 당겼다. 총소리가 다시 산을 메웠다. 짠 것이 입으로 자꾸만 흘러 들어왔다.

탄환이 다하고 총소리가 멎었다.

피투성이의 얼굴이 웃고 있었다. 그것은 나의 얼굴이었다.〉

선 채로 소설을 다 읽고 나서 나는 비로소 싸늘하게 식은 저녁상과 싸늘하게 기다리고 있는 아주머니를 의식했다. 몸을 씻은 다음 상 앞에 앉아서도 나는 아직 아주머니에게 눈을 주지 않고 있었다. 나의 추리는 완전히 빗나갔다. 그러나 그런 건 생각할 필요가 없었다. 소설의 마지막에서 형은 퍽 서두른 흔적이 보였지만 결코 지워지지 않는 연필로 그린 듯한 강한 선(線)으로 얼굴을 이야기하고 있었다. 형이 낮에 나의 그림을 찢은 이유가 거기 있었다. 내일부터 병원 일을 시작하겠다던 말을 알 수 있을 것 같았다. 그리고 동료를 죽였기 때문에 천 리 길의 탈출에 성공할 수 있었다면 수수께끼의 해답도 짐작이 갔다.

나는 상을 물리고 나서 담배를 피워 물고 마루에 걸터앉았다.

"형님은 소설 다 끝맺어 놨지요?"

아주머니가 곁에 와 앉았다.

"네, 읽어 보셨어요?"

"아니오, 그저 그런 것 같아서요."

여자들의 직감은 타고난 것이었다. 지극히 촉각에 예민한 곤충처럼 모든 것을 피부로 느끼고 알아냈다.

"이상한 일이군요. 알 수가 없어요…… 형님은."

나는 아주머니의 말을 알 수 있었다.

"모르시는 대로 괜찮을 거예요."

"도련님도 마찬가지예요."

"제게도 모르실 데가 있나요."

"요즘, 통 술을 잡수시지 않는 것, 그 아가씨에 대한 복수예요?"

아주머니는 복잡한 이야기를 싫어했다. 이야기를 따라가기가 힘들어지면 언제나 나의 꼬리를 끌어 잡아당겨 뒷걸음질을 시켜서 맥을 못 추게 해 놓곤 했다.

"그 아가씨 오늘 결혼해 버렸어요."

열한시가 조금 지났을 때에 대문이 열리고 형이 들어오는 소리가 났다. 나는 천장을 쳐다보고 누워서 형의 거동 하나하나를 귀로 감시하고 있었다. 형은 몹시 취한 모양이었다. 화난 짐승처럼 숨을 식식거리며 아주머니의 말에는 대꾸도 하지 않고 방으로 들어가 버렸다. 조금 뒤에 형은 다시 문을 열고 나왔다. 그리고 무슨 종이를 북북 찢어댔다. 성냥을 그어 거기 붙이는 소리가 나고는 잠시 조용해졌다. 형은 노래 같은 소리를 내다가는 뭐라고 중얼중얼 혼잣말을 하기도 했다. 아주머니가 곁에서서 형을 내려다보고 있을 것이었다. 형이 바라지도 않았지만 아주머니는 술 취한 형을 도와준 일이 없었다.

붉은 화광이 창문에 비쳤다.

―무엇을 태우고 있을까.

종이 찢는 소리가 이따금씩 들렸다. 나는 벌떡 일어나 문을 열고 밖으로 나갔다. 아주머니가 먼저 나를 보았다. 아무 표정도 없었다. 형은 댓돌을 타고 앉아서 그 원고 뭉치를 한 장 한 장 뜯어내어 불에다 던져 넣고 있었다. 한참 만에야 형은 천천히 고개를 돌려 나를 쳐다보았다. 그 얼굴이 비죽비죽 웃고 있었다. 형은 다시 불 붙고 있는 원고지 쪽으로 얼굴을 돌려 버렸다.

"병신새끼!"

형은 나에겐지, 형 아닌 다른 사람에게라기에는 너무나 탈진한 목소리로 중얼거렸다. 그러나 그것은 나에게 한 말이었다. 다음 순간 형은 다시 나를 똑바로 쳐다보았다.

"너의 그 귀여운 아가씨는 정말 널 싫어했니?"

—형님은 6 · 25 전상자랍니다.

하려다 나는 아직도 형이 하고 싶은 말이 있으리라 생각하고 순순히 머리를 끄덕였다.

"병신새끼……."

이번에는 형이 손으로는 연신 원고지를 찢어 불에 넣으면서도 눈길만은 내 쪽을 향해 분명하게 말했다.

"그래 도망간 아가씨의 얼굴이 그리고 싶어졌군!"

나는 아직도 더 참을 수 있다고 생각했다. 아주머니는 여전히 형과 나의 얼굴을 무표정하게 번갈아 보고만 서 있었다.

"다 소용없는 짓이야…… 오해였어."

형은 다시 중얼거리는 투였다. 나는 지금 형에게 원고를 불태우는 이유를 이야기시키려는 것은 소용없는 일일 것 같았다. 방으로 들어가려고 했다.

"거기 있어!"

형이 벌떡 몸을 일으키는 체하며 호령을 했다.

"기껏해야 김 일병이나 죽인 주제에…… 임마, 넌 이걸 다 읽고 있었다…… 불쌍한 김 일병을…… 그 아가씨가 널 싫어한 건 당연하다."

순서는 뒤범벅이었지만 무엇을 이야기하려는 것인지는 분명했다. 나는 형을 쏘아보았으나, 그때 형도 나를 마주 쏘아보았기 때문에 시선을 흘리고 말았다. 형은 나를 쏘아본 채 손으로는 계속 원고를 뜯어 불에 넣고 있었다.

"임마, 넌 머저리 병신이다. 알았어?"

형이 또 소리를 꽥 질렀다. 그리고 그것은 지극히 당연한 말이었다는 듯이 머리를 두어 번 끄덕이고 나서는,

"그런데 말이야……."

갑자기 장난스럽게 손짓을 했다.

형은 손에서 원고 뭉치를 떨어뜨리고 나의 귀를 잡아끌었다. 술냄새가 호흡을 타고 내장까지 스며들 것 같았다. 형은 아주머니까지도 들어서는 안 될 이야기나 된 것처럼 귀에다 입을 대고 가만히 속삭이는 것이었다.

"넌 내가 소설을 불태우는 이유를 묻지 않는군……."

너무나 정색을 한 목소리여서 형의 얼굴을 보려고 했으나 형의 손이 귀를 놓아 주지 않았다.

"그런데 너도 읽었겠지만, 거 내가 죽인 관모놈 있지 않아. 오늘 밤 나 그놈을 만났단 말야."

그러고는 잠시 말을 끊고 나를 찬찬히 살펴보고 있었다. 그 눈은 술에 젖어 있었으나, 생각이 멀리 있는 것처럼 보이는 것은 결코 술 때문만은 아닌 것 같았다. 그러나 형은 이제 안심이라는 듯 큰 소리로,

"그래 이건 쓸데없는 게 되어 버렸지…… 이 머저리 새끼야!" 하고는 나의 귀를 쭉 밀어 버렸다.

다시 원고지를 접어 사그라드는 불집에 집어 넣었다.

"한데 이상하거든…… 새끼가 날 잘 알아보질 못한단 말이야…… 일부러 그런 것 같지도 않았는데?……"

불을 보면서 형은 계속 중얼거렸다.

"내가 이제 놈을 아주 죽여 없앴으니 내일부턴…… 일을 하리라고 생각하고 자리를 일어서서 홀을 나오려는데…… 그렇지 바로 문에서 두 걸음쯤 남았을 때였어, 여어, 너 살아 있었구나 하고 누가 등을 탁 치지 않나 말야."

형은 나를 의식하고 이야기하는 것 같기도 하고 혼자 중얼거리는 것 같기도 했다.

"놀라 돌아보니 아 그게 관모놈이 아니냔 말야. 한데 놈이 그래 놓고는 또 영 시치밀 떼지 않아. 이거 미안하게 됐다구…… 두려워서 비실비실 물러나면서…… 내가 그사이 무서워진 걸까…… 하긴 놈은 내가 무섭기도 하겠지. 어쨌든 나는 유유히 문까지는 걸어 나왔어. 그러나…… 문을 나서서는 도망을 했어…… 놈이 살아 있는데 이게 무슨 소용이냔 말야."

형은 나머지 원고 뭉치를 마저 불집에 집어 넣고 나서 힐끗 나를 보았다.

"이 참새 같은 것, 뭘 듣고 있어. 썩 네 굴로 꺼져!"

소리를 꽥 지르는 통에 나는 방으로 쫓겨 들어오고 말았다.

비로소 몸 전체가 까지는 듯한 아픔이 전해 왔다. 그것은 아마 형의 아픔이었을 것이다. 형은 그 아픔 속에서 이를 물고 살아왔다. 그는 그 아픔이 오는 곳을 알고 있는 것이다. 그리하여 그것은 견딜 수 있었고, 그것을 견디는 힘은 오히려 형을 살아 있게 했고 자기를 주장할 수 있게 했다. 그러던 형의 내부는 검고 무거운 것에 부딪혀 지금 산산조각이 나 버린 것이다.

그렇다고 해도 이제 형은 곧 일을 시작하게 될 것이다. 형은 자기를 솔직하게 시인할 용기를 가지고, 마지막에는 관모의 출현이 착각이든 아니든, 사실로서 오는 것에 보다 순종하여, 관념을 파괴해 버릴 수 있는 힘이 있었다. 무엇보다도 형은 그 아픈 곳을 알고 있었으니까. 어쨌든 형을 지금까지 지켜 온 그 아픈 관념의 성은 무너지고 말았지만, 그만한 용기는 계속해서 형에게 메스를 휘두르게 할 것이다. 그것은 무서운 창조력일 수도 있었다.

그러나—.

나는 멍하니 드러누워 생각을 모으려고 애를 썼다.

나의 아픔은 어디서 온 것인가. 혜인의 말처럼 형은 6·25의 전상자이지만, 아픔만이 있고 그 아픔이 오는 곳이 없는 나의 환부는 어디인가. 혜인은 아픔이 오는 곳이 없으면 아픔도 없어야 할 것처럼 말했지만 그렇다면 지금 나는 엄살을 부리고 있다는 것인가.

나의 일은, 그 나의 화폭은 깨어진 거울처럼 산산조각이 나 있었다. 그것을 다시 시작하기 위하여 나는 지금까지보다 더 많은 시간을 망설이며 허비해야 할는지도 모른다.

어쩌면 그것은 나의 힘으로는 영영 찾아내지 못하고 말 얼굴일는지도 모를 일이었다. 나의 아픔 가운데에는 형에게서처럼 명료한 얼굴이 없었다.

탑(塔)

황석영
(1943~)

황석영(1943~)은 1962년 『사상계』라는 잡지에 「입석 부근」이 입선되고, 1970년 『조선일보』 신춘문예에 「탑」이 당선되어 작품 활동을 시작했다. 그는 만주 신경 지방에서 태어나 해방이 되자 귀국하였으며, 군대생활 기간 동안 월남전에 참여하기도 한다. 또한 광주항쟁 기간 동안 광주에서 삶의 뿌리를 내리고 살기도 했으며, 1989년에는 북한을 방문했다. 이처럼 다양한 그의 삶의 체험은 그대로 문학작품에 드러난다. 월남전을 소재로 한 『무기의 그늘』(1985~1988)과 광주항쟁의 기록인 『죽음을 넘어 시대의 어둠을 넘어』(1985), 북한 방문기 『사람이 살고 있었네』(1989) 등이 모두 이러한 삶의 기록들이다.

그의 작품은 특히 소설적 재미와 예술적 성취를 모두 이루고 있는 드문 예로 손꼽힌다. 또한 그는 우리 소설에서 처음으로 노동문제에 접근한 「객지」(1971)와 1974년 『한국일보』에 연재하기 시작한 대하 역사소설 『장길산』 등을 통해 역사의 주인이 누구인가 하는 문제를 진지하게 고민하고 접근하는 민족문학에서 가장 중요한 작가 중의 하나이다.

여기 수록한 「탑」은 작가가 직접 참전했던 월남전의 체험을 바탕으로 씌어진 작품으로 월남전의 의미와 함께 그 전쟁에 끌려 들어갔던 우리나라의 역할을 상징적으로 그리고 있다. 탑은 문화적 동질성을 지니고 있는 우리나라나 월남에게는 중요한 전략적 가치가 있는 것이기는 하지만, 문화가 다른 미국에게는 단지 하나의 미신 덩어리이며 골치 아픈 물건일 뿐이다.

순전히 운수가 사나워서 R 포인트에 차출되어야 했던 나는 단지 탑 하나를 지키기 위해 숱한 위험을 겪게 된다. 그러나 이 탑은 바로 월남 민중의 사랑과 애착의 대상물이며, 때문에 적도 우리도 서로 이 중요한 탑을 지키기 위해 목숨을 거는 것이라는 사실을 깨닫게 된다. 그러나 목숨을 걸고 지킨 탑을 미군들은 불도저로 가볍게 밀어 버리고 만다. 그들에게는 불교와 월남 주민의 관계라는 것이 아무 의미도 없으며 탑은 단지 하나의 돌덩이에 지나지 않는다고 생각한다. 이것이 월남전에서의 미국의 인식이었음을 이 소설은 보여주고 있는 것이다. 그들은 단지 합리성만을 강조하면서 이렇게 말한다. "그런 골치 아픈 것을 없애 버려야지. 미합중국 군대는 언제 어디서나 변화시키고 새롭게 할 수가 있네. 세계의 도처에서 말이지." 그리고 그 세계의 도처에서 우리 땅도 결코 예외일 수 없음을 이 소설은 월남전을 무대로 탑이라는 상징적인 물체를 통해 우리에게 보여주고 있는 것이다. 그러한 인식은 월남전을 다룬 그의 장편 『무기의 그늘』에서 더욱 심화되고 있다.

본대로부터 R에 도착했을 때, 겨우 아홉 명의 병사가 맡은 무모한 임무를 나는 이해할 수가 없었다.

본대에서 출발할 때는 그 지역이 몹시 중대한 전략적 가치를 지니고 있을 것이라고 생각했던 것이다. 네 명의 후보자 가운데 내가 선택되었던 것은 우연에 지나지 않았지만, 다른 사람들에게는 만족스럽고 타당한 우연이었다. 나는 오랫동안 미군 혼성 지원기지인 아메리칸 사단의 합동 기동순찰병으로서 마치 관광객과 같은 파견 생활을 하였다. 그 미군 기지는 해안을 따라서 모래밭 위에 엄청난 대도시를 형성하고 있었다. 내가 처음 LST로부터 상륙했을 때 모래먼지가 일고 있는 광대한 벌판 위에서 경이의 눈으로 바라보았던 것은 거대한 고철의 산더미였다. 포탄 껍질과 부서진 중장비들과 레이션의 깡통들이 벌겋게 녹슨 채로 곳곳에 쌓여 있었고, 주위에는 야전변소의 인분과 식량 찌꺼기를 태우는 기름연기가 검게 올라가고 있었다.

이 대륙에서의 첫 밤을 함상(艦上)에서 새웠을 때, 검고 짙은 어둠 저 너머로 아시아의 또 다른 불빛들이 명멸하고 있었는데, 집들의 창문에서 새어나오는 빛이 아니라 탐조등과 조명탄과 작렬하는 포탄, 그리고 끊임없이 오르내리는 헬리콥터의 불빛이었다. 그때 나는 상갑판의 쇠줄 난간에 그네를 타듯 걸터앉아서, 약간의 기대와 설레는 가슴을 진정하며 파도를 타고 내게로 전해 오는 저 미지의 대륙의 아우성과 고통을 감지(感知)하고 있었던 듯하다. 새벽이 되어 낯선 태양이 바닷속으로부터 솟아올랐을 때, 불어오기 시작한 바람 속에 내가 제일 처음 맡은 냄새는 소금 냄새나 대지와 숲의 냄새도 아닌 가솔린 냄새였다.

내가 순찰병의 명을 받고 파견대를 찾아가던 중 길을 잃었던 일은 잊어버릴 수가 없다. 나는 하역작업이 한창인 부둣가에서 방황하고 있었다. 아직 위장 무늬가 선명한 새 정글복을 입고 있었으며, 여기서는 이미 구식인 엠원 소총을 느슨히 걸쳐 메고 한쪽 어깨에는 내가 지급받은 보급물로 가득 찬 촌스러운 의낭을 땅에 질질 끌듯 짊어지고 있었다. 나는 냉동창고가 있는 A레이션 창고 앞의 상자들 사이를 두리번거리며 오르내렸다. 철모에 눌린 이마와 관자놀이에서 땀이 철철 흘러내렸고 어깨에서 자꾸 미끄러지는 의낭의 끈과 소총의 멜빵을 번갈아 치켜올려야만 했다. 나를 지켜보던 밤색 머리털의 앳된 위병 근무자가 다가와서 도와줄 수 있겠느냐 물었다. 내 소속과 찾아가려는 부대 이름을 말했더니 그는 웃으면서 여기가 보급창임을 알려 주고 파견대는 아주 멀리 떨어져 있다는 것이었다. 주위에는 벌써 곳곳에 불이 켜지고 캔틴 컵과 프라이팬을 든 병사들이 식당을 찾아가고 있었다. 그는 친절하게도 여러 차례 애를 쓰면서 전화를 걸었고 드디어 나를 위한 차가 보내진다는 연락이 왔다. 그 동안 위병은 나를 자기 근무석에서 쉬도록 해 주었다. 그는 내게 샌드위치 한 조각을 나눠 주며 뭐라고 말했는데 부드러운 햄을 씹어 넘기고 있는 동안 내 귀에는 로온리!라는 말이 들렸다. 나는 그때 아이처럼 눈물이 핑 돌았고, 마실 것을 권하는 그 밤색 머리털의 위병의 얼굴도 약간 시무룩해져 있었다. 그는 한 손으로 먼 곳을 가리키듯 하면서 말했다.—여긴, 집에서 아주 멀다네.

순찰대의 한국군 책임자는 하사였는데 제일 졸병이었던 나 외에도 서넛의 대원을 거느리고 있었다. 나는 날마다 작전 차량의 TCP 근무와 1번 도로를 기동순찰하는 것으로 일과를 보냈다. 먼지 속에서 코끝까지 내리덮이는 플라스틱 글라스를 쓰고 쉴새없이 오가는 중장비들의 행렬과 LVT, 탱크, 호송행렬 들을 안전한 도로로 안내했다. 오후에는 두 명의 미군 순찰병과 함께 나는 뒷자리의 30밀리 기관총좌에 앉아서 1번 도로를 달렸다. 우리는 촌락을 정찰 중인 수색대로부터 포로를 인계받기도 하고, 군사정보대를 찾아가는 첩자를 호송하거나, 도로에 매설된 부비트랩을 발견해서 공병대에 연락하기도 했다. 저녁에 귀대할 때쯤에는 내 드러난 팔과 목덜미와 글라스 아래편의 턱 언저리와 뺨에 두터운 붉은 흙의 켜가 덮여 있었다. 한번은 얼만큼 되나 하고 손톱으로 긁어 모았더니, 큰 자두알만 한 흙덩이가 되었다. 그러나 나는 본대의 대원들과 보병들을 생각하고, 가끔 마음의 갈등이 있었을 때엔 내일은 꼭 작전엘 나가리라, 가리라, 하고 결심했던 것이다.

가슴에 뭔가 무거운 것이 얹힌 듯한 날에 나를 찾아들었던 불면의 밤이 있었다. 고향에서 좋지 않은 소식을 받았을 때, 또는 포로수용소에서 여자 포로나 소년병들을 봤을 때, 대량살육의 흔적이 남은 밀림 속의 협로를 순찰했을 때라든가, 순찰차 위에 저격받은 아군 시체를 싣고 올 때, 그리고 가장 나를 괴롭혔던 것은 파견대의 책임 조장인 하사와 나 사이에 있었던 알력이었다. 그는 내가 PX에서 위조카드로 수없이 냉장고와 텔레비전을 사 내오기를 명했고, 모종의 구멍뚫기를 재촉했던 것이다. 구멍이란 보급병들과의 접선을 의미했다. 그는 우리에게 본때를 보인다는 식으로 아침마다 모래펄 위를 기어가게 했고, 우리들에게 미군 녀석들의 활기 있는 사기 속에서 깊은 열등감을 느끼도록 만들었다. 나는 장교가 되지 못한 것과 작전에 지원하지 않은 것을 날마다 후회했다. 어쨌든, 기지에서의 나의 파견 생활은 전투를 하고 있던 동료들에 비해서 마음은 불편했지만 관광객과 같은 나날이었다. 깡통식품이 아닌 요리된 뜨거운 식사를 두 끼나 먹을 수 있었고, 밤마다 샤워를 하고 나서 모기장을 친 에어베드 위에서 잠들었다. 한 달에 두 번인 비번날은 냉맥주를 마시거나, 해변 노천극장에 위문 쇼를 보러 갈 수도 있었으며 간혹 여자를 살 수도 있었다. 처음엔 어느 정도 거리꼈지만, 낯익은 얼굴이 생기고부터는 당연한 것처럼 생각되었다. 물론 늘씬하게 빠졌다든가 달콤한 웃음을 지어낼 줄 안다거나 하는 것은 바랄 수도 없는 농촌의 피난민 부녀자들이었다. 캄캄한 판잣집의 어둠 속, 대나무로 엮은 침대 위에서 퍼덕이는 갈색의 작은 살덩이는 내 몸처럼 슬펐다. 석 달 동안의 파견 생활 중에 내가 촌락에서 겪었던 위험을 빼놓고는 호화판이었다고 말할 수 있다. 나는 실탄을 장전한 45구경 권총을 한 손에 쥐고 여자의 배 위에서 그짓을 하며 습격의 밤을 보냈다. 적들은 마을을 샅샅이 뒤지고 지나갔으나 나는 발각되지 않았던 것이다.

내가 원대복귀된 것은 우리 여단이 북으로 이동함으로 해서 늘어난 외곽경비 때문에, 파견된 인원의 귀대가 절대로 필요했기 때문이었다.

곧 몬순이 닥쳐 왔지만, 적의 공세가 시작되고 있어서 우리는 주요 도시의 방어를 위해서 남으로부터 북상하라는 작전명령을 받은 것이다. 사령부가 의도하는 것은 평정된 우리 지역의 치안을 정부군으로 하여금 담당하게 하려는 것이었다. 월초부터 면밀하게 계획된 철수가 조심스럽게 시작되었고, 전 여단은 중대별로 새로운 지역에 투입되어 갔다. 정부군에게 여단본부 지역을 인계하기까지의 마지막 일주일 동안은 소속 구분 없는 2개 중대병력의 최종 후발대가 담당하게 되었는데, 내가 받은 넘버는 재수없이 후발대 속에 끼여 있었다.

내가 본대에 도착하기 전에 R · POINT에서는 치열한 전투가 있었다. 적은 곧 물러갔지만 몇 명의 전상자가 생겼으므로 빈자리를 메우기 위해서 누군가 차출되어야만 했다. 파견되었던 인원은 여섯 명이었는데, 본대의 동료들은 모두 외곽 방어에 나갔거나 선발대로 떠났기 때문에 우리들 중 누군가 R에 가야 할 것이 틀림없었다. 나는 제비뽑기를 제의했고, 모두들 찬성했다. 국도로 나가는 도로 정찰차가 출동하기 직전에 우리는 잠깐 카드놀이를 했다. 염병하게 재수없는 날이었다. 내가 쥔 패는 끗발이 제일 약했고, 중대장에게 출발신고를 하러 갈 수밖에 없었다. 하지만, 앞에 말했듯이 나는 지난날의 여행자와 같던 파견 생활을 떠올림으로 해서 만족한 결론이라고 자위하지 않을 수가 없었다. 그들은 파견 생활 중에도 여러 번 작전에 참여했거나, 모두들 더럽게 조건이 나쁜 시기를 겪었던 것이다.

—잘해라, 이사갈 때 만나자라고 그들은 말하면서 내가 준비하지 못했던 여분의 탄창과 연발상태가 불량한 내 소총을 자동화기로 바꿔 주었다. 내가 R지역에 관해서 아는 것은 국도가 세 갈래로 갈라지는 교통 통제소라는 것과 부근에 모두 철수해 버린 보급대대의 빈터가 있다는 것뿐

이었다. 중대 선임하사가 순찰 지프 위에 나를 태우고 국도를 달려 내려갔다. 운전병은 저격이 두려워서인지 핸들 위로 얼굴을 바싹 낮추고 악셀을 한껏 밟았다. 질주하는 차 옆으로 짙은 밀림의 그늘들이 음산하게 지나갔다.

도착했을 때, 분대원들은 식사 중이었다. 마침 월남 정부군의 컨보이 행렬이 지나가고 있었는데 그들은 구름 같은 먼지에도 아랑곳없이 음식을 벌여 놓은 채로 맛있게 먹고 있었다. 장갑차와 트럭 위에 올라앉은 정부군들은 국도에 외롭게 남아 있는 몇 명의 외국군 해병대를 보자 엄지를 꼿꼿이 세워 보이면서 지나갔다.

"새끼들 엿이나 먹어라!"

지프차 앞으로 다가오던 하사관이 내뱉듯 중얼거렸다. 그의 머리털은 길게 자라서 목덜미를 덮고 있었고, 찌푸려진 실눈이 번쩍였다. 검게 그을은 그의 얼굴에는 소년과 같은 천진한 표정이 깃들어 있었다. 그는 나를 거들떠보지도 않았다. 선임하사는 내게로 눈을 주며 말했다.

"보충병이다."

"겨우 한 명입니까?"

나이 어린 하사관은 이빨 사이로 멋지게 침을 내쏘면서 투덜댔다.

"아시겠지만 우리는 보충병 한 사람 포함해서 겨우 아홉 명입니다. 그래도 본대는 여기보다 상황이 나을 텐데요. 저 따위 쓸데없는 걸 지키는데 겨우 아홉 명이 목을 걸구 있다 그말입니다" 하면서 그는 뒤를 돌아보았다. 선임하사가 말했다.

"명령이다. 인원은 모자라겠지만 잘 운영해 봐."

"차라리 매복이라면 어떻게 되겠지만 이건 정말 쓸데없는 노릇입니다."

선임하사는 분대장의 불평을 건성으로 흘리면서 운전병에게 고개를 끄덕였다. 달려가는 차 위에서 그는 소리쳤다.

"꾹 참구, 앞으루 사흘만 버티라구!"

하사는 찌푸린 얼굴 그대로 절도 있게 경례를 붙였다. 우스꽝스러워 보였다. 나는 길 가운데 우뚝 서 있는 하사 옆으로 다가가서 말을 걸었다.

"파견대에서 귀대한 오 상병입니다."

그는 나를 힐끔 쳐다보고 나서, 지어낸 듯이 나직하게 말했다.

"정식으로 신고해."

"네?"

나는 아니꼬운 느낌이 들었다. 애송이 같은 신병 하사 자식.

"파견대에선 화려했겠군. 신고해!"

나는 그의 정면으로 돌아가서 꼿꼿이 부동자세를 취한 다음 소속계급 성명을 대고 본대로부터 R에 보충명령을 받았기 이에 신고함, 어쩌구저쩌구 길게 늘어 놓았다. 그 사이에 하사는 윗주머니에서 굵다란 시가를 꺼내어 여린 입술 끝에 물었으며 주위에서 분대원들의 킥킥거리는 웃음소리를 들었다. 나는 귀끝이 화끈 달아올랐다. 줄을 지어 달려가던 월남군의 호송행렬이 모두 지나가자 황혼 무렵의 국도는 병원의 복도처럼 텅 비어 버렸고, 드높게 떠올랐던 연막 같은 먼지는 밀림 쪽으로 불려 날아가 버렸다. 나는 하사가 어슬렁거리며 내 앞을 떠날 때까지 바보처럼 꼿꼿이 서 있었다. 혀 끝에 쌍소리가 얽혀서 맴돌다가 목구멍 속으로 꿀꺽 넘어갔다. 분대원들 틈에서 문 상병이 손짓하고 있는 게 보였다. 나는 그의 옆에 가서 앉았다.

"분대장은 어떤 놈이냐, 속이 틔었냐, 아니냐?"

"글쎄…… 애송이의 똘똘이 새끼라구나 말할까."

"유능하니?"

"저 새낀 융통성이라곤 눈곱만치두 없지. 하사관 교육대에서 우등한 녀석이야. 우리 생명을 보관하구 있다."

"개새끼, 여긴 교육대가 아니란 걸 잘 알 텐데."

문 상병이 웃었다.

"저치는 아마 상황만 좋아지면 제식교련이라두 시킬걸."

문 상병은 내 몫의 야전식량을 건네주고, 내가 식사를 하는 동안 자기의 M16 자동소총을 삼등분으로 분해해서 열심히 닦았다. 그는 재빨리 먹어치우고 있는 나를 물끄러미 바라보다가 말했다.

"너 월남군 차가 지나가면, 그걸 집어타구 기지루 내빼라."

나는 어리둥절해서 농담이라기엔 아주 진지한 그의 얼굴을 쳐다보았다.

"기지에 가면 미군 수송선이 있잖나. 배를 타구 이동지역으루 꺼지란 말야."

"무슨 소리야."

"나는 R · POINT의 대원이었지만, 넌 재수가 없어서 보충된 거 아냐."

"나중에 군재에 올라가서 총살당하면 너 책임질 테냐?"

말하고 나니 어처구니가 없어서 우리는 웃었다. 문이 말했다.

"피 보는 건 마찬가지다. 총살은 괜찮지만, 잡히면 찢겨 나무에 걸린다. 우리가 뭘 하구 있는지 아니?"

그는 한쪽 눈을 감고 총구 속을 들여다보면서 말했다.

"참모들은 미쳤어."

그가 고개를 돌리며 분해된 총대로 도로 건너편을 가리켰다.

"가서 봐라. 그리구 생각해 봐. 정신이 온전한 놈들의 짓인가를 말이지."

나는 식사를 하다 말고 깡통을 손에 든 채 일어섰다. 도로 건너편에는 블록으로 지은 세 채의 초소가 있었는데, 보급대대의 경비초소였던 자리였다. 초소가 부대에서 따로 독립되어 지어져 있던 것을 보면 꽤 중요한 무엇이 있는 것 같았으나, 세 갈래로 갈라진 길의 한복판에 약간 널찍한 빈터와 초소 뒤로 울창하게 자란 숲이 보일 뿐이었다.

"아무것두 안 보이는데, 길을 지키려구 초소를 지었을 리는 없구."

역시 문 상병은 고개를 흔들었다.

"그러구 보니까, R의 임무는 뭐야? 도대체 모두 철수해 버린 보급대대 앞 노상을 지킬 무슨 이점이라두 있니?"

"탑이 있거든."

"탑이라니……."

"그전엔 여기 사원(寺院)이 있었어. 무너진 사원을 불도저루 밀어낼 때 주민들의 반대루 탑만 남겨 놓았거든. 월남인들의 감정에 큰 영향을 준다는 이유로 부대 진주 초기부터 지켜 왔던 거야. 우리는 저 탑을 적이 옮겨 가지 못하도록 무사히 보존했다가 정부군에게 물려주는 거지. 저 따위를 지켜야 된다구 생각해 낸 자들은 바보야. 전략적 가치와 정치적 가치가 어떻다느니 하지만, 이놈의 전쟁은 시작부터가 전략적이라 그말이지."

장난감과 같은 작은 탑을 지켜야 하는 일이란 걸 알았을 때, 나는 지프에 실려 이곳으로 오면서 느꼈던 공포감마저도 억울하다는 생각이 들었다. 실로, 그것은 탑이라는 거창한 말을 붙이기엔 너무나도 초라한 물건이었다. 초소와 숲 사이의 마당에 사람 두 키 정도의 높이로 세워져 있는 보잘것없는 돌덩이에 지나지 않았다.

돌은 조잡한 솜씨로 여섯모 비슷하게 다듬어졌고, 중간중간에 희미하게 지워진 문자가 새겨져 있었다. 그러나 자세히 윗부분을 관찰하면서 나는 차츰 그렇게까지 초라한 것은 아님을 깨닫게 되었다. 탑의 위층부터 춤추는 듯한 사람들의 옷자락에 둘러싸인 부처의 좌상이 부조(浮彫)되어 있었는데, 그 꼭대기 부분만은 진짜인 듯했고, 나머지 부분은 나중에 보수한 것 같았다. 부녀들의 옷자락과 긴 띠와 손가락들의 윤곽은 아주 섬세했으며, 부처님의 거의 희미해진 조상은 그래서 더욱 신비로워 보였다. 짐작건대는 이것이 지방민의 사랑과 애착의 대상이리라는 것이었다. 아마도 포연과 총성이 없었을 때, 빛나는 햇볕 아래 나무 그림자의 옷을 입은 사원에서 종이 울려 퍼지고, 지나는 농부와 아이들과 가축들은 탑을 향하여 경건하게 무릎을 꿇었으리라.

인민해방전선은 그들의 정치적 선전을 위하여 탑의 탈환을 목적으로 할 것이라는 예상은 오래전부터 있어 온 모양이었다. 월남군 수뇌부는 그 점에 착안하였고, 우리 부대가 진주했을 때, 참모들에게 건의했을 것이다. 나는 전에도 순찰 중에 여러 촌락들을 지나다니면서 그들의 종교적 열의에 놀랐었다. 곳곳마다 집 앞에는 그들의 서서히 타오르는 듯한 평화에의 염원처럼 연기를 피어 올리고 있는 향로그릇과 내실에 불단이 마련되어 있었다. 꺼지지 않고 타오르는 향은 줄기찬 기도였을 것이다. 그들이 집과 토지를 버리고 비교적 안전한 도시로 몰려들 때에도, 가족 중의 누군가는 소중히 향로를 그의 가슴에 운반하고 있었다. 강과 교량이나 유리한 지형처럼 탑은 누가 보기에도 전략적 가치가 있었으며, 그것을 차지하는 쪽은 주민들의 신뢰와 석가여래의 가호를 받고 있다는 확신이 들었을 것이었다. 그러한 양편의 관심으로 해서 탑은 이 전쟁의 한 상징적인 물건이었다.

우리들이 모여서 식사를 하던 곳은 전에 보급대대의 외곽선이었던 모래자루로 쌓아 올린 방벽 앞이었다. 이제 철수해 버리고 폐허가 되어 있는 대대의 건물들은 우리의 경계대상으로서 최전방이었다. 막사로 쓰던 목조 건물과 수많은 전투 벙커들은 그보다 훨씬 뒤에 빽빽이 들어찬 밀림에서 침투해 들어올 게릴라들의 확보지나 은폐물로서 이용될 가능성이 많았다. PS판과 철조망으로 차단된 대대의 남쪽을 국도를 따라 내려가면 여러 가지 무늬와 색깔이 칠해진 주민들의 백토집 마을이 있었고, 맞은편으로는 역시 국도 연변으로 낙화생밭이 길게 이어지고 있었다. 마을과 낙화생밭이 평행으로 가다가 끝나고 다리가 있었다. 작전지도에 의하면 그것은 B교량이며 미군들이 LVT 3대를 가지고 강변을 경계한다는 것이다. 우리들의 최후 방어선은 탑을 둘러싼 세 채의 초소를 중심으로 가슴까지 오도록 패인 배수로를 참호로 이용하게 되어 있었다. 거기서 보면 정남쪽으로 B교량이 있으며 서쪽으로 보급대대의 폐허, 동쪽으로는 세 갈래로 갈라진 국도의 지선 너머로 낙화생밭의 끝이 보이고 밭 뒤로는 울창한 대숲이 보였다.

대나무 숲 후방에 고지가 있는데, 좌표상으로는 부근 평지를 제압하고 있는 지역이었다. 문의 얘기로는 분대장의 간곡한 요청에 의하여 고지에 지원 사격조가 배치되어 있다는 것이다. 동쪽의 간선도로를 따라 올라가면, 2개 중대가 지키고 있는 허술한 여단본부가 나오게 되어 있었다. 탑 뒤의 우리 최후 저지선의 후방은 낮은 바나나 숲이 띄엄띄엄 자라고 있어서 한 사람의 경계로 충분했고, 우리들이 식사를 하던 모래방벽 앞에 두 명의 청음초병이 배치되어야 했다. 나머지 다섯 사람들은 배수로에서 말굽형의 화기 진을 치기로 했다. 나는 탄창의 용수철과 약실을 검사하고, 자동소총의 활동 부분에 기름을 쳤다.

어느 분대원이 겁도 없이 민가에서 토주(土酒)가 가득 담긴 항아리를 날라왔다. 원래 경기관총 사수인 그는 작전 중에도 포복하면서 귀대 후 탄약통에 담아 먹을 김치거리로 배추와 고추를 가스 마스크집에 따넣는다는 먹성이 끈질긴 친구였다. 우리는 마시다 남은 술을 수통에 하나 가득씩 나누어 채웠다. 사수 녀석이 말했다.

"마을 사람들이 목조 건물을 뜯어 가게 해 달라구 그러더라."

"그저 뜯어 가겠다든?"

"아니, 내일이 설이잖나. 닭을 잡아 주겠대."

주민들은 대대의 목조 건물들과 벙커의 굵직한 재목이며 철근을 탐내고 있었다. 튼튼한 방공호를 짓는다든가 땔감으로서 재목은 그들에게 귀한 것이었다. 울창한 밀림 가운데 살면서도 주민들은 나무를 가공해 볼 엄두를 내지 못해서 음식을 요리할 때에도 부대 주변에서 주워 온 레이션 상자라든가 쓰레기 종이들을 곧잘 땔감으로 사용했다. 하사가 우리들에게로 걸어왔다.

"대대 지역은 이미 정부군의 재산이다. 아무도 손댈 수 없어. 접근하는 자가 있으면 발포하게 되어 있어."

"놈들의 재산이 어디 있어요. 우린 여길 뜨는데."

"자, 해가 있을 때 모두들 집을 짓자."

하사는 내게 샌드백 방벽 앞의 청음초 근무를 명했다. 그는 병사들을 곳곳에 배치했다. 도로를 가로질러 원형 철조망을 치고, 샌드백을 운반해다가 배수로 위에 쌓았다.

"그 녀석을 끌구 나와."

하사가 첫번째 초소 안을 손짓했다. 병사 하나가 뛰어 들어가서 손을 뒤로 묶인 삼십 세쯤의 사내를 끌고 나왔다. 사내는 검은색 파자마에 타이어 고무로 만든 샌들을 신고 있었다. 그의 팔목과 다리에는 부스럼이 여러 군데 곪아 있었으며, 안질에 걸려서 눈물을 질질 흘리고 있었다. 그는 컴컴한 초소에서 갑자기 바깥으로 끌려 나오자 눈을 가늘게 뜨고 재빠르게 주위를 두리번거렸다.

"저건 뭐야, 포로냐?"

나는 함께 청음초로 배치된 소총수인 일등병에게 물었다.

"인질이죠. 어제 전투에서 잡았습니다."

"왜 수용소루 후송 안 했지?"

"수용소 같은 건 없어요. 우리두 잡히면 피차 마찬가집니다. 수용소는 멀리 이동해 버렸으니까요. R을 철수할 때 처치해두 좋다구 부대에서 연락이 왔다는군요."

"적의 사격을 막자는 셈인가."

"탑의 방패막이죠."

인질은 탑에 묶였고, 우리가 시킨 대로 얌전히 앉아서 먼 숲 속을 바라보는 것 같았다. 부대의 폐허 너머 컴컴해진 밀림 위에 적도의 태양이 잘 익은 망고처럼 떠 있었다. 습지에서는 도마뱀들의 울음 소리가 끓어올랐고, 숲 속에서 원숭이들의 아우성 소리가 들렸다. 날카롭고 높은 소리와 단조로운 깩깩거림이 계속해서 들려 왔다.

하사가 저고리를 벗은 맨살 위에 방탄조끼만 걸치고, 머리에는 철모 대신 MARINE이라 새긴 붉은색 산악병 모자를 쓰고, 껌을 질겅질겅 씹으며 도로를 건너왔다. 그는 한 손에 PRC6 무전기를 들고 와서 우리 옆에 놓았다. 하사가 말했다.

"청음초 근무 중에 이상이 있으면, 송수화기의 통화 스위치를 눌러서 두 번 축음을 보내도록."

내가 그에게 물었다.

"언제까지입니까? 우리가 여길 지키는 게……."

"중대가 철수할 때까지."

그의 대답은 막연했다. 언제 철수할 것인가 물으면, 그는 정부군에게 인계할 때까지라고 대답할 것이고, 언제 인계하는가를 물으면 상부의 명령에 따라서라고 대답할 것이다. 꼭두각시 같은 자식.

"분대장님, HQ에서 호출입니다."

"누군데?"

"중대장입니다."

"네가 직접 교신해. 뭐야, 병력이라도 보충시키겠다는 건가. 아니면 작전이 변경됐으니 철수하라는 거냐?"

"좌표를 불러달랍니다."

"네가 지도 보구선 중요 지점을 읽어 줘. 포라두 쏴 준대?"

"팔십일 밀리 두 문이 배당됐다는데요."

"있으나마나야."

하사가 전방의 대대 지역 너머로 이미 짙은 어둠이 깔려 있는 숲 속을 바라보며 말했다.

"이쪽으루 들어오면 손쓸 방도가 없어."

하사가 돌아간 다음 소총수와 나는 전기 충전식 방향지뢰인 클레이모어를 샌드백의 방벽 너머 전방에다 묻었다.

"어제 전투는 아주 치열했던 모양이지?"

"전투가 아니라, 테러였어요. 우리는 총 한 방 쏘아보지 못하고 당했어요."

"밤에 그랬어?"

"아니, 대낮에…… 모여 앉아 병기 손질을 하구 있는데……."

차량도 뜸해졌고 매미가 요란하게 울어대는 한낮에 먼 곳에서 오토바이가 질주해 왔다. 그들은 달려드는 오토바이가 일으켜 놓은 높다란 먼지를 무심히 바라보면서 앉아 있었다. 뒷좌석에 착 달라붙은 듯 타고 있던 사내가 모자를 벗었는가 했는데, 그의 쳐들어진 손아귀에서 감자 같은 것이 날아왔다. 누군가 외쳤다 수류탄이다! 폭음이 일어나자마자 남쪽 도로변의 비어 있는 민가에서 소총 사격이 쏟아져 왔다. 몇 사람이 더 쓰러졌고, 약삭빠른 사수와 조장이 집의 배후를 우회해서 수색하고 채 달아나지 못한 포로를 잡았는데, 그는 지도와 권총을 소지한 것으로 미루어 지휘자일 거라는 얘기였다.

우리는 담배를 끄고, 탄띠에서 수통을 꺼내어 곰팡내 나는 토주를 조금씩 마셨다. 석양은 밀림의 나무 사이로 갈가리 흩어져 보이다가 금시에 어두어둑해졌다.

"오 상병은 뭐했어요?"

소총수가 물었다.

"순찰병이었어."

"군대 오기 전에 말요."

"글쎄! 돌아다녔지."

"장사했소?"

"아니, 그냥 집에서 나가 있었어."

"뭐 할 작정이쇼? 돌아가게 되면……."

"제대하구 봐야지, 모르겠는 걸. 전쟁이라두 터지면 야단인데."

"거긴…… 이 따위 전쟁은 다신 안 일어나길 바라야죠. 난 잘 모르지만 식구들이 무척 고생했답디다."

"그때 몇 살이었는데?"

"두 살, 줄곧 업혀 다녔거든요."

"나는 식구들을 걸어서 따라다녔어. 겨울에 동상이 걸려서 고생 많았지."

"좀 자두쇼. 그 동안 나 혼자 근무할 테니까, 나중에 교대합시다."

"잠이 안 오겠는데."

"탈영만 안 했다면 나는 지금 제대해서 고향에 있을 텐데."

"사고자 출신이야?"

"사단 영창에서 나오자마자, 여기루 명령났소. 가면…… 수당받은 걸루 땅을 사서 염소나 길러야지."

"자, 이젠 그런 얘기 집어치우자."

나는 어느 결에 얘기 속으로 깊이 끌려 들어간 것에 짜증이 났다. 그런 말을 지껄일 때의 허망한 느낌이란 누구에게나 마찬가지일 것이다. 만약에 돈이 많이 생긴다면, 만약에 내가 살아 남는다면, 만약에 늙지 않는다면, 만약에 내가 포로가 된다면, 그래서 탈출한다면, 하는 식으로.

"오 상병은 그런 작은 일두 바라지 않는 모양이오."

"말해 봤자, 김만 새지 뭐."

소총수와 나는 한참 동안 잠잠했고, 나는 여러 가지 공상들을 떠올려 그것을 껌처럼 야금야금 씹으면서 아꼈다.

"들어 봐! 저게 무슨 소리야."

먼 곳에서 대통을 연속적으로 두드리는 듯한 소리가 들려 왔다. 그 소리는 차츰 가까워지면서 숲 언저리에 퍼져 갔다. 이곳저곳에서 목탁 때리는 것 같은 소리가 함께 어울렸다.

"적이 왔소."

소총수가 노리쇠를 후퇴시켰다가 철컥 밀어 올리면서 실탄을 쟀다. 소리가 길게 연결되다가 일시에 끊기고, 잠깐 사이를 둔 뒤에 호각 소리가 삐익, 하고 날카롭게 들려 왔다. 여러 사람들의 고함 소리가 한꺼번에 일어났다가 멎고 나서 아주 조용해졌다.

"어젯밤에도 저애들은 우릴 밤새껏 놀렸어요."

다시 여럿의 고함 소리와 타악기의 연속음이 계속 들려 왔다. 소리는 또 그치고, 일종의 예리하게 긴장된 정적을 사이사이에 준비하고 있었다. 그 정적이 우리를 몹시 초조하게 했다. 내가 말했다.

"어쩔 작정일까, 매일 이 모양으루 밤을 새우기만 하면……."

"적은 마지막으루 한판 겨룰 셈예요. 그때까지는 우릴 환장하게 만들자는 거겠지."

"숲 속으로 꼬여 들이려는 걸지두 몰라."

"며칠 동안 밤새껏 듣게 되면, 누구라두 새벽쯤엔 아주 돌아 버릴 거요."

한 사람의 구령 붙이는 듯한 소리가 들렸고, 뒤따라 여럿의 왁자지껄하는 소리가 들렸다. 그 이상한 잔치 소리는 밀림을 넘고 우리들의 초소 위로 불안하게 덮쳐 왔다. 무전기에서 축음이 들렸다. 나는 송수화기를 귀에 갖다 댔다. 통신병의 속삭임이 들려 왔다.

"청음초, 말없이 듣기만 해라. 명령 내리기 전에는 절대 사격하지 말 것. 아무리 위급해도 사전에 보고하기 바람."

먼 하늘에서 번쩍이는 섬광이 지나갔고, 뇌성이 뒤를 이었다. 후텁지근한 바람이 불기 시작했다.

"또 비가 올 모양인데요."

"우비는 있나?"

"우리가 가진 건 해군용 반우의뿐요. 모기약 바르겠소?"

"싫어, 몸에 바르는 건 질색야."

끈적한 올리브 기름기와 지독한 냄새 때문에 나는 바르는 모기약을 증오했다. 말라리아에 걸린다 해도 그걸 바르기보다는 차라리 마셔 버렸을 것이다. 비가 내리기 직전은 밀림의 모기들이 제일 설칠 무렵이었다. 모기들의 악착같이 날아 덤볐다. 나는 그것들이 내 피를 실컷 빨도록 내버려 둔다. 얼굴과 드러난 팔뚝이 온통 부풀었다. 가려움 때문에 팽팽히 곤두선 신경이 느슨해지는 느낌이었다. 유리알이 맞부딪치는 듯한 투명한 총소리가 났고, 숲 사이를 흘러가는 여운이 들렸다. B교량 쪽에서 미군들이 경기관총을 볶아대기 시작했다. 쌍방이 쏘아대는 소총 소리와, 자동소총의 탄환 튀는 소리가 파문처럼 그곳에 번져 나갔다. 유리창이 깨어져 나가는 것 같은 총류탄의 날카로운 파열음이 장단을 맞추었다. 소총수가 말했다.

"적은 교량을 파괴하려는 거예요."

"양키들두 지친 모양이군. 적들은 포를 가지구 있나?"

"그 애들이 무반동포루 우릴 쓸어 버리는 일은 간단하지. 그렇지만 못 쏠 거요. 우리가 지키는 게 바루 우릴 방어해 주고 있거든."

"탑이…… 아니면 인질이냐?"

"둘 다죠. 인심을 얻으려면 탑을 파괴할 수는 없을 테니까. 그러구 재들두 전우애가 강하죠."

총성이 계속되었고 다리 부근의 숲은 탄환과 유탄의 불똥들이 휘황하게 반짝였다. 양쪽 모두 치열한 근접 사격을 벌이고 있었다. 조명탄이 계속해서 오르더니, 가느다랗게 헬리콥터의 프로펠러 소리가 머리 위로 지나갔다. 두 대의 건십이 번갈아 대지공격을 시작했다.

전투는 계속되고 있었다. 폭음과 흰 연기가 솟아올랐으며 뭔가 한꺼번에 무너져 버리는 듯한 굉장한 소리가 들려 왔다. 교량 쪽의 하늘에서 불꽃이 높이 솟아올랐고, 주위가 일시에 고요해질 때까지 불빛은 하늘을 벌겋게 물들이며 타오르고 있었다. 오랫동안 상공을 맴돌던 건십은 밀림 위로 날아가서 중기관포의 불꽃놀이를 한 다음 미련이 남은 듯 천천히 선회하면서 돌아갔다. 나는 속삭였다.

"다리가 폭파됐나 보다. 적은 그게 목적이었어."

"멍청한 놈들! 이제 월남군의 이동수송망은 마비된 거나 다름없어요. 작전은 지연될 겁니다."

"우리의 철수도 그만큼 늦어질 거야."

게릴라들은 R 근처엔 접근하지 않는 것 같았다. 타오르던 불꽃이 서서히 사그라져 갔고, 밀림에서는 짐승들의 소리가 들려왔다. 파도가 아득한 벼랑 끝을 때리는 듯한 소리가 들렸다. 물결의 굽이굽이가 뒤를 이으면서 자꾸만 밀려오듯 밤바다처럼 깊고 어두운 나무 숲 위로 거센 바람이 불어왔다. 굵은 빗방울이 팔뚝과 목 위에 떨어졌다. 철모를 때리는 빗방울 소리로 귓바퀴 속이 가득 찼다. 소총수와 나는 반우의를 꺼내 입었지만, 젖어 가는 바지에서 느껴지는 한기 때문에 저절로 이빨이 부딪쳤다. 소총수는 주위가 빗소리에 가득 차자 비옷 안으로 손을 넣어 상의 호주머니에 들어 있는 트랜지스터를 최저음으로 틀었다. 심야의 음악방송이 아득하게 먼 곳에서 떠올라왔다. 꿈결 같은 여자의 목소리였다. 여자는 부드럽고 졸린 듯한 목소리로 노래를 했다. 철모에서 빗방울이 줄지어 떨어졌다. 전방은 온통 뽀얀 빗줄기 때문에 관측하기가 어려워졌다. 번개가 지나칠 적마다 곧게 내리 퍼붓는 빗줄기와 구부러진 나무 그림자들이 나타났다. 소총수와 나는 우리가 고향에서 먹었던 온갖 종류의 음식 애기를 무의미하게 지껄이기 시작했다. 내일은 설날이다. 고향의, 손님과 같은 함박눈이 눈앞에 흩날렸다.

"동치미 국물은 어때요?"

"지붕 끝에 달린 고드름이 생각나는군. 여기 아침은 언제나 명쾌하지가 않아. 우리네 여름 아침은 정말 아름다워."

"연애해 봤소?"라고 소총수가 말했다.

"기억이 없는데."

"친하던 여자가 없어요."

"잊어버렸어. 생각이 잘 안 나는걸."

"전혀."

"민간인 시절의 일은 모두 희미해. 제대하면 생각나겠지. 자꾸 생각하다간 총대를 던지구, 여기서 꺼질 거야."

소총수가 하품을 했다. 그는 무슨 생각에 잠겼다가 갑자기 웃음을 작게 터뜨렸다.

"나는 참 바보였지. 그날 먹어 버리는 건데."

우리는 잠깐, 알아듣지도 못할 외국 쇼의 사회자가 지껄이는 재담에 귀를 기울였다. 여러 사람들의 미친 듯한 폭소가 트랜지스터 속에서 터졌다. 청중들의 뒤로 제껴진 목 가운데 불뚝 솟아오른 똑같은 크기의 목젖이 아래위로 흔들리고 있을 듯했다. 트랜지스터의 음성은 딱 그쳤다.

계속해서 떨어지는 빗소리가 그쳐진 폭소의 뒤를 이었다. 소총수는 총구를 전방으로 겨누고 자물쇠를 풀었다.

"이상한 소리가 들렸어요."

나는 머리를 내밀고 샌드백의 방벽 너머로 부대의 폐허 쪽을 노려보았다. 호흡을 끊고 땅바닥에 얼굴을 기울여 청각을 집중시켰다. 젖은 땅을 딛는 듯한 찰박거리는 발자국 소리를 들었다. 발자국 소리는 다가오다가 그치고, 쇠가 돌에 부딪는 듯한 소리가 났다. 아주 가까운 거리였다.

"포복하구 있어."

물체가 땅에 끌리는 듯한 소리는 집요하게 다가왔다. 나는 송수화기를 잡고 축음을 넣었다. 저쪽에서도 축음이 왔고, 하사의 목소리가 들렸다.

"무슨 일이냐, 적이 왔나?"

"지금 가까이 침투해 왔습니다. 사격해 버릴까요?"

"아니 기다려."

"클레이모어는."

"그건 낭비야. 곧 간다."

우리는 샌드백 위로 눈을 바짝 붙이고 지면을 관측하려고 애를 썼다. 도로 건너편에서 하사가 한 사람의 대원을 데리고 몸을 낮게 숙이며 뛰어왔다. 오십 미터쯤 떨어져 있는 허물어진 벙커 뒤에서 뭔가 움직인 것처럼 보였다. 야간 침투에 익숙하지 못한 녀석이었다. 그가 벙커 위로 검은 몸집을 노출시킨 채 꼼짝 않고 엎드려 있었다. 조바심이 나서 사격하려고 총구를 겨누었을 때, 적은 뒤편으로 미끄러져 숨어 버렸다.

"생포하는 거다."

하사가 말했고, 나는 반대했다.

"함정인지두 모릅니다. 사격해 버리죠."

"분명히 적의 척후병이야. 한 놈이다."

"내가 해치우죠."

소총수가 방벽 위에 철모를 벗고 무장을 끌러 놓고 나서 대검을 뽑았다. 그는 대검을 입에 물고 방벽을 타넘어갔다. 소총수는 벙커의 측면을 향해 포복해 나아갔다. 번개가 번쩍이며 스쳐 갔을 때, 창백하게 드러난 땅과 벙커 근처에는 아무것도 보이지 않았고 소총수가 잽싸게 벙커의 후면으로 기어 돌아가는 게 보였다. 아무 소리도 들리지 않았다. 다투는 소리라든가 비명이 들리지 않았으므로 나는 우리의 소총수가 적을 놓쳐 버린 것으로 생각했다. 그러나 그는 벙커 뒤로부터 나타나지 않았으며 심상치 않은 일이 일어난 것만 같았다. 그때, 부대 안에서 고막을 찌르는 듯한 호각 소리와 시끄러운 타악기 소리가 들려 왔다. 게릴라들은 벌써부터 대대의 무너진 참호와 벙커에 자리잡고 있었다는 걸 알았다. 그들도 한 사람의 인질을 원했던 것이다. 하사는 내 팔을 억세게 잡아 죄면서 말했다.

"속았다! 포를 요청할 테니까 두 사람이 계속 경계해."

그는 본대와 교신하기 위해서 도로를 건너갔다. 잠시 후 그가 쏘아올린 오성(五星) 신호탄이 하늘 위로 치솟았다. 다섯 개의 푸른 별이 천천히 꼬리를 끌면서 어둠에 먹히었다. 뒤이어 아군의 포탄이 휘파람 소리를 내면서 날아오기 시작했다.

본대는 R · POINT에 대해서 더 이상의 인원보충을 해 줄 수 없다는 것과, 상황의 악화에 따라서 도로 정찰분대와 순찰차량의 근무를 그만둔다는 것이었다. 또한 R의 무모한 고립 사수에 관해서 중대장은 멀리 이동해 버린 작전상황실에 여러 차례 건의했으나, 회답을 받지 못했다고 알려 왔다. 우리는 무전에 의해서 간밤에 미군들이 지키고 있던 교량이 완전히 파괴되어 버렸다는 것을 알았다.

다리의 교각은 복구하기 힘들 정도로 폭파되어서 미군들이 국도를 완전히 장악해서 부교라도 놓지 않는다면, 정부군의 진주는 언제까지가 될는지 알 수 없는 노릇이었다. 우리는 낙심했다. 뿐만 아니라, 우리는 국도의 한복판에 꼽혀서 펄럭이고 있는 해방전선의 깃발을 보았다. 선명한 진홍 바탕에 별이 그려진 깃발은 장대 끝에 매달려서 도전적으로 펄럭이고 있었다. 한 사람이 달려가서 깃대 주변에 부비트랩이 없는가를 확인한 뒤 뽑아 왔다. 아직도 하늘은 검은 구름에 뒤덮여서, 때때로 소나기를 퍼붓기도 했고 오전 내내 가랑비가 내렸다. 도로의 양쪽에 두 명의 경계병을 세워 놓고, 우리는 초소 안에 모포를 깔고 누워서 잠을 자거나 잡담을 하면서 뒹굴었다. 캐터필러 소리가 요란하게 들려왔다.

"양키들이 철수한다."

창가에 서 있던 선임조장이 바깥을 가리켰다. 우리는 밖으로 뛰어나갔다. 소대병력의 미군이 LVT 세 대에 올라앉아 초소 앞을 통과하고 있었다. 그들은 비에 흠뻑 젖어 있었고 철모나 방탄조끼를 벗어던진 자가 많았다. 그들은 우울한 표정으로 우리들을 내려다보며 지나갔다. 교량이 폭파되었으므로 그들이 강변에 남아 있을 필요가 없어진 것이다. 미군들은 새로운 작전명령이 내릴 때까지 기다리기 위해서 기지로 철수하고 있는 중이었다. 누군가 불안하게 말했다.

"이제 R에는 우리뿐이다."

"집중공격을 받겠는데."

오후에 비가 완전히 그쳤고, 더욱 뜨거워진 태양이 구름을 헤치고 빠져 나왔다. 정찰조가 출발했다. 초소에는 분대장이 통신병과 두 사람의 대원과 함께 남았다. 우리는 R에서 천 야드 지점 밖으로 벗어나지 않기를 지시받았고, 전투가 벌어질 경우 가능한 대로의 신속한 동작으로 되돌아오라는 명령을 받았다. 적의 주력은 멀리 퇴각했을지도 모르지만 소규모의 정찰대가 부근에 잠복해서 우리를 노리고 있을 수도 있는 일이었다. 여하튼 좌표에 나타난 R 부근 외곽 지점들의 확인 결과를 보고하라는 중대본부의 명령이었고, 분대장은 고지식하게 그것을 실지로 답사해 보기를 원하고 있었다. 중대본부는 우리의 안전을 철저하게 믿고 있었는데, 밀림과 강변의 중간 지점에 있는 민병대의 매복소대가 적의 활로를 끊어 주리라는 것과, 적들은 사흘 후에는 철수하려는 아군을 구태여 공격하려 애쓰지 않을 것이란 점, 그리고 인민을 존중한다는 정치적 이유로서 탑 주위에 있는 우리 분대를 포격할 수 없을 것이라는 예상 때문이었다.

정찰조는 보급대대의 빈터 안에 있는 벙커와 목조 건물들과 참호 속을 일일이 점검했다. 우리는 교통호 속에서 붉은 명찰이 달린 소총수의 상의를 발견했다. 문 상병이 상의를 집으려고 호 속에 뛰어들려 했을 때 선임조장이 그의 옷자락을 잡으며 말렸다.

"기다려, 조사해 보자."

선임조장이 호 위에 배를 깔고 엎드려서 참호의 흙바닥을 열심히 들여다보았다. 그는 일어났다. 탄띠에 매여 있던 갈구리가 달린 가는 나일론 줄을 풀면서 그가 말했다.

"짐작하던 대로야. 인계 철선을 봐라."

주의해서 보니까, 상의 단추구멍에는 잘 알아볼 수 없는 코일이 붙들어 매어져 한 발짝쯤의 거리에 묻혀 있는 게 보였다. 우리는 멀찍이 엎드려서 선임조장이 부비트랩을 파괴하는 것을 지켜보았다. 그는 우선 갈구리를 철선 밑에 늘어뜨린 다음 줄을 잡고 안전한 거리로 가서 잡아당겼다. 두어 번 되풀이 끝에 폭음이 일어났고 파편에 맞은 나뭇가지와 잎사귀들이 떨어져 날아갔다. 우리는 대대 외곽의 숲으로 조심스럽게 전진했다. 숲으로 들어서는 초입에 물이 얕게 고인 진흙 수렁이 있었다. 진흙 위에 어지럽게 찍힌 맨발과 샌들의 자국들을 보았다. 밀림 안으로 깊숙이 전진할수록 태양은 울창한 잎새에 가려 버리고 손바닥만 한 빛 조각들이 가끔씩 우리의 눈가를 스치며 지나갔다. 땅이 차츰 낮아지다가 조개껍데기처럼 둥글게 패인 저지(低地)가 나타났는데, 헤치고 내려갈 수 없을 정도로 관목 덩굴들이 뒤엉켜 있었다. 선임조장이 말했다.

"우리가 확인해야 할 곳은 저 너머 보이는 오두막 부근이다. 너희들 갈 테냐?"

저지대가 끝나고 땅의 비탈이 평평해지면서 비교적 큰 나무들이 띄엄띄엄 자라고 있는 숲 가운데, 포탄에 파괴된 집 한 채가 보였다. 문 상병이 말했다.

"여기서두 잘 보입니다."

"그래, 적은 없는 모양이다."

우리는 아래로 내려가지 않고, 저지대를 우회했다. 갈대가 가슴팍에까지 자라 있었고, 더러운 흙탕물이 고인 웅덩이가 있었다. 웅덩이 가운데 고무공처럼 부푼 검은 물체가 떠 있었다. 화염에 그을린 시체가 부풀

대로 부풀어서 다리 하나가 커다란 나무등걸만 했다. 부패하는 시체 부근에 물매미가 새카맣게 모여서 와글거리고 있었다. 어젯밤, 건십의 폭격에 맞은 적의 시체가 틀림없었다.

숲을 등지고 국도를 향해서 걸어갔다. 무릎 높이쯤의 선인장들이 자라고 있는 재활지로 나섰다. 진홍빛의 칸나와 찔레꽃들이 드문드문 피어 있었다. 국도 연변의 마을로 들어가는 샛길이 보였다. 태양이 우리 등 뒤를 따갑게 내려쪼았다. 우리는 개활지를 눈앞에 두고 모래땅 위에 엎드려 잠깐 동안 맞은편 샛길과 밀림을 관측했다. 나와 부사수는 서로를 엄호하면서 지그재그로 개활지를 건너갔다. 야자나무 숲 가운데 마을 외곽의 집 몇 채가 보였다. 나와 부사수는 마을을 가장 똑똑히 관측할 수 있는 지점에 배를 깔고 엎드려서 선임조장과 문 상병이 다가오기를 기다렸다.

마을로 들어가기 전에 우리는 두 사람씩 갈라지기로 했다. 선임조장과 문 상병이 마을 중심부를 똑바로 가로질러 국도가 내다보이는 우물가에서 기다리기로 했고, 부사수와 나는 마을 외곽의 숲과 서너 채의 외따른 집을 수색하기로 했다. 우리는 첫 번째로 마을 맨 끝에 있는 집을 수색했다. 나는 집의 뒤로 돌아가, 넝마 같은 휘장을 들치고 안으로 뛰어들었는데, 덧문이 모조리 닫힌 집 안은 어두웠고 멍석 한 장이 깔려 있을 뿐 아무것도 없었다. 불단이 없는 것으로 보아 빈집이었다. 앞문으로 뛰어들었던 부사수와 내가 실내에서 마주쳤다. 부사수가 말했다.

"녀석들은 낮에는 멀리 철수해 버리는 모양이죠."

"적의 관측병이 남아 있을지두 몰라."

우리는 집을 나서기 전에 덧문을 약간 열어 놓고 숲과 또 한 채의 외따른 집 주위를 내다보았다. 부사수가 무엇을 발견했는지 내 옆구리를 쿡

찔렀다.

"저게 뭡니까?"

"뭘까, 마당에 떨어져 있는 게……."

우리는 허리를 굽혀 선인장 사이를 헤치고 뛰다가 집의 마당 앞에 이르러 엎드렸다. 그것은 밀짚으로 만든 삿갓 모양의 농라였다. 집 안에 누군가 농라의 임자가 있다. 파리가 뙤약볕 아래를 오르내리는 소리가 똑똑히 들렸다. 나는 집 뒤로 돌아가 뒷문에 걸쳐 놓은 대나무 발을 총 끝으로 들쳤다. 텅 빈 부엌으로 해서 실내가 보였는데 방의 반쯤은 기다란 커튼으로 가려져 있어서 보이지 않았다. 나무의자 두 개와 대나무로 엮은 침상이 보였다. 판잣문이 요란한 소리로 부서지며 부사수가 앞으로 뛰어들었다. 나는 부엌과 실내의 통용문에 몸을 기대고 그의 수색을 엄호했다. 찰그락, 하는 쇳소리를 들었는데…… 들었다고 느끼는 것과 거의 동시에 자동소총의 탄피 튀는 소리를 들었다. 부사수가 방 가운데 버티고 서서 휘장의 뒤쪽에다 긁어대고 있었다. 탄환이 뚫고 지나가는 기다란 헝겊이 거칠게 흔들렸다. 휘장 뒤에서 총대가 굴러 떨어졌다. 나는 커튼의 한끝을 힘껏 잡아당겼다. 찢어진 커튼 뒤에서 피투성이의 지금 막 숨이 넘어가려는 깡마른 사내가 우리를 멍청히 올려다보고 있었다. 그는 벌거숭이에 카키색 팬티만 입고 있었고, 다리를 부상당했기 때문에 대들보에 매어진 해먹에 누워 있었다. 사내는 흔들리는 해먹 위에서 몇 번 몸을 뒤채며 꿈틀거리다가 머리를 떨어뜨렸다. 그물망 사이로 피가 끊임없이 흘러 떨어졌다. 해먹은 차츰 그 간격을 좁혀 가면서 천천히 흔들거렸다. 아래에 바나나 잎사귀에 싼 음식과 물이 담긴 야자 껍질이 놓여 있었다.

"먼저 우릴 쏠라구 그랬지."

맥풀린 듯한 부사수가 말했다. 우리는 잠깐 피가 번져 가는 땅바닥을 내려다보며 서 있었다. 부사수가 장총을 주워 올렸다. 활대를 후퇴시키니까 장전되었던 길다란 실탄이 튀어나왔다. 내가 말했다.

"어제 폭격에 낙오된 자야."

"마을 사람들이 숨겨 놓고 간호해 주던 모양이오."

우리는 장총을 갖고 집을 나섰다. 주변을 살피며 마을 외곽을 돌고 나서, 샛길로 들어섰다. 마을 가운데서 우리를 찾아오고 있는 선임조장과 문 상병을 만났다. 그들은 총성 때문에 날카롭게 긴장해서 몸을 굽히고 접근해 오고 있었다. 우리는 총을 어깨에 걸어메고 그들에게로 어슬렁거리며 걸어갔다.

"꼭 사냥 나온 꼴이군."

선임조장이 안전장치를 잠그며 말했다.

"원숭이라두 쏘았나?"

"한 마리 잡았지요."

"이건 선물입니다"라고 부사수와 내가 말했다. 선임조장은 우리가 노획한 장총을 조사했다.

"적이 마을엔 없는 모양이야. 수색했지만 주민들뿐이더군."

우리는 산개해서 마을을 지나갔다. 주민들이 덧문을 활짝 열어젖히고 우리들이 지나가는 것을 내다보고 있었다. 그들은 우리들에게 두려움과 적의가 깃든 시선을 던졌다. 노인들은 음흉스러워 보였고, 아이들은 교활해 보였으며, 여인네들은 우리를 비웃고 있는 것 같았고, 남자들은 모두들 밤에는 게릴라로 변하는 적인 것 같았다. 그들의 고요한 마을에 침입한 것은 바로 우리들이었다. 여긴 우리의 고향이 아니다.

마을을 벗어나 대대 지역의 울타리 근처에 있는 우물가에 이르렀다.

우리는 비워진 수통을 채우기 위해 잠깐 우물가에 머물렀다. 철모를 벗어 물을 떠서 머리 위에 뒤집어썼다. 한참 물을 끼얹고 있을 때 우리의 배후에서 회초리로 마룻장을 두드리는 듯한 소리가 들려 왔다.

"저격이다!"

나는 우물 옆 물구덩이 속으로 상반신을 처박았다. 방향을 짐작할 수가 없었다. 벌떡거리는 가쁜 숨소리가 바로 머리 위에 들려 왔다. 가슴을 정통으로 얻어맞은 문 상병이 구덩이 안으로 기어 들어오려고 헐떡이고 있었다. 나는 손을 뻗쳐서 그를 내게로 끌어당겼다. 그는 얻어맞은 가슴속에 손가락을 찔러넣고 바람이 좁은 구멍을 빠져 나가는 듯한 호흡을 내쉬고 있었다. 그는 두어 번 연약하게 기침을 했는데 그때마다 피가 입으로 솟아올랐다. 웅덩이에 고인 물이 차츰 붉어졌다. 우리 머리 위로 실탄이 계속해서 지나갔다. 마을에서 남쪽으로 떨어진 선인장 숲에서 경기관총이 짖어대고 있는 것을 알았다. 우리는 얼마 동안 저항했다. 그러나 우리는 기관총 사계 정면에 완전히 노출되어 있어서 대대의 울타리 쪽으로 접근할 수가 없었다. 나는 세 개째의 탄창을 갈아 끼웠다. 총구가 열을 내서 울부짖고 있는 동안은, 내가 적의 공격을 제압하는 듯한 착각이 들었다. 우리의 좌측 울타리 너머로 진출한 분대장의 목소리가 들렸다.

"엄호할 테니, 울타리를 넘어와라!"

그들이 숲을 향해 집중 사격을 하는 동안, 나는 축 늘어진 문 상병을 들쳐업고 울타리 앞에까지 기어갈 수 있었으나, 두 몸이 한꺼번에 넘을 수는 없었다. 몸을 반쯤 일으키며 그를 울타리 너머로 던지는 데 성공했다. 철모가 팩 돌아갔다. 실탄이 철모를 빗기며 지나간 것이다. 나는 철모를 벗어 던지고 울타리 옆을 기었다. 아군 쪽에서 M79 유탄

발사기의 사격하는 소리가 들렸고 숲에 날아가서 터지는 째지는 듯한 파열음이 일어났다. 유탄이 계속해서 날아갔다. 적의 경기관총 소리가 멀어져 가다가 그쳤다. 분대장이 손을 내밀어 우리를 하나씩 끌어올렸다.

"모두 무사한가?"

"한 사람 얻어맞았습니다."

참호 아래 쓰러진 문 상병의 몸을 일으켰을 때, 그는 완전히 절명해 있었다. 우리가 그를 운반했을 적에는 경직이 시작되어, 그의 뻣뻣해진 다리가 땅에 질질 끌려왔다. 나는 나중에 우리 소속대인 중대에 돌아가 전사보고서를 쓰기 위해 그의 소지품을 간수하기로 했다. 호주머니에 들어 있는 것은 수첩 한 권뿐이었다. 수첩 안에 구겨진 5달러짜리 GI 군표와 검역 카드, 품목마다 모두 빈칸인 PX 카드, 겉봉이 찢겨 닳아 버린 편지 몇 장, 두어 장의 가족사진이 있었다.

우리는 그를 블록 초소의 뒤편에 눕혀 놓고, 파리가 날아 앉지 못하도록 개인 텐트의 반쪽으로 덮어 놓았다. 텐트 자락 아래로 아주 커다랗게 보이는 정글화가 솟아올라 있었다. 나는 땅 위에 떨어진 삐죽한 그림자를 보았고, 얼굴을 쳐들어 눈부신 햇살이 그 뒤에서 빛나고 있는 검은 석탑을 올려다보았다. 포로는 더위에 지쳐 탑에 묶인 채 졸고 있었다. 이런 입체감 없는 사진 속을 누비고 보급 헬리콥터가 먼지바람을 일으키며 낮게 떠왔다.

우리는 헬리콥터가 떨군 이틀 분의 C레이션과 탄약을 받고, 길게 늘어진 로프에 시체를 달아매어 올렸다. 보충병은 역시 오지 않았다. 하사는 무전으로 한 사람이 전사했다는 것을 알렸으나, 본대의 무전병은 억양 없는 목소리로 말했다.—알았다. R · POINT는 계속 수고하도록. 라쟈 아웃!

분대는 초소 주위의 배수로를 최후 저항선으로 정하고 적의 기습을 기다리고 있었다. 오늘 밤 적은 틀림없이 결전을 준비하고 있을 것이다. 황혼 녘에 보급대대 부근의 마을 사람들이 간단한 짐을 짊어지고 국도의 남쪽으로 피난 가는 게 보였다. 그들은 적의 어떤 작전계획을 알아차린 것이 분명했다. 중대병력쯤의 집결은 관내 정규군과 지방 게릴라 몇 사람이면 충분하니까, 아무 때나 우리를 공격할 수가 있을 것이다. 일곱 사람이 중대병력을 상대한다는 것은 이미 승산 없는 싸움이며, 며칠 전부터 같은 장소에 배치되어 있었던 우리의 위치와 화력이 이미 노출되었으므로 몇 시간 못 가서 탑은 점령될 것이다. 우리가 시간을 지연시킬 가능성을 믿고 있는 것은 본대에서 지원될 81밀리박격포의 포격과, 적이 탑을 파괴하지 않으려고 소화기로서만 우리를 공격할 것이라는 점이었다. 무전 수신을 하고 있던 통신병이 소리를 질렀다.

"작전은 변경된다구 합니다."

"철수 명령이냐?"

"우리를 내버리는 건 아니겠지."

제각기 떠드는 우리들을 묵살하고 통신병이 하사에게 수신 내용을 보고했다.

"정부군은 예정과 달리 훨씬 남쪽으로 공격해 들어가고 있습니다. 미군 교체 병력이 명일 공구시까지 여단본부를 접수합니다. 후발 중대는 미군에게 작전권을 인계하고 헬리콥터로 이동 지역에 공수된다는 하달입니다. 그리고 적의 구정 공세가 전 남부 월남에 걸쳐 개시되었습니다."

"좋아, 모두 들었나? 하루 앞당겨졌다. 오늘이 전투의 마지막 밤이다."

"기분 나쁜데."

"높은 놈들은 지도만 들여다보구 있을 거다."

"R 전원에게 무공훈장을 내리도록, 그리고 보상금과 조위금은……."

"재수 없는 소리 지껄이지 말아."

북쪽에서 포성이 계속 들려 왔고, 하늘 위 사방으로 떠오른 조명탄의 불꽃들이 보였다. 편대를 지어 날아가는 무장 헬리콥터들의 프로펠러 소리가 먼 곳에서 들려 왔다.

"작전명령만 없다면 저 따위 탑 같은 건 수류탄으루 당장 날려 버렸으면 좋겠다."

부사수가 말했고, "사기당하는 건 우리뿐이다" 하면서 선임조장이 말했다.

"마지막 전투라……."

도로의 남쪽을 향해 원형 철조망을 치고 클레이모어 지뢰 두 대를 매설했고, 도로 건너편을 비스듬히 가로질러 철조망을 친 다음 세 대의 클레이모어를 묻었다. 또 측면의 낙화생밭 앞에도 철조망과 클레이모어로 차단하고 탑 뒤의 바나나밭 쪽으로는 참호를 팠다. 사수와 2조장은 바나나밭 앞의 참호에 배치되었다. 나는 배수로 왼쪽 끝에서 낙화생밭을 경계했다. 낙화생밭 너머로 높다란 담장 같은 대나무 숲이 보였다. 구멍을 기어나온 도마뱀들이 음산하게 울고 있었다. 도로 남쪽의 마을을 향해서 M79 유탄 발사기를 가진 분대장과 통신병이, 도로 건너편 대대 방향은 선임조장과 부사수가 맡았다. 우리는 여덟 개들이 수류탄 띠를 차고 1기수의 탄띠가 다섯 탄띠씩 들어 있는 실탄통을 각자 가지고 있었다.

만일 우리의 화력이 제대로 발휘된다면 적의 중대병력쯤은 두 시간 동안 방어할 수 있을지도 모른다. 그다음엔, 여단본부를 향해서 수단껏 탈출하는 게 상수이리라.

22시에 적의 사격이 대대 지역에서 날아왔다. 탄환이 블록 벽을 부수며 튀었다. 그들은 연이어 쏘지 않고 한 발 한 발씩, 우리를 건드려 보았다. 우리는 응사하지 않았다. 대대 지역 뒤에서 호각 소리가, 마을 쪽에서는 목탁 때리는 소리가 들려 왔다. 본대에 조명탄을 청했다. 아득한 곳에서 박격포가 조명탄을 쏘아 올리는 둔중한 소리가 들렸고, 달걀을 깨는 것 같은 경쾌한 소리로 점화된 5만 촉광의 조명탄이 우리 머리 위로 천천히 낙하했다. 조명탄은 간격을 두어 연달아 떠올라왔다. 낙하하는 조명탄의 섬광에 비친 나무 그림자가 길게 늘어나 잠깐 캄캄해졌다가 다시 대낮처럼 드러나곤 했다. 대대의 벙커들과 건물들 사이를 달리는 적들이 보였다. 그들은 엄폐하지는 않고 벙커 위로 가볍게 뛰어다녔다. 먹이를 요리하려는 야수처럼 그들은 자신만만했다. 적이 샌드백 가까이 접근해 왔다. 박격포의 뒷날개가 바람을 헤치는 소리가 들렸고, 포탄이 대대 지역 위에 떨어져 작렬했다. 목조 건물 위에 떨어진 백린탄이 불길을 올리며 요란하게 타올랐다. 호각 소리가 짧게 두 번 들리자, 적이 일제히 방벽에 바짝 붙어서 쏘았다.

"우측 사격."

하사가 나직하게 말했다. 선임조장과 부사수가 자동소총으로 사격하기 시작했다. 적의 배후에서는 박격포가 계속해서 터지고 있었으나 적의 사격이 점점 치열해졌다. 그들을 수류탄 투척 거리에까지 접근시킨다면 우리는 마지막이다. 적이 양끝에 자동화기를 설치하고 배수로에다 대고 집중 사격을 했다. 실탄이 배수로 앞에 쌓아 올린 모래주머니를 찢고 드디어 몇 개를 넘어뜨릴 정도였다. 하사가 방벽 너머로 유탄을 날려 보냈다. 이곳저곳에서 터진 유탄의 파편이 우박처럼 흩어지는 소리가 들렸다. 통신병은 계속해서 포를 유도했다. 적과 아군이 탄착점에 너무 가까이 있어서 곤란하다고 전해 왔다. 하사가 송수화기를 빼앗아 들고 소리쳤다.

"야 HQ 개새끼들아, 포 하나 갖구 깔작거리면서 재는 거냐? 계속해서 쏘지 않으면 우린 전멸한단 말이다."

포탄이 조금 더 가까워졌고, 귀청이 찢어지는 것 같은 소리와 함께 흙덩이가 전신에 쏟아져 내렸다. 아슬아슬하게도 포탄은 배수로 몇 발짝 앞에 떨어진 것이다. 통신병이 욕지거리를 퍼붓고 있었다. HQ에서도 매우 절망적인 쌍소리로 회답해 왔다. 적은 드디어 방벽을 넘기 시작했다. 검은 파자마를 입은 작은 몸들이 날렵하게 샌드백을 뛰어넘으면서 소리치고 있었다. 따이한 라이라이, 따이한 라이라이. 나는 배수로를 기어 돌아 하사의 옆에 붙어서 사격했고 탑 뒤의 참호 속에서 사수와 2조장이 사격했다. 하사가 외쳤다.

"전원 침착하게, 접근시키지 말구……."

도로 건너편을 차단한 철조망 위에서 수류탄이 터졌다. 동강난 철조망들이 사방으로 헤쳐졌다. 대대의 샌드백을 기어 넘어온 적들이 치열한 사격에 쓰러지면서도 옆구리총을 하고 사격하면서 우리에게 똑바로 달려왔다. 그들은 소리쳤다. 철조망을 뛰어넘고 있었다.

"A탄 눌러."

급박해진 하사의 갈라진 고함 소리. 여러 개의 드럼통이 한꺼번에 굴러가는 듯한 소리로 클레이모어가 터지고, 돌격하던 게릴라들의 몸이 위로 펄쩍 솟았다가 떨어졌다. 방벽을 넘으려던 게릴라들도 직선으로 날아간 파편에 맞아 굴러 떨어진다. 호각 소리가 길게 한 번 들리면서 적의 사격이 멎었다. 차가운 정적이 이 소강상태 속으로 스며들었다. 두개골 속이 곧 터져 나가기 직전인 것처럼 각자의 맥박 소리만이 들렸고, 갑작스런 고요함 때문에 나는 피부의 땀구멍들이 모두 막혀 버릴 것 같았다. 남의 땅, 남의 어둠 속에 있는 우리는 뭐냐. 도대체 우리는 무엇이냐. 도피로가 차단된 일곱 마리의 쥐새끼였다.

"손님을 죽여 버립시다."

부사수가 말했다.

"분대장, 총살합시다. 저 새끼는 이용가치두 없잖소."

"포로를 도로 가운데 묶어 놓자."

결국 선임조장의 말대로 포로는 길 가운데 교통 표지판에 묶어 놓기로 했다. 우측 대대 지역으로 침투했던 적의 분대는 크게 타격을 받은 것 같았다. 적들은 우리의 완강한 저항에 신중해진 모양이었다. 어둠 속에서 부상당한 게릴라의 생존자가 뭐라고 소리를 질러대고 있었다.

"보내 줘라."

"수류탄 한 방 날려 버려."

선임조장이 방벽 앞으로 수류탄을 까 던졌다. 모래 먼지가 일어났고, 곧 조용해졌다. 부사수가 초소 안에서 포로를 끌고 나왔다. 그는 밖으로 끌려 나오자 허공을 향해서 뭐라고 긴 고함을 질렀다. 어둠 속에서 포로의 눈이 번들거렸다. 부사수가 그의 몸을 방패 삼아 도로 가운데로 걸어갔다. 교통 표지 앞에 앉혀 놓고 붙들어 맸다. 길 옆을 따라 포복하고 있는 적의 분대 병력이 보였다. 그리고 그들을 엄호하기 위해서 좌측 대숲 속으로 적들이 몸을 낮추어 달려가고 있었다. 우리의 화력과 지원포의 탄착점을 여러 방향으로 분산시키려는 것이다. 하사가 말했다.

"이젠 정면을 포로가 막아준다. 시간을 좀 끌 수 있을 거야."

"적은 저놈을 사살하지도 모릅니다."

"시간이 걸릴걸. 저쪽두 명령계통이 있을 테니까."

적의 통신신호로 여겨지는 목탁 소리가 사방에서 들리다가 그쳤다. 좌측 대숲의 적들도 잠잠해졌다. 포로가 길 가운데서 숲을 향해 뭐라고 자꾸만 소리쳤다. 하사가 말했다.

"저자가 뭐라는 거야?"

"아마, 자길 쏘라구 그러는 모양이오."

선임조장이 말했다. 조명탄이 떠올랐는데 환한 빛에 노출된 것을 두려워하지 않고 민가 쪽에서 두 사람이 걸어오고 있었다. 앞에는 발가벗기운 소총수가 절뚝거리며 걸어왔고, 뒤에 적이 바싹 따르고 있었다. 소총수는 몇 번이나 쓰러지려고 했고, 그때마다 뒤에 붙어선 자가 부축해 올렸다. 우리는 눈앞에 포로된 빈사의 동료가 다가오는 것을 무력하게 지켜보았다.

"교환하죠. 살려야 합니다."

뒤의 참호 속에서 사수가 말했다. 선임조장이 고개를 흔들었다.

"적은 다만 침투하려는 거야."

단발로 쏘아대는 총성이 대숲 쪽에서 들려 왔다. 뭔가 드높게 외치면서 표지판 앞의 포로가 쓰러졌다. 소총수를 앞에 끌어안고 다가오던 게릴라의 팔이 번쩍 치켜졌다. 우리 쪽에서 잠깐 사격했다. 적과 소총수가 함께 쓰러졌고, 던져졌으나 못 미친 수류탄이 배수로 앞에서 터졌다. 비명 소리가 들렸다. 매캐한 화약 연기가 배수로 안에 가득 찼다. 통신병이 얼굴을 감싸쥐고 흙바닥에 뒹굴고 있었다. 침투해 온 적이 아직 절명하지 않고 철조망 가에서 움직였다. 클레이모어의 살상판을 우리 쪽으로 돌려 놓으려는 모양이다. 그는 우리의 자동소총의 집중 사격을 받았다. 그러나 두 대의 클레이모어가 이쪽으로 돌려져 있었다. 안면에 파편상을 입은 통신병이 두 손으로 얼굴을 감싸쥐고 고통에 찬 신음을 질렀다. 하사가 말했다.

"참아라. 날만 새면 우리는 살아 남는다."

"틀렸어. 클레이모어를 쓸 수 없습니다."

부사수가 말했다. 하사가 부사수의 어깨를 잡아 흔들면서 부르짖었다.

"우리 정면이 뚫어지면, 뒤로 퇴각할 수밖에 없다. 그렇지만, 퇴각하면 우리는 전멸한다. 모두 죽는 거야."

"아직 결판은 안 났소" 하며 선임조장이 말했다.

"저 클레이모어의 살상 방향을 바깥쪽으루 돌려 놓으면, 아직 방어할 수 있으니까."

"누가, 뛰어가 돌려놓겠나?"

아무도 대답하지 않았다. 적의 십자화력에 벌집이 될 것이다. 세 사람의 시체가 철조망 주변에 뒹굴고 있었다.

"분대장 네가 가라!"

참호 속에서 사수가 말했다.

"이 개새끼야, 지금 보여줘. 큰소리만 치지 말구."

대숲 속에서 적의 BAR 기관총이 배수로를 훑으며 날아왔다. 우리들이 머리를 박고 잠깐 움츠린 동안 국도 연변의 분대병력이 침투 포복을 해왔다.

"씨팔 좋아."

하사가 이빨 사이로 씹어내며 총을 던지고 일어섰다.

"말려라."

선임조장이 외쳤다. 하사는 도로 가운데로 뛰어나갔다. 적의 BAR가 도로 위로 두 줄의 먼지를 일으키면서 질타했다. 하사가 돌에 걸린 듯이 주춤했다가 앞으로 곤두박질쳐 넘어지는 게 보였다. 우리는 건너편 대숲 속과 도로에 대고 응사했다. 아군의 박격포탄이 이따금 생각났다는 듯이 한 발씩 날아와서 대숲 후방과 도로 위에서 터졌다. 나는 통신병을 잡아 일으키며 소리쳤다.

"싸울 수 없으면 포라두 유도해라."

"안 보여, 보이질 않아."

신병은 무전기를 껴안고 있었다. 적이 계속 포복해 왔다. 하사가 철조망 가에까지 바짝 기어가 있었다. 그는 클레이모어를 돌렸고, 다시 일어나지 않았다. 대나무 숲에서 나온 적들이 낙화생밭을 건너오고 있었다. 대대의 방벽 너머로는 수류탄만을 양손에 쥔 게릴라들이 뛰어왔다. 참호 속에서 사수와 2조장이 대대 쪽에 사격했다. 수류탄이 날아왔고, 적들은 넘어졌다. 참호 곁에서 수류탄이 터졌다. 계속해서 연달아 터졌다. 우리의 방탄조끼 위로 후두둑거리며 날아와 박히는 파편 조각의 소리가 들렸다. 참호에서의 사격이 멎어 버리고 팔뚝에 파편상을 입은 사수가 혼자서 배수로 쪽으로 건너왔다. 낙화생밭을 건넌 적의 분대가 수류탄으로 철조망을 제거하고 달려들었다. 도로 정면에서 포복하던 게릴라들이 들개처럼 몸을 숙이고 달려왔다. 선임조장이 외쳤다.

"정면 A탄, B탄."

부사수가 접선시켰다.

"좌측 A탄."

나는 클레이모어의 접선기를 손아귀에 쥐고 힘껏 눌렀다. 도로 위에,

밭을 향해서 방향성 지뢰의 푸른빛이 번쩍였다. 정면을 돌파하려던 적의 주공이 거의 꺾였고, 좌측으로는 뒤에 처져 있던 제2파 공격조가 밀려왔다. 우리는 수류탄을 연거푸 까던졌다. 배수로 가까이로 뛰어왔던 자들이 사격에 얻어맞고 나뒹굴었다.

"착검!"

선임조장이 외쳤다. 자동소총에 대검을 꽂고, 화력망을 뚫고 배수로 속으로 뛰어든 몇 명의 게릴라들을 맞았다. 어둠 속의 눈, 그들의 장총과 자동소총 끝에 꽂힌 날카로운 알루미늄의 창 끝. 마주치는 첫 순간에 적을 제압해 버리지 못하면 죽는다. 적의 창 끝을 위로 쳐올리면서 개머리를 휘둘러 가슴을 강타한다. 적이 뒤로 넘어진다. 군홧발로 그의 면상을 차면서 다른 자를 맞는다. 최초의 공격에 적을 찌르지 못하면……. 나는 몸을 낮추어 적의 옆구리로 파고들며 대검을 깊숙이 꽂는다. 발로 차면서 대검을 뽑는다. 적의 총검이 방탄조끼로 가리어진 등을 찔렀으나 뚫지 못하고 튕겨져 나간다. 숨이 막히며 앞으로 넘어질 듯하다. 돌아서서 고함을 치며 곧장 대검을 내밀어 육박해 들어간다. 총대로 그의 총검을 막아 올리고 발로 급소를 올려 찬다.

우리 주위가 조명을 받은 듯이 환해졌다. 커다란 탐조등의 원반이 땅바닥을 훑으면서 지나갔다. 두 대의 건십이 대숲과 도로 위에 기총소사를 내리 갈겼다. 저항선을 계속 넘으려던 적들이 일제히 퇴각하기 시작했다. 헬리콥터가 한곳에 머물러 빙빙 돌면서 유탄과 로켓포탄을 내쏘았다. 적의 배후에 있던 지원병력이 흩어져 밀림으로 쫓기고 있었다. 선임조장이 배수로 밖으로 뛰어나갔다. 네 사람은 모두 도로 양측으로 전진하면서 쫓겨가는 적을 사격했다. 사수가 미처 달아나지 못한 적의 부상자들을 철저히 사살했다. 우리는 도로가에 머물러 적의 퇴각을 확인한 다음, 초소로 되돌아왔다. 통신병은 배수로 속에서 무전기를 끌어안고 죽어 있었다. 우리는 모두 넋이 빠져 미친 사람이 되어 있었다. 사람다운 모든 것이 탈진되어 의식이 흐려졌다. 나는 배수로 속에 꿇어앉아 토했다. 전투가 끝나 버렸는지, 아니면 다시 끝없이 시작되는 것인지 알 수 없었다. 우리는 서로 누가 남았는지 바라보기조차 귀찮았다. 그래서는 죽은 자들의 굳어진 몸뚱이 사이에 넘어져 졸기 시작했다.

"R · POINT, 감잡고 나오라, 여기는 HQ."

무전기가 떠들고 있었다. 내가 눈을 떴을 때, 저 헤아릴 수 없는 과거의 기억들 속에 굳게 이어져 있는 것을 알았다. 바람이 여전히 불었고, 대기는 내 코를 건드렸으며 숲과 구름이 보였다. 언제나 똑같은 모습으로 적도의 태양이 떠올라 있었다. 모두 지나간 것이다.

"R · POINT, 감잡고 나오라, 여기는 HQ"

나는 계속해서 똑같은 소리를 지껄이고 있는 무전기의 스위치를 딸깍 꺼 버렸다.

국도 북쪽에서 무한궤도가 굴러오는 소리가 들려 왔다. 잠시 후에, 나뭇잎과 풀을 철모에 꽂은 미군 도로 정찰대가 지뢰 탐지기를 등에 짊어지고 지나갔다. 장갑차의 포수가 머리를 내밀고 즐비한 시체들의 사진을 찍었다. 뒤로 멀리 떨어져서 교량에서 철수했던 LVT 3대와 경비소대가 지나갔다. 2.5톤 한 대가 우리 초소 옆으로 대어졌고, 말쑥한 정글복 차림의 미군 중위가 승차 책임자석에서 뛰어내렸다. 그는 대낮에도 얼굴에 바른 흑색 위장 초콜릿을 지우지 않은 병사들을 도로변에 배치했다. 똑같은 규격으로 허리에 매달린 가스 마스크가 인상적이었다. 미군 중위가 우리를 향해 엄지를 세워 보이면서 웃었다. 대대지역 안으로도 몰려 들어가는 차량의 행렬이 그치질 않았다. 우리는 배수로에서 기어 나와 담배를 피웠다. 멍청히 주저앉아서 잠을 깨운 자들을 아무 생각 없이 올려다보았다. 흰 뺑끼로 SEA · BEE라고 쓴 미해군 공병대의 불도저 한 대가 멎었다. 운전석의 배불뚝이 중사가 초소를 가리키며 장교에게 물었다.

"여깁니까?"

"그래, 여길 넓혀야겠어."

불도저가 크게 회전하더니, 뒤로 멀찍이 물러섰다가 달려들면서 바나나밭을 밀어 버리기 시작했다. 불도저는 드디어 초소 뒤의 빈터를 향하여 굴러왔다. 우리는 담배를 내던지고 벌떡 일어섰다. 선임조장이 불도저 앞으로 달려갔다. 그는 자동소총을 운전사에게로 겨누었다.

"꺼져 이새끼."

"갈겨 버려."

미군 중사는 발동을 끄고 어처구니없다는 듯이 우리를 두리번거리고 나서 두 손을 벌리며 어깨를 으쓱했다. 내가 어리둥절해 있는 장교에게 다가가서 말을 걸었다.

"뭐하는 겁니까?"

장교가 얼굴이 새빨개져서 말했다.

"바나나숲을 밀어내야겠어. 캠프와 토치카를 지을 걸세. 저 해병이 막는 이유가 뭔지 모르겠네."

"우리는 작전명령에 따라서 저 탑을 지켰습니다."

나는 초라하게 서 있는 작은 석탑을 가리켰다. 중위가 고개를 저었다.

"탑이라구? 나는 저런 물건에 관해서 명령받은 일이 없는데."

"아직 통고되지 않았을 겁니다. 아군은 월남군에게 탑을 인계하기로 되어 있었습니다. 인민해방전선은 저것을 빼앗아 옮겨 가려고 했습니다."

나는 얘기하고 싶지 않았으나, 불교와 주민들의 관계, 참모들의 심리전적 판단이며 마을에 관해서 설명하려고 애썼다. 그렇지만 말하고 나자마자 우리는 깨끗이 속아 왔다는 것을 알았다. 그게 누구의 것인가. 내 말이 다 끝나기 전에 불교라는 낱말이 나오자 이 단순한 서양 친구는 으흥, 하면서 고개를 끄덕였다. 중위가 말했다.

"그런 골치 아픈 것은 없애 버려야지. 미합중국 군대는 언제 어디서나 변화시키고 새롭게 할 수가 있네. 세계의 도처에서 말이지."

나는 우리가 탑과 맺게 된 더럽고 끈끈한 관계에 대해서 달리 설명할 방도가 없음을 깨달았다. 장교는 자기가 가장 실질적이며 합리적인 강대국 아메리카인의 전형임을 내세우고, 탑에 대한 견해도 그런 바탕에서 출발할 것이다. 한무더기의 작은 돌덩어리가 무슨 피를 흘려 지킬 가치가 있었겠는가. 나는 안다. 우리가 싸워 지켜낸 것은 겨우 우리들 자신의 개 같은 목숨에 지나지 않는다는 것을. 그러나 나는 역겨움을 꾹 참고 말했다.

"중지시켜 주십시오."

중위는 내게 한쪽 눈을 찡긋 감아 보이면서 고개를 끄덕였다. 그는 기계 앞으로 걸어가서 중사에게 뭔가 일렀다. 배불뚝이 미군 중사는 불도저 위에 뛰어내리며 투덜거렸다.

"노란 놈들은 이해할 수 없단 말야."

중위가 비워둔 2.5톤을 가리키며 여단본부까지 태워다 주겠다고 말했다. 우리는 전사자의 시체와 장비를 싣고 R을 떠났다. 차가 바나나 숲을 채 돌아가지 못해서, 나는 불도저의 굵직하게 가동하는 엔진 소리를 들었다. 불도저는 빈터의 가운데로 돌격했고, 떠받친 탑이 기우뚱했다가 무너져 자취를 감추었다. 탑의 그림자마저 짓이겨졌을 것이다. 달리는 트럭이 일으켜 놓는 먼지가 시야를 차단했다.

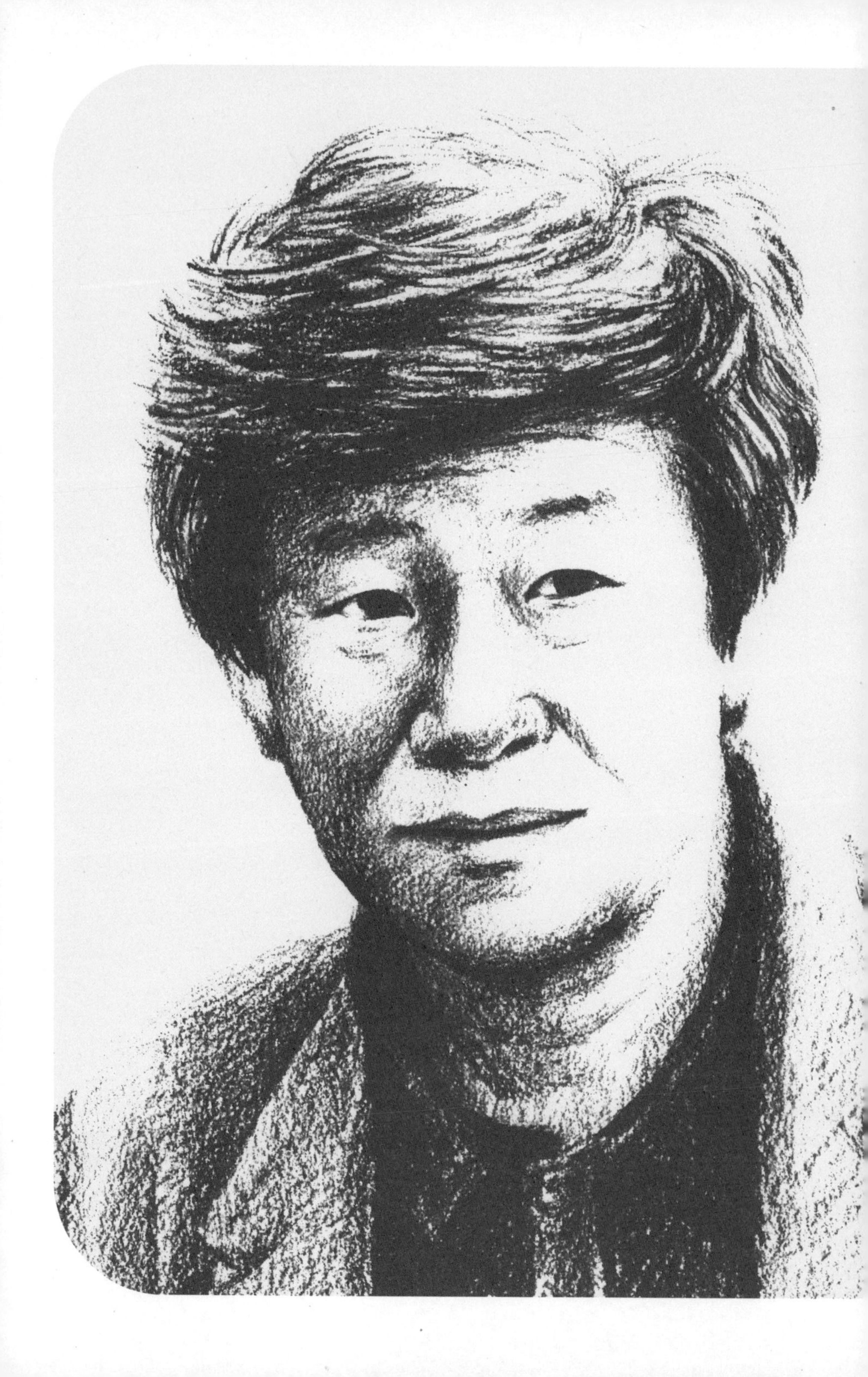

내 그물로 오는 가시고기

조세희

(1942~)

조세희(1942~)는 1965년 신춘문예로 작가의 길에 들어선 후 10년간 침묵을 지키다가 모두 12편으로 이루어진 연작소설집 『난장이가 쏘아올린 작은 공』을 선보였다. 이 소설은 매우 큰 반향을 불러일으켰는데 1970년대 우리 사회의 핵심적인 문제라고 할 수 있는 산업사회의 소외계층 이야기를 정면에서 다루면서 치열한 주제의식과 그것을 펼쳐 보이는 기법의 참신함으로 신선한 충격을 준 까닭이다. 노동문제, 도시빈민의 문제가 하나의 틀로써 파악되고 노동자들의 열악한 삶과는 대비되는 가진 자들의 생활과 의식을 잘 묘사하여 그 당시의 노동자계급이 처한 상황을 총체적으로 보여주고 있다. 말꾸미기를 좋아하는 사람들은 1970년대 우리 문학이 황석영의 「삼포 가는 길」에서 시작되어 조세희의 「난장이가 쏘아올린 작은 공」에서 완성되었다고도 한다. 소외된 계층의 삶을 따뜻하고 애정 어린 시선으로 그려낸 이 연작소설집은 화해할 수 없는 계급 간의 갈등과 현실의 모순을 사실적으로 그려내어 1970년대의 대표적 소설로 평가되고 있다.

여기 수록한 「내 그물로 오는 가시고기」에서는 시점이 은강그룹의 회장 아들의 시선으로 옮아 가 자신의 아버지를 살해하려다 오인하여 숙부를 살해하게 된 난쟁이의 큰아들이자 은강공장의 노동자인 영수의 공판 과정을 지켜보는 것으로 구성되어, 철저히 가진 자의 입장에서 비천하고 냄새나는 노동자들에 대한 생각과 태도를 드러내 보이고, 자신이 지향하는바 2세 경영인으로서의 야심과 향락적인 삶의 태도를 보여줌으로써 독자들에게 충격을 주고 있다. 아버지와 아들 사이에서조차도 인간에 대한 사랑보다는 경쟁의 관계로 살아가야 하는 비정함과 서로 화해할 수 없는 자들로 바라보는 노동자들에 대한 경멸이 결국은 꿈속에서 자신이 쳐 놓은 그물로 오는 가시고기로 나타나 자신을 괴롭힌다는 내용이다. 이 소설의 미덕은 이처럼 시점의 빠른 이동으로 현실의 모순을 다양한 측면에서 조명하여 더욱 실감 있게 사태의 본질을 깨닫도록 해 주는 것이라고 하겠다.

다섯시가 이미 넘었는데도 어두웠다. 여느 때면 내 방 창에 첫 빛이 와 닿고 커튼이 그 빛을 올 사이사이로 빨아들여 방 안의 어둠을 밀어 버릴 시간이었다.

나는 침대 머리맡의 수화기를 들고 주방으로 이어진 단추를 눌렀다. 아직 잠이 덜 깬 듯싶은 여자아이의 목소리가 조심스럽게 떨림판을 흔들어 왔다. 커피를 시키고 일어나 커튼을 젖혔다. 창문을 덮었던 안개가 스멀스멀 밑으로 내려앉고 있었다.

늙은 개가 안개 속에서 움직이는 것을 나는 내려다보았다. 돌아간 할아버지의 개는 아직도 죽지 않고 살아 느릿느릿 안개를 헤쳐 흐트러뜨렸다. 숙부가 독일의 어느 기업인에게서 선물로 받았다는 개였다. 숙부는 자기가 받은 선물을 다시 할아버지에게 바치면서 족보를 밝혔는데, 개의 계보가 그 나라의 호엔촐레른 왕가까지 들먹이게 했다.

늙은 개의 가까운 선조들은 2차대전에 참가해 노르만디 해안을 순찰하고 아프리카의 사막도 횡단했다. 그 이야기가 나를 흥분시켰었다. 지도자의 명령에 무조건 복종한다는 것은 좋은 일이었다. 늙은 개의 선조들은 주인과 함께 참전해 그들에게 할당된 참호를 지키고 보초를 섰다. 전진의 명령은 지도자가 내렸다. "나는 언제나 옳다. 나를 믿고 복종하고, 싸우라"고 지도자는 말했다.

강력한 교육을 받은 유럽 국민답게 그들은 총력을 기울여 싸웠다. 나는 그들의 역사를 좋아했다. 할아버지의 개는 연못가에 앉아 있다. 먹을 것을 찾아 내려앉는 참새를 앞발로 쳐 잡았다. 할아버지는 그렇게 영리하고 민첩한 사냥개를 아직 본 적이 없다고 말했다. 사냥을 나갈 때마다 피 묻은 짐승들을 차에 싣고 왔다. 할아버지는 그 짐승들을 거실로 끌어들이게 해 카펫을 버려 놓으며 큰 소리로 웃고는 했다. 그때 할아버지 앞으로 할아버지가 쏠 짐승을 꼼짝없이 몰아붙였던 개는 저의 집으로 들어가 적당한 양의 갈비를 뜯었다. 젊었을 때의 이야기다. 늙은 개는 천천히 움직였다. 나는 두꺼운 책을 뽑아 그 개를 향해 내리던졌다. 빗나간 책이 풀장으로 이어진 보도 타일 위에 떨어졌고 늙은 개는 안개 속으로 사라졌다.

할아버지가 돌아갔을 때 개는 아무것도 먹지 않았다. 숙부가 그 개를 가져가려고 했다. 아버지는 안 된다고 잘라 말했다. 그 개는 이미 장년기를 지나 늙기 시작한 때였지만 아버지는 자기가 할아버지의 모든 권한을 물려받았다는 것을 숙부에게 알리고 싶었던 것이다. 그 숙부가 은강공장에서 올라온 공원의 칼을 맞고 숨졌을 때 나는 웃음이 나오려는 것을 억지로 참았다. 숙모가, 사촌들 옆에 선 아버지가 눈가에 차서 넘칠 듯 글썽해진 눈물을 손수건으로 찍어냈던 것이다. 나는 숙부를 죽인 공원을 법정 방청석에 앉아 보았다. 늙은 개는 보이지 않았다. 소리를 듣고 안개를 헤치며 온 아버지의 경호원이 내가 늙은 개를 죽일 마음으로 던진 두꺼운 책을 집어 들었다.

여자아이가 책과 커피를 받쳐들고 들어왔다.

"작은댁 사모님께서 아드님하고 오셨어요."

여자아이가 아직도 잠이 덜 깬 듯싶은 목소리로 말했다. 엷은 하늘색 원피스에 흰 앞치마를 둘렀다.

"함께 온 사람이 있지?"

내가 물었다.

"변호사를 데리고 오셨어요." 나는 웃옷을 벗고 잤다. 그래서 여자아이는 나를 바로 보지 못했다. 내가 대학에 들어가던 해 열다섯 살 계집아이로 왔는데 이태 만에 몰라보게 자란 것을 새삼스럽게 알았다. 가슴 부분이 유난히 볼록해 보였다. 나가려는 아이를 잡아 세웠다. 나는 "너희 방 텔리비전에는 이런 것이 없지"라고 말하면서 카세트 테이프를 골라 VTR 장치의 작동 단추를 눌렀다. 여자아이의 몸에 간밤의 잠이 그대로 붙어 있는 것 같았다. 나는 나의 커피잔을 그 아이의 입에 대주었다.

"전 쫓겨나요."

아이가 말했고, 화면에서는 베를리오즈의 음악이 화면 안 여자아이의 금발을 흩날리게 했다. 지금의 유럽 쪽 사람들을 알 수가 없었다. 나라면 이런 종류의 테이프에 베를리오즈의 음악을 쓰지는 않았을 것이다. 〈열여섯 살〉이라는 제목의 테이프였다. 빨간 스웨터를 걸친 열여섯 살짜리 여자아이가 친구들과 헤어지면서 손을 흔들었다. 나는 테이프를 빠른 속도로 회전시켜 뒷부분에 놓았다. 놀라운 일이 화면 안에서 벌어졌다.

"내가 널 어떻게 했니?"

나의 물음에 여자아이는 대답하지 않았다. 그 아이의 몸이 잠에서 깨어나는 것을 나는 느꼈다. 여자아이는 화면에서 눈을 돌려 비난에 찬 시선으로 나를 쳐다보더니 손을 빼었다.

새벽같이 아버지를 만나러 온 세 사람은 2층 응접실 소파에 그림처럼 앉아 있었다. 아버지와 어머니는 아직도 그들 방에서 자고 있었다. 숙모가 데려온 변호사는 눈을 감았다. 두 사람을 보는 순간 구역질이 날 것 같았다. 사촌은 그들 맞은편에 앉아 신문을 뒤적였다.

"형."

내가 불렀다.

"이리 와."

"넌 일찍 일어났구나."

숙모의 말을 나는 묵살했다. 눈을 뜬 변호사가 안경을 올리며 나를 쳐다보았다. 숙부가 돌아간 날부터 그는 숙모의 변호사로 일했다. 사촌은 나선형 층계를 돌아 내가 서 있는 곳으로 걸어왔다.

"너무 일찍 왔어."

내가 말했다. 우리는 복도 끝으로 가 비상계단으로 내려섰다. 안개가 걷혔다. 아침 첫 햇살은 우리가 돌아 내려가는 층계참의 모서리와 흰 벽, 그리고 키 큰 나무들 잎 위에 떨어졌다. 사촌은 까만 양복에 까만 넥타이를 맸다.

"형까지 올 줄 몰랐어."

사촌은 우울한 표정을 지었다.

"잠을 더 자두는 게 낫지. 변호사를 데리고 와서 어쩌겠다는 거야?"

"우린 그런 이야길 하지 말자."

숙부가 돌아갔을 때 그는 미국에 있었다. 나나 친형 둘도 그곳에 유학 중이었으나 그들은 숙부의 장례식에 참석하기 위해 귀국할 사람들이 아니었다. 아버지가 돌아갔다면 허겁지겁 돌아왔을 것이다. 돌아오는 비행기 속에서 나의 형들은 눈물 한 방울 흘리지 않고 자기들이 차지할 아버지의 유산을 빨리 확인하고 싶어 조바심을 쳤을 것이다.

그들을 생각하면 잠이 안 왔다. 둘이 터무니없이 차지해 나의 몫은 바싹 줄어들 것이 분명했다. 우리는 장미밭을 지나갔다. 아버지의 경호원이 늙은 개를 쓰다듬어 주고 있었다. 내가 던진 두꺼운 책이 아주 빗나가지는 않았다. 머리에 상처가 났다면서 경호원이 늙은 개를 끌어 갔다.

"빨리 미국으로 돌아가."

나는 풀장가에서 신발을 벗어 던졌다. 사촌은 등나무 의자에 앉아 담배를 피워 물었다.

"너도 나를 귀찮게 생각하니?"

우울한 목소리로 사촌이 물었다.

"아니."

나는 말했다.

"형을 귀찮게 생각할 사람은 없어. 난 형을 위해 하는 말야."

"고맙구나."

사촌의 다음 말은 알아들을 수 없었다. 나는 스프링 보드를 몇 번 구르다 물속으로 뛰어들었다. 풀 깊은 바닥은 아직도 어두웠고 물은 아주 차갑게 느껴졌다. 나는 일 분가량 잠수해 있었다. 풀 밑바닥 모퉁이에 몸을 오그리고 앉아 느끼는 일 분 동안의 숨막힘, 일 분 동안의 거짓 절망이 나중에 잃게 될 내 세계와 지금 멀어져 버리는 괴로움으로 변해 나를 조여 왔다. 발을 놀려 물위로 떠오르면서 나는 빛의 굴절이 일으키는 파면의 진행 방향 끝에 앉아 있는 사촌을 보았다.

나는 수면 위에 엎드려 물장구를 치며 손을 번갈아 움직여 물을 긁었다. 물장구는 다리 관절의 힘을 빼고 쳤다. 얼굴을 돌려 물 밖으로 내놓는 순간 숨을 들이쉬고, 내쉬는 숨은 물속에서 쉬었다. 밖으로 나가자 사촌이 수건을 던져 주었다. 햇살은 이른 아침부터 따갑게 느껴졌다. 정장을 한 사촌의 이마에 땀이 내배었다. 아버지의 운전기사가 자기 차를 타고 와 내리는 것이 사철나무 사이로 보였다.

"숙모가 뭔가 잘못 생각하시는 것 같아."

내가 말했다.

"형도 숙모가 얼마나 어리석은 행동을 하고 계신지 알겠지?"

"난 모르겠어."

사촌이 말했다.

"네 말대로 미국으로 돌아가 하던 공부나 계속해야겠다."

"이따 아버지를 뵙고 그 말씀부터 드려. 숙모가 하는 대로 따라 해서 이로울 건 하나도 없다구."

"그래야 큰아버지가 흡족해 하시겠지."

"형이 은강그룹의 일원이라는 걸 강조하실 거야. 형도 우리 회사들이 우리 나라 전체 세금의 4%를 내고, 매상액이 국내 시장의 4.2%, 수출은 5.3%를 기록하고 있다는 걸 알아야 돼."

"대단하구나."

"대단하지!"

나는 사촌에게 말했다.

"어리석은 경영을 할 권리가 아버지에게는 없어. 숙부가 돌아가셨다고 그분의 몫을 당신 앞으로 빼 달라는 숙모의 말씀이 통할 것 같아? 형이 공부를 끝내고 돌아와 일을 익혀 경영에 참여하는 게 제일 자연스럽지. 아버지가 인정하는 건 형뿐야. 나쁘게 들리겠지만, 숙모는 이제 우리 집안 사람이 아니라구."

"어째서?"

사촌은 아주 기분이 나쁜 표정을 지었다.

"아버지가 그런 말씀을 하셨던 것 같아."

내가 말했다. 사촌은 무슨 말인지 모르겠다는 듯 나를 쳐다보았다. 내 위의 두 형에 비하면 선량하기 짝이 없는 사람이었다. 그는 은강에서 올라온 젊은이가 왜 날카로운 칼을 뽑아 살인을 하지 않으면 안 되었을까? 사람들에게 묻고는 했었다. 선천적으로 착한 사람이었다. 칼을 맞고 숨을 거두는 순간에 숙부가 아픔을 느꼈을까 하는 것도 그는 알고 싶어했다. 살인범이 노렸던 사람은 숙부가 아니라 아버지였다는 사실을 알았을 때 그는 침묵했다. 사촌은 범인을 이성과 감정 의지와의 조화를 잃은 정신분열증 환자로 보았다. 그를 재판하면 안 된다고 그는 말했다.

재판정에 나가 보고서야 피고가 정상이라는 것을 인정했다. 그는 그의 아버지를 죽인 자의 계획 살인을 정당방위라고 우겨 주위 사람들을 갑갑하게 만들었다. 법정 방청석은 공장 노동자들로 꽉 찼다. 아버지의 젊은 비서가 가방을 들고 들어서는 것이 똑같은 사철나무 사이로 보였다. 아버지의 승용차가 햇빛을 받아 번쩍거렸다. 독일 사람들이 만든 최고급 승용차였다. 같은 독일제였지만 나의 것은 차체가 작고 앙증한 회색 국민차였다. 사촌이 다시 담배를 피워 물었다. 미국의 노동자들이 어느 날 갑자기 외치는 소리를 들었다고 그는 말했다.

"한국 섬유 노동자의 임금은 얼마?"

그곳 노동조합 대표가 선창하면 노동자들은 "시간당 19센트!"라고 외쳤다는 것이다. 만여 명의 노동자들이 크게 외치면서 한낮의 광장을 돌 때 사촌은 그들이 우리 제품의 수입을 규제하기 위해 거짓말을 하고 있다고 생각했다는 것이다. 한 달 임금으로 45.6달러를 지급하고 일을 시킬 경영집단이 있을 것으로는 믿어지지 않았다는 것이다. 그러니까 은강방직에서 올라온 젊은이가 칼을 뺀 것은 당연하다는 사촌의 주장이었다.

우리의 제도는 이제 안에서부터 파괴될 것이라고 그는 말했다. 우리는 3차원의 세계에 살고 있지만 칼을 품었던 사람과 그의 동료들, 그리고 그들의 식구들은 2차원의 세계에 살고 있다는 말까지 했다. 현실이 한 차원을 빼앗아 버렸다는 것이었다. 2차원이라면 일정한 한도와 경계가 있다. 사촌에게는 자신을 너무 분석하고 구속하는 습관이 있었다. 발전을 기대할 수 없는 갑갑한 사람이었다.

"변호사가 가잖아?"

그가 물었다.

"아버지의 비서가 쫓아내고 있어."

내가 말했다.

"아버지의 변호사를 찾아갔어야 될 사람이야. 숙모를 믿고 실수를 했어."

"법률가는 사태를 똑바로 본다. 문제의 핵심을 보통 사람들보다 빨리 파악해. 나는 그를 믿었어. 어머니가 새벽같이 전화를 해 불러냈어. 어머니는 한잠도 못 잤어. 저 사람이 없으면 말 한마디 못 할 거야. 사실을 정연하게 제시할 능력자가 가 버렸으니 큰아버지를 뵈올 필요도 없겠어."

"몇 해만 기다리면 형은 자동적으로 중역이 돼."

웃으며 나는 말했다.

"들어가. 아버지가 일어나셨어."

"나는 돈이 많은 것도 싫어."

피로한 목소리로 사촌이 말했다. 그에게는 괴로운 날이었다. 숙모는 응접실에 혼자 앉아 있었다. 내가 방으로 올라가 옷을 입고 내려왔을 때도 그대로 앉아 있었다. 숙모가 등을 돌리고 앉아 있는 북쪽 벽에 은강 조선 현장을 돌아보는 할아버지의 큰 그림이 걸려 있었다. 할아버지는 기분 좋은 표정이 아니었다. 할아버지는 변화를 무서워했다. 할아버지는 오래전 기술과 기계로도 많은 제품을 만들어 팔아 높은 이윤을 얻었다. 몇 개의 소비재 생산회사와 무역상사의 철저한 경영으로 그는 주주들의 투자를 보호하고 기업의 재정을 안정시키며 부를 쌓아 올리는 데 성공했다.

할아버지에게는 사회의 수요변화에 꼭 앞장서야 할 특별한 이유가 없었다. 돈을 계속 벌어들이고 있는 이상 모르는 방법과 기술에 매달려 머리를 쓸 필요가 전혀 없다고 할아버지는 생각했다. 아버지와 숙부가 합세해 변화에 대한 할아버지의 저항을 깨뜨려 버렸다. 우리는 무언가 잘못하고 있다고 아버지는 말했다. 우리가 지금까지의 경영방법을 고수한다면 1년 후에 우리의 이익은 줄어들 것이고 2년 후에는 현상유지도 어려울 것이며, 3년 후에는 선두 그룹에서 탈락하게 될 것이라고 말했다.

나는 어렸지만 아버지가 옳다는 것만은 알 수 있었다. 내가 늙어 손자를 갖게 된다면 나의 손자들은 그들의 증 · 고조부 대의 터무니없는 시절 이야기를 듣고 낯을 붉히게 될 것이다. 일종의 경제 발작 시대로, 윤리, 도덕, 질서, 책임이 모든 생산 행위의 적으로 간주되었다는 것을 그 아이들은 알아 지금 사람들이 내세울 업적을 형편없이 깎아내리려고 할지도 모를 일이다. 아버지는 머리를 썼다.

경제규모가 커지고 그 구조가 고도화함에 따라 기업의 행동양식도 달라져야 된다고 생각했다. 아버지는 경공업 분야에 머물러 있는 할아버지의 기업 그룹을 머리와 지원만으로, 기계, 철강, 전자, 조선, 건설, 자동차, 석유화학 등 중화학공업을 망라한 체제로 끌어올렸다. 말년의 할아버지는 그 무서운 성장속도를 대하고 현기증이 난다고 말했다. 그가 황금기로 안 60년대를 아버지가 숙부와 함께 뛰어든 격변기에 견주어 보면 소꿉장난 시절 같다는 생각밖에 들지 않았다. 아버지는 그의 접빈실에서 숙모와 사촌을 맞았다.

"넌 아주 귀국해 버린 거냐?"

아버지가 사촌에게 물었다.

"아닙니다."

사촌이 말했다.

"돌아가 공부를 계속할 생각입니다."

"아버지 장사를 모셨으면 됐지, 왜 얼른 돌아가지 않고 몇 달씩 허송하고 있는 거냐? 너도 내가 어머니 앞으로 회사를 떼어드려야 한다고 믿고 있니?"

"전 잘 모르겠습니다."

숙모의 얼굴이 파랗게 질렸다.

"그걸 알아야지."

아버지가 말했다.

"너의 아버지가 살아 있다면 용서받을 수 없는 일야. 나도 아버지와 같은 사람이다."

"하지만 시아주버님."

숙모가 겨우 입을 뗐다.

"아버지의 권리를 이어받을 사람은 바로 너야."

아버지는 얼굴도 돌리지 않고 조카에게 말했다.

"공부를 끝내고 와 아버지가 하던 일을 해야 돼. 잠시도 쉴 수 없는 상태가 어떤 건지 너도 알게 될 거다. 우리에겐 지켜야 할 게 많아. 지키면서 실제로 행동이 가능한 변혁을 늘 생각해야 돼. 많은 사람들이 우리가 근거 없이 성공한 걸로 믿고 있고, 기회만 있으면 때려부수려고 하는데, 우리는 그들을 설득하든가 안 되면 반대로 밀어붙일 힘을 가져야 된다. 저희들 위해 우리가 하는 고마운 일은 생각도 하지 않으려는 사람들이 너무 많아. 너의 아버지 일을 나는 눈을 감을 때까지 잊을 수 없을 거야. 이렇게 큰 희생을 우리가 치러 본 적은 없었어. 나라와 나라 사이의 일이라면 전면 전쟁이 일어났을 거다. 이 이상으로 신성한 전쟁 이유는 있을 수가 없어."

"큰아버님 말씀 알아듣겠습니다."

사촌이 말했다.

"그러니까, 공장에서 일하는 그들도 같은 말을 할 수 있을 거예요. 스스로를 지키기 위해 가만있으면 안 된다는 그 신성한 이유를 똑같이 들겠죠."

"그 이야기는 나중에 또 하자. 미국에서 필요한 돈은 그곳 지사에서 갖다 쓰거라."

그리고 아버지가 숙모를 바라보았는데, 사촌의 지적대로 숙모는 말 한마디 제대로 못 했다. 아버지는 일을 완전하게 끝내고 싶어했다. 그래서 몇 장의 사진이 든 봉투를 넘겨주면서 동생 무덤의 풀이 마르기도 전에 무슨 일을 했느냐고 물었고, 숙모는 사촌의 시선을 받는 순간 얼굴을 돌렸다. 숙모로서는 참을 수 없는 일이었을 것이다. 아버지는 아주 쉽게 숙모와 사촌을 떼어놓았다.

숙모는 숙부의 죽음을 해방으로 받아들였을 것이다. 그렇지 않다면 이제 회사 하나를 경영하는 손아래 남자와 엉뚱한 일을 저지르려고는 하지 않았을 것이다. 나는 숙모가 남자와 자는 사진만은 볼 수 없었다. 그

사진을 들여다보는 숙모의 눈썹은 아래로 처졌고, 순간적으로 까맣게 탄 입술에서는 짧은 숨소리가 새어 나왔다. 면담은 간단히 끝났다. 숙모는 혼자 돌아갔다.

나는 사촌과 함께 식당으로 가 아침식사를 했다. 사촌이, 너는 날마다 이른 아침에 수영을 하느냐고 물었다. 나는 아버지에게 요트를 한 대 건조해 달라고 조르고 있으며, 그것이 실현되면 모험 항해를 떠나고 싶다는 것과 먼바다로의 단독 항해에 대비해 지구력 훈련을 쌓는다고 말해 주었다. 사촌은 놀랍다는 표정을 지었다.

그는 치체스터가 탔던 것과 같은 요트를 우리 기술로 건조할 수 있겠느냐 하는 것과 내가 모험 항해라는 말을 거침없이 써도 될 단계가 정말 온 것이지 알고 싶어했다. 물론 그렇다고 대답했다. 나는 형도 잘 알고 있겠지만 미국은 세계 인구 8퍼센트 미만으로 전 세계 자원소비의 반을 차지하고 잘사는 그들 중 한 사람이 하루에 섭취하는 열량은 못사는 아프리카, 아시아 빈민들 중 한 사람이 형편없는 식사를 통해 일주일에 취하는 열량보다 못할 게 없다고 말했다. 강자가 약자에게 주는 이런 종류의 충격이 인정되는 이상 우리의 상태도 인정을 받아 마땅하다고 나는 주장했다. 우리가 도입해 온 기술에 대해서도 열심히 설명했다. 그러나 내 말을 못 알아듣겠다고 사촌이 말했다. 그는 정말 아무것도 모르겠다는 투였다. 그래서 집안에 해결해야 될 일이 있을 때 모험을 생각할 사람은 없다고 나는 말했다. 자연적인 성의 차별에 대해서도 말했다.

"나는 내 또래의 다른 아이들보다 욕정을 자주 느껴. 그리고 계집애들과의 그 해결 횟수도 몇 배나 많은 편야."

사촌은 나를 쳐다보았다.

"넌 참 이상하구나. 말의 갈피를 못 잡아."

"이상한 건 그렇게 느끼는 형야."

"나도 정상은 아냐. 머리가 아파. 어머니는 무엇이 불만이었을까? 어머니의 그 사진을 많은 사람들이 보았겠지?"

"몰라."

사촌에게 나는 말했다.

"내가 형이라면 숙부를 찌른 자의 선고 공판을 보고 미국으로 가겠어. 그다음엔 모든 걸 잊고 그곳 생활에 젖어 버릴 거야. 가만있어도 형 앞으론 이익배당이 나와 쌓이게 돼 있어."

"그렇겠구나."

사촌이 일어나면서 말했다.

"너는 정말 빈틈이 없구나."

사촌에게 더 이상 신경을 쓰지 않기로 했다. 그는 차를 태워다 주겠다는 것도 거절하고 걸어 나갔다. 밖은 무척 더웠다. 한여름 햇볕이 고민하는 사촌의 몸에 떨어졌다. 내 사고와 체질, 습성이 점점 국적 불명이 되어간다고 그가 말한 적이 있다. 이 관찰 하나만은 그가 옳았다. 나에게 아무 이상이 없다는 것을 그가 인정한 셈이었다.

나는 종종 미래의 일들에 대해 상상하고는 했다. 멀지 않은 장래에 형들과 함께 일하게 될 것이 분명했다. 아버지가 돌아가기 전에는 사촌도 함께 일하게 될 것이다. 나는 사촌을 문제 삼아 본 적이 한 번도 없었다. 친형들을 나는 어렸을 때부터 무서워했다. 둘 다 머리도 좋고 힘도 세었다. 장난감을 놓고 벌이는 작은 욕망의 저울질이었지만, 그들에게 나는 늘 지기만 했다. 나는 증기기관차 · 탱크 · 장갑차 · 비행기 · 대포 · 기관총 · 권총에 꼬마병정들까지 빼앗기고 계집애 동생과 함께 인형의 집, 인형의 침대에 인형들을 재우면서 놀았다. 아빠 불 좀 꺼주세요, 우리 아기가 자요, 동생이 속삭이듯 말하면 콩알만 한 전등의 스위치를 조심스럽게 돌려 불을 끄면서 두 형이 대포를 쏘아대고 병력을 투입해 인형 나라의 평화를 깨뜨려 버리지나 않을까 가슴을 조이고는 했다. 그러자 형들은 나더러 오줌을 앉아서 누라고 말했고 어머니의 친구들이 어쩌다 오면 경훈이는 예쁘기도 하구나, 계집애보다도 예뻐, 참 예뻐, 나의 몸을 안고 수없이 입을 맞추었다. 나는 공부로만은 이기고 싶었지만 형들은 교사를 골탕먹일 생각만 하고, 책 하나 제대로 들여다보지 않으면서도 좋은 점수를 얻어 나를 납작하게 눌러 버렸다. 내가 이 세상에 나 눈물로 드린 최초의 기도는 악마 같은 둘이 천당으로 가도 좋으니 제발 죽어 내 옆에서 없어지게 해 달라는 것이었다. 큰형이 자라 차에 계집애를 태워 몰고 다니다 교통사고를 냈을 때 나는 두 번째 기도를 올렸다. 큰형의 차가 가로수를 들이받아 박살이 나는 바람에 큰형을 따라다니며 알몸으로 더러운 정액을 빨아들였던 계집애는 그 자리에서 숨졌고, 병원으로 옮겨져 치료를 받은 큰형은 붕대를 칭칭 감은 채 침대에 누워 있었다. 나의 기도는 다시 받아들여지지 않았다. 큰형은 보름도 안 되어 퇴원했다. 입건도 되지 않았다. 큰형이 사고를 낸 한밤중 그 시간에 보일러공과 함께 기사들 방에서 잠을 잔 어머니의 운전기사가 큰형 대신 경찰을 찾아갔다. 그리고 할아버지는 아버지를 불러 죽은 계집애네 부모에게 상당한 액수의 돈을 지불하라고 일렀다. 할아버지가 돌아갔을 때 나는 눈물 한 방울 흘리지 않았다. 할아버지가 평생을 두고 되뇌인 말은 '희생'이었는데 그의 이 말은 그의 생애와 하나도 상관이 없었다.

형들이 집을 떠나 있는 동안 나는 아버지의 인정을 받아 두지 않으면 안 된다고 믿었다. 내가 아버지의 일에 많은 관심을 갖고 있다는 것과 빨리 자라 일을 하고 싶어한다는 것을 알았을 때 아버지는 몹시 기뻐했다.

아버지가 제일 무서워하는 것은 전쟁이었다. 이상하지만 사회적인 여러 변화도 아버지에게는 같은 의미를 지니었다. 이것들은 한순간에 아버지의 모든 것을 빼앗아 버릴 수 있었다. 그것을 나에게 인식시키기 위해 긴 설명을 할 필요는 없었다. 나도 같은 생각이었다. 나는 두 형을 제일 무서워했다. 사촌은 무서울 것이 없었다. 그는 약한 사람이었다. 나는 그와 함께 법정 방청석에 앉아 남쪽 공장에서 올라온 한지섭이라는 사람이 숙부를 찌른 살인범에게 죄가 없다고 말하는 소리를 들었다.

"나쁜 자식!"

그는 반란을 꾀하는 반도와 같았다.

"누구?"

사촌이 물었다.

"변호인 측 증인으로 나왔던 자식 말야."

"그렇게만 보지 마."

"형은 정신이 있어? 누굴 어떻게 한 자의 재판인데 이러지?"

"자기 생각을 말했을 뿐야. 그리고 방청석을 메운 공원들은 그가 옳다고 믿고 있었어. 그들은 왜 그가 옳다고 믿었을까?"

사촌과는 말을 하지 않는 것이 좋았다. 나는 지섭을 용서할 수 없었다. 일부러 초라한 옷을 입고 나타난 그는 심한 편견과 오만에 악의까지 갖고, 진실은 덮어 버린 채 우리를 죄인으로 몰아붙였다.

한여름 한낮의 햇볕이 건물과 가로수, 느릿느릿 달려가는 자동차들 위에 뜨거운 기운을 뿜었다. 거리의 사람들은 한시 반의 짧은 그림자를 끌고 걷다 그늘이 나타나면 재빨리 들어가 이미 젖어 버린 손수건을 꺼내 얼굴과 목을 닦았다. 많은 사람들이 서울을 버리고 떠났다. 차도 많이 빠졌다. 법원 소송관계인 휴게실 맞은편에 차를 대고 내리자 훅 하는 열기가 숨을 막아 왔다. 휴게실에서 나온 회사 비서실 사람들이 공판정을 향해 걸어가는 것이 보였다. 그들이 지나가는 왼쪽 나무그늘 속에 공원들이 서 있었다. 숙모와 사촌은 아직 보이지 않았다. 함께 새벽같이 왔다 각기 돌아간 뒤의 두 사람을 사흘 동안 보지 못했다. 내가 지나갈 때, 나무그늘 속의 공원들은 꼼짝도 하지 않고 서서 보기만 했다. 완만한 비탈길을 올라서자 햇빛을 받아 늘어진 줄이 나타났다. 중간까지의 사람들만으로 공판정은 넘칠 텐데 내가 올라가는 동안에도 줄은 자꾸 늘어났다. 대부분이 은강공장에서 올라온 스무 살 안팎의 공원들이었다. 아예 들어가는 것을 포기하고 매점과 법정 건물 벽 그늘에 앉아 개정시간을 기다리는 아이들도 많았다. 나는 매점 공중전화기 앞에 서 있는 두 여공에게 다가가 피고인의 아버지가 난쟁이라는 말을 들었는데 그것이 사실이냐고 물었다. 계속 조업공장에서 밤일을 하느라고 잠을 못 잔 듯한 두 여공은 핏발이 선 눈으로 나를 쳐다보았다. 머뭇거리던 한 아이가 모른다고 말했다. 그 옆의 여자아이는 달랐다. 그 아이는 내가 누구인지도 모르겠고, 그것을 왜 알려고 하는지도 몰라 말해 주고 싶지 않지만, 꼭 알고 싶어하는 것 같아 말해 주는데 잠시 후에 판결을 받을 피고인의 아버지는 사실은 굉장히 큰 거인이었다고 단숨에 말했다. 내가 그 아이의 말을 듣고 있을 때 줄에서 나온 몇 명의 남자아이들이 나를 향해 걸어왔다. 줄 밖 그늘에 있던 아이들까지 왔다. 그중의 한 아이가 형씨, 나좀 봅시다 했다. 뭐요, 내가 묻자, 당신이 우리 회장님 아들이라고 아이들이 그러는데 사실이오. 건방진 말투로 물었다. 내 안에서 무엇이 욱 치밀었지만 참을 수밖에 없었다. 나는 할 말을 잃었다. 누렇고 모가 진 얼굴에 유난히 눈만 살아 움직이는 듯한 아이들이 나를 둘러쌌다. 그리고 적의와 반감을 나타내는 짧은 노랫소리를 나는 들었다.

우리 회장님은
마음도 좋지.
거스름돈을 쓸어
임금을 준대.

아주 짧았지만 상상도 못 했던 노래였다. 나는 이 노래를 부른 공원을 돌아볼 수 없었다. 보나마나 나이보다 작은 몸뚱이에 감춘 적의와 오해 때문에 제대로 자라지 못할 아이라고 나는 생각했다. 그런데 이번에는 앞에서 나를 둘러싼 아이들이 나의 표정을 뜯어보면서 우 · 리 · 회 · 장 · 님 · 은 · 마 · 음 · 도 · 좋 · 지 · 거 · 스 · 름 · 돈 · 을 · 쓸 · 어 · 임 · 금 · 을 · 준 · 대, 같이 입을 벌렸다. 웃지도 않고 나무 위 매미의 울음소리보다 작게 그래서 법정 경고판 앞쪽 줄에 선 사람들은 뒤에서 무슨 일이 일어나고 있는지 몰랐지만 그래도 회사 비서실 사람들이 어디서 보고 있는 것은 아닐까 조마조마했다. 우리의 명예와 상관이 있는 일이었다. 아버지의 명예는 물론 나 자신의 명예도 지킬 수 없었다. 두 형이라면 달랐을 것이라는 생각이 나를 참담한 기분으로 몰아넣었다. 마음이 집으로 달려갔다. 내 마음은 아버지의 22소구경 권총을 주머니에 넣은 다음 연발 엽총에 작렬탄을 장전해 들고 뛰어왔다. 나는 그들을 겨냥했다. 쏠 필요는 없었다. 나를 둘러쌌던 공원들이 아들의 판결을 보기 위해 막 도착한 부인에게로 달려갔다. 숙부를 죽인 살인범이 부인의 큰아들이었다. 둘째 아들과 딸이 부인 옆에 서 있었다. 작지 않은 그 여자가 난쟁이와 어떤 성생활을 했을까, 나는 상상했다. 공원들이 부인을 법정

문 앞으로 안내해 갔다. 숙모와 사촌은 아직도 보이지 않았다. 조금씩 차이가 있겠지만 독재적인 아버지는 항상 그의 가족을 괴롭히고 가장으로서의 책임을 다 못 한 사람일수록 명령하기를 좋아하며 복종을 요구한다. 나는 모르는 난쟁이를 생각했다. 그는 자식들의 작은 잘못도 결코 용서하지 않았을 것이다. 잘 때리고, 벌도 심한 것으로 골라 주었을 것이다. 아이들에게 그는 잠을 안 자는 독재자였을 것이다. 그의 권력은 사랑 · 존경 · 믿음을 모르는 그 자신의 성격적 결함이 사용하게 한 무서운 매와 벌 때문에 바른 것이 못 되었을 것이다. 그가 죽었기 때문에 그의 큰아들은 공격목표를 잃었다. 그러나 사회생활을 잘할 수 없게 길들여진 큰아들의 그 불확실한 공격성은 그대로 남아 있다. 결국 숙부를 죽였다. 그때 법원에 닿아 비탈길을 올라오는 사촌을 잡고 나의 생각을 말했는데 사촌은 제대로 듣지도 않고 손을 들어 저었다.

"아냐."

사촌은 간단히 말했다.

"네가 틀렸어. 그가 공판정에서 한 말을 그대로 믿어야 돼. 아버지가 큰아버지를 도와 한 일을 난 알아."

아버지가 돌아가기 전이라도 두 형이 사촌을 몰아낼 음모를 꾸민다면 나는 기꺼이 형들 편에 가담하겠다고 속으로 다짐했다. 사촌은 불볕 속에서 땀을 닦았다. 닫혔던 법정문이 열리자 공원들은 안으로 밀려 들어갔다. 우리는 다른 문으로 들어갔다. 법정 안은 시원했다.

"우리 아버지들이 뭘 어떻게 했다고 그랬지?"

내가 물었다.

"이들을 괴롭혔어."

방청석 공원들을 돌아보며 사촌이 속삭였다.

"인간을 위해 일한다면서 인간을 소외시켰어."

"형이 말하는 걸 들어 보면 참 근사해."

내가 말했다.

"사실은, 공장을 지어 일을 주고 돈을 주었지. 제일 많은 혜택을 입은 게 바로 이들야."

사촌이 웃었다. 그 시간에 그 법정에서 웃은 사람은 사촌밖에 없었다. 피살자의 아들이 살해범의 선고 공판을 기다리며 웃는다는 것은 이유야 어디에 있든 좋은 일은 아니었다. 은강공장 노동조합 간부인 듯한 여자아이가 내가 모르는 그 난쟁이의 부인과 아들, 딸을 피고석 뒤쪽 나무의자로 이끌어 앉혔다. 방청석은 이미 꽉 차 버렸는데도 계속 들어오려는 바깥 사람들로 문 쪽은 어수선했다. 정리가 방청인들을 헤치고 가 더 이상 들어오지 못하도록 문을 닫았다. 숙모는 오지 않았다. 한집에 사는 사촌도 사흘 동안 얼굴 한 번 못 보았다고 말했다. 우리는 공판 결과를 아버지에게 보고하기 위해 나온 그룹 본부 이사와 비서실 사람들 사이에 앉았다. 뒤쪽 벽 밑에 놓여 있는 냉방기가 찬 공기를 내뿜었다. 방청인을 입정시키면서 화가 난 듯한 정리가 공원들에게 옷을 입고 조용히 해 달라고 당부했다.

"저 뒷분, 웃옷 단추 좀 끼우세요."

정리가 말했다.

"그리고, 지난번에 몇 사람이 소리를 내 울었는데 오늘은 제발 그러지 마세요."

"울 수도 없나요?"

쉰 목소리로 한 여공이 물었다.

"운다고 누가 뭐랍니까. 소리내 울지 말라는 거죠. 극장 구경을 온 것도 아니고 울고불고하면 서로 곤란해요."

"극장 구경이나 가 울 사람은 여기 없어요."

"그럼 늘 울어요?"

"그래요. 분해서 날마다 울어요."

정리가 알 수 없는 표정을 지으며 돌아섰다. 나는 쉰 목소리의 여공을 찾아보았다. 아주 못생긴 계집아이가 서 있었다. 대부분의 공장 작업자들이 그렇듯 이 그 계집아이도 유난히 누런 피부에 평면적인 얼굴, 낮은 코, 튀어나온 광대뼈, 넓은 어깨, 굵은 팔, 큰 손, 짧은 하반신의 특징을 갖고 있었다. 열아홉 아니면 스무 살 정도였는데도 여자로 보이지 않았다. 천 날을 고도에서 함께 보낸다고 해도 자고 싶은 생각이 안 날 아이였다. 공장 노동이 생명 유지를 위한 그 계집아이의 생업이다. 우리가 필요로 하는 것은 그 아이의 근육 활동뿐이었다. 공장 노동이 방청석을 메운 공원들에게 고통이 아닌 즐거움이 된다면 아버지도 아버지의 뜻대로 움직일 수 있었던 것들을 모두 잃게 될 것이다. 나는 지루했다. 장내 정리가 되고 시간도 되었지만 아무 움직임이 없었다. 그러나 내가 초조해할 이유는 없었다. 서류봉투를 든 변호사가 제일 먼저 들어왔다.

그는 내가 모르는 그 난쟁이의 부인에게로 다가가 몇 마디 말을 하고 손을 잡아 주었다. 부인이 일어나 허리를 굽혔다. 변호사는 방청석을 한 번 돌아본 다음 법대 아래 바른쪽 그의 자리로 가 앉았다. 안경을 쓴 젊은 변호사였다. 그는 방청인들이 자기에게 호의와 존경심을 갖고 있는 것으로 믿는 모양이었다. 그를 보는 순간 나의 속 밑바닥에서부터 부글부글 울화가 끓어올랐다. 중죄 재판에 변호인이 끼여들어 죄인을 싸고도는 법 제도를 왜 그대로 두고 있는지 나는 알 수가 없었다. 그는 처음부터 숙부 살해범에게 죄가 없는 것처럼 감싸면서 사건 성격을 아주 바꾸어 버리려고 했다. 담당검사가 사태 파악을 잘못했더라면 그의 음모에 휘말려 들 뻔했다. 검사는 훌륭한 사람이었다. 공익을 대표할 자질을 완전히 갖춘 사람으로 인상과 옷차림까지 깨끗했다. 재판장이 숙부 살해범인 난쟁이 큰아들의 이름·나이·본적·주소·직업을 확인해 인정심문을 끝내자 검사가 공소장에 의한 기소 요지를 진술했는데, 그는 거기서 살인·소요·특수협박·특수손괴·폭발물 예비음모 등의 죄명을 들고 범죄의 일시, 장소와 방법까지 정확히 밝혔다. 직접 심문으로 들어가기 전에 재판장이 피고인은 각개의 심문에 대하여 진술을 거부할 수 있다고 피고인 진술 거부권을 일깨워 주었지만 난쟁이의 큰아들은 검사의 모든 물음에 순순히 답했다.

"피고는 은강공장 보전반 기사 조수로 있으면서 열다섯 개의 서클을 만든 것으로 밝혀졌는데 사실입니까?"

"사실입니다."

"서클 회원은 같은 공장 근로자들이었고, 그 회원 수는 백오십 명 정도였죠?"

"그렇습니다."

"그 백오십 명이 공장에서 동료 공원 열 명씩을 설득해 대화를 할 수 있었고, 피고는 각 서클 책임자에게 전달사항을 말하면 천오백여 명의 공장 종업원들은 짧은 시간 안에 그것을 알 수 있었죠?"

"그것이 무엇을 뜻하는지 모르겠습니다."

"좋아요. 피고는 197×년 ×월 ×일 전 종업원은 작업을 중단하고 밖으로 나오라고 지시하지 않았습니까?"

"했습니다."

"모두 그대로 움직였죠?"

"네."

"피고는 전 종업원의 단식을 종용했고, 나중엔 과격한 공원들과 함께 작업장으로 들어가 기계들을 파괴했습니다. 사실입니까?"

"사실과 다릅니다. 흥분한 몇 명이 직포과로 들어가 기계를 망가뜨리려고 한다는 조합 지부장의 말을 듣고 달려가 말렸습니다. 그중의 한 명이 틀에 약간의 손상을 입혔습니다만 간단히 수리해 계속 가동한 것으로 알고 있습니다."

"피고의 방에서 질산나트륨과 황, 그리고 목탄을 발견했는데 그것은 누가 구입한 것입니까?"

"제가 구입했습니다."

"왜 필요했죠?"

"화약을 만들려고 했습니다."

"그래서 만들었습니까?"

"중간에 포기했습니다."

"그러니까 질산나트륨 · 황 · 목탄을 이용하면 동일 조성에서 강도가 세어지고 흡수성이 있어 폭발물을 자가 제조하여 즉시 사용할 수 있다는 걸 알았던 것 아닙니까?"

"알았습니다. 그러나 그것을 만들어 시험해 볼 장소가 마땅치 않았고 제조에 성공한다고 하더라도 그 폭발로 엉뚱한 사람들이 피해를 입을 것 같아 포기했습니다."

"그래서 폭발물 제조를 포기하고 칼을 샀습니까?"

"네."

"이것이 그 칼이죠?"

"그 칼입니다."

"이제 197×년 ×월 ×일 오후 여섯시 삼십분, 은강그룹 본부 빌딩에서 한 일을 말해 주겠습니까?"

"사람을 죽였습니다."

"이 칼로?"

"네."

재판은 더 이상 계속할 필요가 없었다. 무서운 악당, 그 난쟁이의 큰아들은 뉘우치는 빛 하나 없이 모든 것을 털어놓았다. 그는 아버지를 살해할 마음으로 와 아버지를 너무나 닮았던 숙부를 아버지로 잘못 알고 살해했다고 진술했다. 그 시간에 아버지는 그의 방에서 각 회사별 매출 실적을 확인하는 중이었고, 경제인들과의 간담회에 참석하기 위해 엘리베이터를 타고 내려온 숙부는 경비원들이 경비를 소홀히 한 틈을 이용, 대리석 기둥 뒤쪽에 몸을 숨기고 있다 튀어나온 범인의 칼을 심장에 맞고 쓰러졌다. 찔린 부위가 너무나 치명적인 곳이어서 사촌이 알고 싶어한 것이지만 숙부는 아픔은 느낄 사이도 없었을 것이다. 그런데 재판은 그것이 시작이었다. 우리는 악한 중죄인들에게까지 관대한 법을 갖고 있었다. 내 식으로 하라면 자백과 증거가 일치하는 순간 사람들이 모이는 장소에서 살해범의 목을 매달았을 것이다. 뼈를 부러뜨린 자의 뼈를 똑같이 부러뜨리지 않는다면 이 세상 사람들은 모두가 뼈가 부러진 불구자로 앓다 죽게 될 것이다. 숙부는 이미 땅속에 묻혔는데, 공원들이 일을 하러 공장으로 갈 때 볼 수 있도록 은강 공장지대에 달았어야 했을 난쟁이의 큰아들은 교도관의 보호를 받아 가며, 계속 법정에 나와 섰다. 변호인의 반대신문에 의한 피고인의 진술을 들어 보면 은강공장 근로자들의 이마에서 땀을 짜낸 사람, 그들의 심신을 피로하게 한 사람, 결국 그들을 불행하게 한 사람은 바로 우리였다. 변호인의 물음의 하나하나가 피고의 행동을 정당화시켜 주기 위해 던져지는 것으로 나에게는 들렸다. 그들은 마치 발기발기 찢어 해부할 부정한 사회를 발견한 사람들처럼 소송과 직접 관계없는 사항까지 끌어들여 검사의 이의, 재판장의 이의 인정과 제한을 받아 가면서 심문 · 진술을 계속했다.

변호인은 자기가 알아본 바에 의하면 피고인은 집에서는 한집안을 이끌어 가는 장남, 좋은 형, 좋은 오빠였고, 공장에서는 책임감 강한 산업전사, 이해심 많은 동료, 어려운 사람들을 앞장서 도와 고통을 나누어지는 신의의 동지였고, 노동문제를 연구 · 토론하는 모임에서는 언제나 서로간의 이해와 화해 · 사랑을 주장한 학도요 지도자였는데, 이러한 피고인이 어느 날 갑자기 저 끔찍한 살인을 생각한 데는 그만한 이유가 있었을 것으로 본다고 말하고, 그러니까 임금 · 휴가 · 부당해고자 복직 문제들을 놓고 회사와 개선점을 찾으려고 노력했으나 합의를 보지 못한 외에 노조 대의원 및 임원 선거를 평화적으로 실시하려는 조합원들의 노력을 사용자가 힘으로 짓밟아 노 · 사 협조를 일방적으로 파기함은 물론 산업평화까지 스스로 깨뜨려 노 · 사의 불이익을 초래함을 목도하는 순간 은강그룹을 이끌어 가는 총책임자, 즉 회장을 살해하겠다는 우발적인 살의를 품게 된 것이 아니냐고 물었다. 난쟁이의 큰아들은 밭은기침을 했다. 밭은기침을 하며 머리를 떨어뜨렸다. 그가 머리를 떨어뜨린 것은 나는 처음 보았다. 그의 여동생이 울음을 참기 위해 입에 손수건을 대었다. 그의 여동생은 참았는데 그 뒤쪽의 몇 명이 못 참고 소리를 내었다. 정리가 여공들을 말렸다. 난쟁이의 큰아들이 고개를 들었다. 그것은 우발적인 살의가 아니었다.

"미안합니다."

변호인이 말했다.

"방금 한 말을 다시 해 주시겠습니까?"

"우발적인 살의가 아니었다고 말했습니다."

변호인은 난처한 표정을 지었다.

"그렇다면 말입니다. 그 당시의 심적 상태를 말해 줄 수 있겠습니까?"

"이미 철도 들고, 고생도 많이 해 본 공장 동료들이 일제히 울음을 터뜨려, 엉엉 소리내어 우는 현장에 저는 서 있어 보았습니다. 웬만한 고생에는 이미 면역이 된 천오백 명이 그것도 일제히 말입니다. 교육도 받고 사물에 대한 이해도 깊은 공장 밖 사람들에게 그 이야기를 해 본 적이 있는데, 그럴 수 있을까 좀처럼 믿어지지 않는다는 말들이었습니다. 제가 말해도 사람들은 믿지 않습니다."

"아뇨. 내가 믿겠습니다."

"그분은, 인간을 생각하지 않았습니다."

"그것은, 살해 동기입니까?"

"개새끼!"

나는 외쳤다. 내가 외치는 소리를 옆자리의 사촌도 듣지 못했다. 아버지가 왜 그 따윌 생각해야 된단 말인가. 아버지가 바쁜 사람이라는 것, 그리고 아버지에게는 그런 거 말고도 계획하고, 결정하고, 지시하고, 확인할 게 수도 없이 많다는 것을 작은 악당은 몰랐다. 발육이 좋지 못해 우리보다 작고 약하지만 그 작은 몸속에 모진 생각들만 처넣고 사는, 이런 부류들을 나는 잘 알고 있었다. 그들은 우리가 남다른 노력과 자본 · 경영 · 경쟁 · 독점을 통해 누리는 생존을 공박하고, 저희들은 무서운 독물에 중독되어 서서히 죽어 간다고 단정했다. 그 중독 독물이 설혹 가난이라 하고 그들 모두가 아버지의 공장에서 일했다고 해도 아버지에게 그 책임을 물어서는 안 되었다. 그들은 저희 자유 의사에 따라 은강공장에 들어가 일할 기회를 잡았던 것과 마찬가지로 언제나 마음대로 공장일을 놓고 떠날 수가 있었다. 공장일을 하면서 생활도 나아졌다.

그런데도 찡그린 얼굴을 펴 본 적이 없다. 머릿속에는 소위 의미 있는 세계, 모든 사람이 함께 웃는 불가능한 이상사회가 들어 있었다. 그래서 늘 욕망을 억누르고 비판적이며 향락과 행복을 거부하는 입장을 취하고는 했다. 이상에 현실을 대어 보는 이런 종류의 엄숙주의자들은 생각만 해도 넌더리가 났다. 그중의 하나가 이제 살인까지 했는데 변호인은 그를 살려내기 위해 그와 같은 종류의 인간을 증인으로 불러냈다.

한지섭이었다. 그가 증언대로 올라가 양심에 따라 숨김과 보탬이 없이 사실 그대로 말하고 만일 거짓이 있으면 위증의 벌을 받기로 맹세한다고 했을 때 나는 그가 조금 큰 악당이라는 것을 직감으로 알았다. 남쪽 공장에서 올라왔다는 그는 손가락이 여덟 개밖에 안 되었다. 아버지의 공장에서 두 개를 잃었을 것이다. 콧등도 다쳐 납작하게 내려앉았고, 눈 밑에도 상처가 있었다. 나는 처음부터 그의 말을 듣지 않기로 했다. 증인으로 나온 사람에게 손가락이 여덟 개밖에 없다는 것 자체가 기분 나빴다. 잃은 두 개가 사물에 대한 그의 이해에 끼쳤을 영향을 나는 생각했다. 그는 객관적인 눈까지 잃었다. 나는 눈을 감았다. 두 사람의 말을 듣지 않기 위해 내가 떠올린 것은 호수의 물빛, 뜨거운 태양, 나무와 들풀, 거기 부는 바람, 호수를 가르는 모터 보트, 잔디 위에서의 스키, 이상한 버릇이 있는 여자아이, 그리고 아주 단 낮잠 들이었다. 벌통과 사슴 사육장이 보였다. 낮잠 뒤에 대할 식탁도 떠올랐다. 나는 독서를 하기로 했다. 미래공학과 경제사가 내가 읽어야 할 책이었다. 아버지는 아들이 이런 책을 읽는 것을 좋아했다. 뒤의 것은 이미 상당 부분을 읽었다. 월터 스콧이 인용된 곳을 읽다가 나는 웃었다. 그는 가난한 노동자들을 혹사

시키는 공장지대를 돌아보고 이 나라는 언제 폭발할지 모를 폭발물로 꽉 차 있다고 개탄했다. 이런 허풍쟁이 도학자는 그 시대에도 있었던 모양이다. 그의 말을 전해 들은 공장주들은 어떤 표정을 지었을까? 맨체스터나 브래드포드의 초기 발전 상황이 도학자 눈에는 사회적 폭발을 향해 치닫는 미친 짓거리로 보였을 뿐이다. 그러나 결국 궁금증 때문에 나는 졌다. 그 법정에 앉아 있는 한 두 사람의 말을 듣지 않을 수 없었다. 자기가 보기에 그것은 강요된 행위였다고 지섭이 말하고 있었다. 변호인은 그 말을 기다렸다는 듯이 누가 강요했겠느냐고 묻고 그것을 좀 구체적으로 말해 달라고 부탁했다. 지섭은 저항할 수 없는 폭력이나 자기 또는 친족의 생명, 신체에 대한 위해를 방어할 방법이 없는 협박에 의하여 강요된 행위의 증거로 삼남매가 은강공장에 나가 일해 버는 돈으로 살아가는 난쟁이 일가의 비문화적인 생활, 난쟁이의 부인이 써 온 낡은 가계부를 들었다. 나는 하도 화가 나 그의 말을 잘 들을 수 없었다. 그는 콩나물값, 소금 값, 새우젓 값에서 두통・치약 값까지 읽어 내려가더니 도시 근로자의 최저 이론 생계비, 생산 공헌도에 못 미치는 임금, 그리고 노동력 재생산이 어렵다는 생활 상태를 두서없이 주워섬겼다. 물론 아버지를 정점으로 한 거대한 은강그룹의 부의 힘, 그럼에도 불구하고 대기업으로 계속해 받은 지원과 보호, 뛰어난 머리들로 구성된 고학력의 경영집단, 그들이 추구하는 저임금과 높은 이윤, 그래서 이젠 누구나 조금만 생각하면 알 수 있다는 인간 훼손, 자연 훼손, 거기다 신의 훼손까지 들어 이야기했다. 그러니까 아버지에 대한 난쟁이 큰아들의 말은, 슬픈 일이지만 정말 옳은 것이며, 그가 아버지를 어떻게 할 마음을 가졌던 것은 아버지가 쓴 억압의 중심지에 바로 그가 있었기 때문에 어쩔 수 없는 것이었다고 말했다. 변호인이 억압이란 말에 대한 설명을 요구했다. 그러자 아버지가 산하 회사 공장 종업원들에게 쓰는 억압은 언제나 생존비 또는 생활비와 상관이 있는 것이며 따라서 그것은 모든 사람들이 제일 무서워할 수밖에 없는 경제적인 핍박을 의미한다고 지섭이 말했다. 그는 계속해 이런 억압을 무서워하지 않는 사람은 있을 수 없으며, 그 억압을 정면으로 받는 중심에 있는 사람으로서 자기의 저항권 행사를 생각해 보지 않은 사람이 있다면 그는 바보이든가 생존을 포기한 자일 것이라고 말했다. 들을수록 화가 나는 말뿐이었다. 그의 말을 들어 보면 이 세상 최고의 악당은 반대로 우리였다. 우리가 인간의 존엄과 가치를 파괴해 버렸고, 법 앞에 평등한 사람들을 사회적 신분에 따라 차별하는 사회적 특수계급을 인정하였으며 많은 사람들에게서 인간적인 생활을 할 권리를 빼앗았다. 나는 앉아서 화를 눌렀다. 변호인은 지섭에게 노 · 사 간의 첫 번째 문제가 되었던 임금 인상과 부당해고자 복직 문제에 대해 알고 있었느냐고 물었다. 그는 물론 알고 있었고 조합원들이 요구한 인상률은 회사가 올린 이익금과 물가상승률, 근로자 생계비를 생각할 때 아주 적당한 것이었으며, 조합원이 조합에서 실시하는 교육을 받고 또 회사에서 지어 준 공장 안 교회가 아닌 공장 밖 교회에 나가기도 하고 찬송했다고 트집을 잡혀 해고당한 부당해고자들의 복직 요구도 극히 정당한 것이었다고 말했다. 왜냐하면 그들이 돈벌이를 할 수 있는 일이라고는 그 동안 익힌 공장일 한 가지밖에 없었으니까. 그리고 정당한 이유가 없는 해고는 균형있는 국민경제의 발전을 목적으로 한 근로기준법 제27조 제1항의 위반이었으니까.

"그리고 사용자 측과 대화가 막힌 상태에서 지부 대의원 및 임원 선거를 맞게 되어 걱정이라는 말을 저는 들었습니다."

지섭이 말했다.

"그래서 연기를 해 보라고 말해 주었지만 그렇게 할 수 없었던 모양입니다."

"왜요?"

변호인이 물었다.

"회사에서는 빨리 치러 버릴 생각이었답니다. 선거관리위원회까지 따로 구성해 놓고요."

"본래 그것은 어디서 하게 되어 있습니까?"

"선거관리위원은 대의원 대회에서 선출하게 되어 있습니다."

"그러니까 그것은 불법이었군요?"

"그렇습니다."

"그리고, 어떻게 됐나요?"

"회사쪽 사람들을 후보로 내세우고 입후보 등록 마감일을 앞당겨 버렸습니다. 그래서 지부장이 총회를 소집해 보고대회를 가지려고 했지만 회사에서 허락하지 않았던 거죠. 제가 은강으로 간 것은 피고석에 서 있는 김영수 군과 임원들이 정체를 알 수 없는 폭력배들에게 구타를 당한 직후였습니다."

"치료를 받다 말고 서울로 오려고 출발했었다는데 그것도 알았습니까?"

"알았습니다."

"왜 서울로 오려고 했을까요?"

"본사로 올라가 높은 분들을 만나 봐야겠다는 말을 들었습니다. 영수 군은 공장에 나와 있는 사용자 측 사람들이 이미 이성을 잃었다고 판단했던 겁니다. 그러나 버스터미널에서 예의 그 폭력배들에게 발각되어 뜻을 이룰 수 없었습니다. 모두 공장 원면창고로 끌려가 또 한 차례 폭행을 당했다는 말을 영수 군에게 들었습니다."

"전 종업원이 작업을 중단하고 공장 마당으로 나왔던 그다음 날이었죠?"

"그렇습니다."

"그때 목격한 상황을 간단히 말해 줄 수 있겠습니까?"

"지부장이 조합원들에게 그때까지 있었던 일들을 보고하는 형식을 취했습니다. 보고가 끝나자 많은 조합원들이 임원들을 껴안고 울었습니다. 흥분한 사람들은 마구 외쳐대면서 밖으로 뛰쳐나가려고 했고 한쪽에선 조합의 노래를 불렀습니다. 영수 군이 그들을 진정시키고 조합을 빼앗으려는 사람들로부터 우리 노동자들의 유일한 단체이며 생명인 조합을 지켜야 한다고 말했습니다. 그 결의를 보여주기 위해 얼마 동안 보지도 말고, 듣지도 말고, 말을 하지도 말고, 먹지도 말자고 말했습니다."

"김영수 씨가 흥분한 조합원들과 함께 기계를 파괴했나요?"

"뭘 파괴한다는 것은 나쁜 짓입니다. 비싼 기계의 파괴란 더욱 말이 안 됩니다. 영수 군이 이 세상에서 뭘 파괴했다는 소리는 전 들어 본 일이 없습니다."

"성급하게 결과를 물어 안되었습니다. 그 뒤에 조합은 어떻게 되었습니까?"

속이 들여다보이는 우스운 짓거리의 연속이었다. 지섭은 물론 깨졌다고 대답했다. 그것은 정확한 표현이 못 되었다. 아버지는 원래 사장단 회의에서 아무리 제한된 운동밖에 할 수 없게 되어 있고 또 협조적인 사람이 이끄는 노조라고 해도 그것이 기업에 이익을 줄 리는 없으며, 어느 날 화로의 재 속에서 불씨를 발견한 사람들이 그 불씨에 불을 붙여 일어나면 기업에 해롭고 우리 모두에게 해로울 게 뻔하기 때문에, 현명한 경영자라면 조금 시끄러운 저항을 지금 받아 해결하지 노동자들에게 그것을 맡겨 두지 않았을 것이라고 말했었다. 나는 아버지의 방에서 아버지의 메모를 보았다. 그 이상의 말은 한마디도 없었다. 아버지 권위를 생각했을 것이다. 아버지는 늘 노조를 우리 전체의 구조를 약화시키는 악마의 도구라고 말했지만 이 말을 메모 속에 넣지는 않았다. 만약 아버지가 앞으로 우리 어느 공장에서 노조가 결성될 경우 해당 사 중역들은 문책을 당할 것이며, 혼란기에 이미 결성이 된 사의 경우는 그 노조를 접수해 본래의 기능을 바꾸어 놓으라고 곧이곧대로 지시했다면 스스로의 권위에 손상을 입힌 모양이 되었을 것이다. 변호인은 끝으로 부연할 말이 없느냐고 물었다. 없을 리 없었다. 난쟁이의 큰아들과 자기는 전부터 친교가 있었고 노동운동을 하면서도 서로의 생각을 주고받아 잘 아는데 난쟁이의 큰아들은 결국 자기가 가졌던 이상 때문에 많은 고생을 했고 그가 지금 피고석에 서 있는 것도 그가 가졌던 이상이 깨어지며 나타난 반대현상으로 생각한다고 지섭이 말했다. 나는 이때부터 심증을 굳혔다. 지섭은 계속해 난쟁이의 큰아들이 상대한 것은 어떤 계층집단이 아니라 바로 인간이었다고 말했다. 자기와 난쟁이의 큰아들은 처음부터 평범한 상식에 속하는 것이지만 일깨워 분명히 해 둔 게 있는데 그것은 노동자와 사용자는 다 같은 하나의 생산자이지 이해를 달리하는 두 등급의 집단이 아니었다고 설명했다. 그는 한마디 한마디의 말을 또박또박 끊어 정확히 발음하려고 애썼다. 증언대 위의 두 손은 그때 떨렸다. 두 손은 손가락을 다 합해야 여덟 개밖에 안 되었다. 난쟁이의 큰아들은 고개를 숙이지 않았다. 바로 뒤 방청석에서는 그의 어머니가 목까지 올라온 울음을 눌러 참고 있었다. 나의 심증에 틀림이 없었다. 난쟁이의 큰아들에게 빛줄기와 같은 깨달음을 준 건 지섭이었다. 저희는 사랑이 기본이 되는 같은 이상을 가졌다. 저희는 인간을 괴롭히지 않았다. 그것은 우리다. 저희는 피해자다. 그는 여덟 개의 손가락을 꾸부려 끌어들이더니 더러운 바지주머니에서 더러운 손수건을 꺼냈다. 눈두덩의 땀을 그는 그 더러운 손수건으로 찍어내고 있었다.

우리는 계속해서 기다렸다.

"나는 모레 떠나기로 했다."

사촌이 말했다.

"잘 생각했어."

내가 말했다.

"나도 얼마 안 있어 독일에 갔다 올 것 같아."

"왜?"

"크루프와 오거스스티센이 거기 있기 때문야. 가 견학을 해야지. 아버지의 꿈은 이제 제철소를 갖는 거거든. 형들이 귀국하면 나는 독일에 가 공부해야 돼."

우리는 그룹 본부 이사와 비서실 사람들 사이에 앉아 기다렸다. 서기가 들어와 법대 아래 중앙 그의 자리로 가 앉았다. 공판 때마다 법대 아래 중앙 자리에 앉아 있는 그를 나는 보았다. 법정 안이 더워지기 시작했다. 창문을 모두 닫았기 때문에 공기가 탁했다. 촘촘히 들어찬 공원들의 몸에서 참기 어려운 냄새가 났다. 냉방기에서 뿜어져 나오는 찬 공기가 공원들의 몸 열기를 이겨내지 못했다. 그들이 몸 냄새만 풍기지 않았더라도 참기가 쉬웠을 것이다. 갑자기 생각이 났는지 사촌이 방청석을 돌아보았다. 지섭이 보이지 않는다고 그가 말했다. 나도 돌아다보았다. 정말 없었다. 공판 때마다 남쪽에서 기차를 타고 올라왔던 그가 정작 선고 공판정에 모습을 나타내지 않은 까닭을 나는 알 수 없었다. 난쟁이의 작은아들도 우리처럼 돌아다보았다. 부인이 작은아들을 잡아 앉혔다. 겁을 먹었구나! 나는 단정했다. 한지섭은 비겁자다!

내가 공판을 보고 집으로 돌아갈 때 거리의 사람들은 길어진 그림자를 끌고 걸었다. 그림자는 길어졌으나 여전히 불볕더위였다. 싱싱한 여자아이들은 더위를 타지 않았다. 미처 못 떠난 여자아이들의 나른한 육체들만 남아 허위적거리고 서울을 지켰다. 그 아이들이 떠날 채비를 마치면 먼저 몸을 굴려 구릿빛이 된 아이들이 돌아와 서울을 지킬 것이라고 나는 생각했다. 여자아이들은 얇은 옷을 입었다. 우리가 여름을 생각하는 것은 그 얇은 옷 속에 감추어진 향락이다. 지난겨울에 뜨거운 햇볕과 짠 바닷물, 그 바닷물의 짠맛을 그대로 간직한 입맞춤으로 떠올려 본 여름의 향락은 한결같이 추상적인 것들이었다. 우리 동네로 들어서면서 내 작은 차의 유리문을 내리고 바람을 불러들였다. 꽃과 풀냄새가 바람에 실려 들어왔다. 그 냄새는 법정 방청석을 메웠던 공원들의 몸 냄새와 다른 것이었다. 그들은 너무 더러운 냄새를 풍겼다. 집에 닿자마자 샤워부터 했다. 어머니는 그들이 땀을 흘려 일한 다음 잘 씻지 못해 땀 냄새를 풍기는 것이라고 말했다. 그리고 모든 공장에 충분한 목욕시설을 갖추려면 생산비 절감을 위한 획기적인 방법을 알아내든가, 그게 안 될 경우에는 공원들의 임금인상 폭을 낮추어야 한다고 말해 나는 웃었다. 육체를 떠나 영원히 사는 영혼이 정말 있다면 어떤 기분일지 모르겠다고 나는 말했다.

"그래, 그 사람은 어떻게 됐니?"

어머니가 물었다.

"말씀 안 드렸어요?"

"아니."

"사형 선고를 받았어요."

그랬구나. 오, 하느님, 이라고 어머니의 입술이 말했다. 난쟁이의 큰아들이 교도관에게 이끌려 들어오고, 검사가 들어오고, 이어 판사가 들어와 그 재판의 마지막 부분은 아주 빨리 진행되었는데 검사의 공소 사실을 모두 인정한 판사가 구형대로 사형을 선고했을 때 검사의 구형을 먼저 보고도 설마 믿지 않고 기다려 온 방청석의 공원들은 짧은 놀람의 소리를 질러 그 소리에 저희들을 묻었다. 몹시 부드러웠던 그들의 혀는 딱딱하게 굳어졌다. 그들은 정신을 차려 새삼스럽게 죄의 크기와 형벌을 생각했을 것이다. 난쟁이의 큰아들은 들었던 고개를 떨어뜨렸고 그의 두 동생은 벌떡 일어섰다. 창자를 끊으며 주저앉는 그들의 어머니를 안았다. 난쟁이의 큰아들을 살려낼 마음으로 우리를 몰아쳤던 변호인은 천장만 보았다. 공판이 진행되는 동안 그는 판단력이 부족한 공원들에게 많은 혼란과 착각을 주었다. 마음이 좋아 보이는 검사는 온화한 표정으로 앉아 있었다. 나는 이번 일들로 해서 매우 중요한 것을 알게 되었다고 어머니에게 말했다. 그러자 어머니는 사람의 생명 · 고통과 관련된 일이라 그렇다면서 나의 얼굴을 바라보았다.

"물론 그래요."

나는 말했다.

"그렇지만 지금 말씀드리고 싶은 건 그게 아녜요. 우리 공장 노동자들이 행복한 마음을 찾고 일하게 할 수 있는 방법을 제가 알아냈어요."

"경훈아."

어머니가 웃었다.

"그런 생각은 안 하는 게 좋아. 아무리 좋은 공장에서 일해도 그렇지. 많은 사람들이 어떻게 똑같이 행복해질 수 있겠니?"

"약을 쓰면 돼요."

"약이라니?"

"그들이 행복한 마음으로 일만 하게 하는 약을 만드는 거예요. 그들이 공장에서 먹는 밥이나 음료수에 그 약을 넣어야죠. 약은 우수한 연구진을 구성해 만들게 해야 돼요. 처음엔 경비가 많이 들겠지만 장기적으로 보면 그 이상 더 좋은 방법은 있을 수 없어요."

"그만둬라."

어머니가 말했다.

"생각하는 게 맨 끔찍한 것뿐이구나."

"끔찍한 건 제가 아녜요."

나는 말했다.

"정말 끔찍한 건 이 세계라구요. 몇몇 나라들이 그들의 사회제도로부터 이탈하려는 사람들에게 이미 약물을 투여하기 시작했어요."

"병이 난 사람들이겠지."

"질병하곤 상관이 없는 일예요."

"어쨌든, 너의 그런 생각을 아버지에게 말씀드리진 마라. 아버지는 작은 일 하나하나로 너희들을 판단하셔. 나는 네가 위의 형들하고 똑같은 기회를 갖는 걸 보고 싶어. 내 말 알아듣겠니?"

나는 한 번도 어머니의 사랑을 의심해 본 적이 없다. 자식들에게 주어지는 어머니의 사랑의 크기는 언제나 같았다. 아버지는 달랐다. 아버지는 경영자에게 가장 필요한 능력은 여러 이질적인 것들을 조화하여 전체를 만드는 재능이라고 우리들에게 말하고는 했다. 그 재능을 갖지 못한 사람들에게는 큰 권한을 넘겨 줄 수 없다는 통보이기도 했다. 숙부가 돌아가기 전에는 공장에서 일어나는 일들에 관한 이야기가 집안까지 들어와 본 적이 없는데 요즘은 그렇지 않다고 어머니가 말했다. 그리고 이번에는 기계공장 쪽에서 심상치 않은 문제가 일어난 것 같다고 덧붙였다.

그랬구나! 내가 혼자 말할 차례였다. 남쪽에 있는 공장이었다. 여덟 개의 손가락을 가진 사나이가 그곳에서 올라오고는 했었다. 그는 공원들보다 더 더러운 옷을 입고 공원들 것보다 더 더러운 손수건을 썼다. 멍청한 사촌이 그의 소식을 들었다면 역시 그는 다르다고 말했을 것이다. 지섭이 먼 곳에서 나의 머리를 친 셈이었다. 그러나 그는 난쟁이네 식구들을 위로하러 올라올 수가 없었다. 그는 우리 반대쪽에 서 있는 사나이였다. 그는 자신을 분석하고 동료들을 분석하고 저희들을 경제권력으로 억압한다는 우리를 분석하다가 불행해질 사람이었다. 어머니는 애국 부녀봉사회의 불우이웃돕기 모금 집회에 나갈 준비를 했다. 젊은 여비서가 어머니를 도왔다. 나는 그 여자에게 바짝 다가서며 우리가 이 사회에 진 빚은 눈곱만큼도 없다고 말했다. 젊은 여자는 어색하게 웃으며 물러섰다. 얇은 옷을 입고 있었다. 그 얇은 옷 속에 감추어진 쾌락의 작은 도구들을 나는 상상했다. 나의 정욕이 내 머리를 산란하게 했다. 방으로 올라가 어머니와 함께 출발하는 그 여자를 보았다. 수위가 철문을 밀어젖혔다. 어머니의 승용차는 이팝나무 숲을 끼고 돌아나갔다. 잠시 후에 집사가 물어왔다. 풀장의 물을 갈아야겠는데 물을 빼 버리기 전에 아이들이 들어가 좀 놀게 한 다음 청소를 시켜도 괜찮겠냐는 것이었다. 나는 먼저 며칠 후 친구들을 데리고 섬에 갈 생각이니까 연락을 취해 달라고 말했다. 이어서 풀을 깨끗이 씻어 내기 위해서라면 물론 좋다고 말하고 그렇지만 한 아이는 올라와 나의 책 정리를 도와야 할 것이라고 말했다. 그가 고맙다고 말하는 소리를 처음 들었다. 나는 VTR 장치에 베를리오즈의 음악이 들어 있는 테이프를 걸었다. 열여섯 난 금발의 여자아이가 두 팔로 남자의 몸을 안았다. 사흘 전 아침의 여자아이는 소리도 내지 않고 올라왔다. 그 아이는 사방에 흩어져 있는 책들을 한 권 한 권 집어 팔에 안았다. 인간공학이란 책이 볼록한 가슴 부분을 눌렀다.

베를리오즈의 음악을 언제 처음 들었는지 생각이 나지 않았다. 바로 밑의 여동생은 힌데미트를 좋아하는 나를 좋아했다. 나는 여자아이의 팔을 잡아채 책을 떨어뜨렸다. 금발아이의 옷은 어깨선에서부터 풀어져 내렸다. "봐!" 나는 말했다. "너희 텔레비전하고 틀리는 거야." 여자아이는 시키는 대로 했다. 놀라운 일이 화면 안에서 벌어졌다. 여자아이는 꼼짝도 하지 않고 보았다. 그 아이는 어깨와 가슴으로 숨을 쉬었다. 내 손이 가 닿자 파르르 떨었다. 여자아이들이 그 작은 몸속에 생명의 강을 안고 있다는 것은 놀라운 일이었다. 화면 안 남자가 금발아이의 몸에 상처를 입혔다. 이제 너는 여자가 되었다고 남자가 말했다. "그만 내려가." 몸이 달아오른 여자아이에게 나는 말했다. "물을 빼 버리기 전에 수영을 해." 여자아이는 하얘진 얼굴로 나를 보았다. 그 아이가 눈물이 핑 돌아 내려가자 나는 침대에 누웠다. 침대에 누워 책을 읽었다.

아버지가 돌아올 때까지 나는 경제사를 읽을 참이었다. 한 경제학자가 장차 책임범위는 넓어질 것이라고 쓴 것을 그 책의 저자는 인용했다. 나는 책을 읽다가 잠이 들었고 깨기 직전에 꿈을 꾸었다. 꿈속에서 그물을 쳤다. 나는 물안경을 쓰고 물속으로 들어가 내 그물로 오는 살진 고기들이 그물코에 걸리는 것을 보려고 했다. 한떼의 고기들이 내 그물을 향해 왔다. 그러나 그것은 살진 고기들이 아니었다. 앙상한 뼈와 가시에 두 눈과 가슴지느러미만 단 큰 가시고기들이었다. 수백 수천 마리의 큰 가시고기들이 뼈와 가시 소리를 내며 와 내 그물에 걸렸다. 나는 무서웠다. 밖으로 나와 그물을 걷어 올렸다. 큰 가시고기들이 수없이 걸려 올라왔다. 그것들이 그물코에서 빠져나와 수천 수만 줄기의 인광을 뿜어내며 나에게 뛰어올랐다. 가시가 몸에 닿을 때마다 나의 살갗은 찢어졌다. 그렇게 가리가리 찢기는 아픔 속에서 살려 달라고 외치다 깼다. 서쪽 유리창에 황적색 저녁놀이 와 닿았다. 그것이 아름답게 느껴져 창가로 가 내다보았다. 대기 속 물질의 아주 작은 알갱이들이 빛을 운반해 오는 것을 나는 볼 수 있었다. 흰 벽이 저녁놀 빛을 숲 쪽으로 받아 던졌다. 돌아간 할아버지의 늙은 개가 그 숲에서 기어나왔다. 달아오른 몸으로 나를 받아들이려고 했던 여자아이가 늙은 개를 불렀다. 개밥그릇을 개집 앞에 놓아준 여자아이가 늙은 개의 목을 꼭 껴안았다. 난쟁이의 큰아들이 끌려나갈 때 난쟁이의 부인이 그런 몸짓을 했었다. 공원들은 밖으로 나가 울었다. 지섭은 올라올 수가 없었다. 사람들의 사랑이 나를 슬프게 했다. 그때 수위가 철문을 밀어붙이는 것이 보였다.

이팝나무 숲을 끼고 돌아온 아버지의 승용차가 미끄러지듯 들어와 섰다. 내일 아무도 모르게 정신과 의사를 찾아가 보자고 나는 생각했다. 내가 약하다는 것을 알면 아버지는 제일 먼저 나를 제쳐 놓을 것이다. 사랑으로 얻을 것은 하나도 없었다. 나는 밝고 큰 목소리로 떠들 말들을 떠올리며 방문을 열고 나갔다.